OPNIEUW BEGINNEN

Elizabeth Berg

OPNIEUW BEGINNEN

the house of books

Oorspronkelijke titel
The year of pleasures
Uitgave
Random House, New York

Vertaling
Karina Zegers de Beijl
Omslagontwerp
Mariska Cock
Omslagillustratie
Getty Images/Antony Nagelmann
Foto auteur
Joyce Ravid
Opmaak binnenwerk
ZetSpiegel, Best

ISBN 978 90 443 1963 7
D/2007/8899/236
NUR 302

Voor hen die ons zijn voorgegaan.

Dan krijg je het aarzelende grijs van de vroege ochtend of
de late namiddag – de uren van het verlangen.

– Regina Schrambling,
The New York Times, 27 juni 2001

En opnieuw kleuren de bessen van de vuurdoorn rood in de regen,
Alsof terugkeren hetzelfde is als terugkeren.
Dat is het niet.
De herinnering komt niet voort uit het vertrouwde.

– Jane Hirschfield, 'Red Berries'

Vandaag worden we, zoals om de andere dag,
Leeg en verschrikt wakker. Doe de deur naar de studeerkamer
Niet open en begin niet te lezen. Haal het hakkebord naar beneden.

– Rumi

Ik had er goed aan gedaan uitsluitend via de kleine weggetjes naar het Midwesten te willen rijden. Wanneer mijn man, John, en ik naar een wat verder weg gelegen bestemming gingen, vlogen we altijd en hadden we ons daarbij aan de steeds irritantere vliegveldprocedures moeten onderwerpen. Uiteindelijk reisde ik zo ongeveer in pyjama om te voorkomen dat ik me bij de veiligheidscontrole nagenoeg uit zou moeten kleden voor bewakers die ofwel een zorgwekkend verveelde indruk maakten of, hetgeen minstens even zorgwekkend was, opgeblazen en gewichtig, en zogenaamd grappig deden. Je kon je nog maar moeilijk voorstellen dat vliegen ooit als chic had gegolden, terwijl wat de meeste mensen tegenwoordig voelden het midden hield tussen angst en wanhoop. 'Nou, mensen, we hebben onze slot gemist, dus dat wordt vertraging,' klonk de stem van de captain door de speakers, waarop iedereen hoofdschuddend zijn krant nog eens opensloeg en iets tegen zijn buurman mompelde. En bij onverwachte turbulentie viel er een angstvallige stilte in de cabine.

En nu, in de auto, leek mijn brein langzaam maar zeker uit de plooi te komen, adem te halen en te genezen van een kwaal waarvan het tot op dit moment niet beseft had dat het eraan leed. In plaats van de achterkant van een vliegtuigstoel of een eindeloze opeenvolging van identieke wegrestaurants langs de snelweg, zag ik nu boerderijen met bomen eromheen, hoog oprijzende graansilo's en grote schuren waarvan de rode verf verweerd was tot de kleur van tomatensoep. Het weer bleef overal koppig veel te warm voor de tijd van het jaar, en de mensen wisten niet goed of ze daar blij om moesten zijn of niet – wat zou dit kunnen betekenen, een temperatuur van vijftien graden in november? Ik reed door een stadje waar ouden van dagen op schommelstoelen op hun veranda zaten, fietsende kinderen in volle vaart de hoek om kwamen en jonge moeders, met hun vest om hun middel gebonden, trots hun kinderwagens voortduwden.

Ik passeerde witte houten kerkjes, uit rode baksteen opgetrokken scholen, winkels waarvan de namen alleen de plaatselijke bewoners maar iets zeiden, en bioscopen waar maar een enkele film werd vertoond. Ik zag katten op de vensterbank voor het raam zitten, paarden die met hun staart de hinderlijke vliegen wegsloegen, koeien die als een stelletje roddelaarsters in de wei bij elkaar stonden. Al deze taferelen leken vervuld van een ongewone schoonheid – ze leken zo volmaakt alsof ze bewust in scène waren gezet. Ik had het gevoel dat ik door een museum van landelijke bas-reliëfs reed, en ik nam de details bewonderend en mij verwonderend in me op. Dat was de draaglijke kant van mijn nieuwe kwetsbaarheid, de positieve kant van een gevoel alsof mijn hart uit mijn lichaam was getild en als een ketting om mijn hals hing.

De verscheidenheid aan bomen was enorm, en ik schaamde me dat er maar een paar waren waarvan ik de namen wist. John en ik hadden het erover gehad hoe de mensen zich voortdurend bewust zouden moeten zijn van de maanstand, en dat ze de namen van op zijn minst de plaatselijke bomen, bloemen en vogels zouden moeten kennen – mogelijk dat een dergelijke band met de natuur tot grotere beschaafdheid zou leiden. Maar mij trof evenveel blaam als ieder ander. De enige boom die ik afgezien van dennen, wilgen en berken kende, was de johannesbroodboom, en dat was omdat ik hield van de manier waarop John de geur van zijn bloesem had omschreven als 'druivenlolly's'. Ik kwam langs alleenstaande bomen met enorme stammen en stelde me voor hoe hun loof in de zomer voor een grote cirkel schaduw zou zorgen. Ik passeerde een groepje jonge bomen die als danseressen meebewogen op de wind. De toppen van kale wilgentakken hingen in het meertje als meisjes die met hun grote teen de temperatuur van het water testen.

Ik voelde me op een ongewone manier ontspannen. De tijd kreeg een reële kwaliteit. De natuur net zo – de bossen, de lucht, de meren, de heuveltoppen en diepe dalen, de uitgestrekte weilanden en de modderige oevers van de rivieren. Het was als een expositie van levende foto's – een bouwvakker die, met een voet op de bumper van zijn truck, zijn boterham stond te eten, een vrouw met krulspelden in haar haren die boodschappen in haar auto laadde, een kind achter het keukenraam dat op een krukje klom om iets uit de kast te pakken, een kapster die bij een oude vrouw een permanentje zette.

Als nooit tevoren werd ik me bewust van alle verschillende dingen waar we ons als mensen mee bezighouden, maar ook van hoezeer iedereen zijn eigen gangetje gaat. Dit hielp me bij de verwerking van mijn verdriet tot iets minder persoonlijks en meer algemeens – tot iets organisch en natuurlijks. En dat gaf me weer kracht. Iemand zou als eerste moeten sterven. En dat was John geweest. Niets meer. En niets minder. Wat me nu overkwam, waar ik nu naar op weg was, was het creëren van een nieuw bestaan, een nieuw leven zonder de voortdurende invloed van datgene waar ik op aarde het meeste van had gehouden en waarvan ik afhankelijk was geweest. In zekere zin deed de situatie waarin ik mij bevond me denken aan een meisje dat ik ooit eens bleek, met grote ogen en knikkende knietjes op een kermis uit de achtbaan had zien komen. Toen haar broer haar vroeg of ze er nog een keer in wilde, zei ze: 'Niet voordat ik daar echt helemaal klaar voor ben.' Ik had een gevoel alsof ik klem zat in een kermisattractie waar ik nog niet helemaal klaar voor was, en hoewel ik voortdurend achteromkeek, werd ik voorwaarts gestuwd in de enig mogelijke richting.

Kilometer na kilometer ontrolde het landschap zich voor mijn ogen – in de heldere ochtendzon, in het gouden namiddaglicht, onder de pastelkleurige avondhemel. Op een gegeven moment, in de buurt van Cleveland, toen de hemel lavendelblauw was en de wolken een roze tint hadden, zette ik de auto langs de kant van de weg om te kijken hoe de opkomende duisternis de kleuren langzaam maar zeker doofde. Het landschap leek dichterbij te komen, maar was even later onzichtbaar geworden. Ik werd me scherp bewust van de natuurlijke ligging van het terrein, en bij het op en af rijden van de heuvels voelde ik het stijgen en dalen in mijn maag. Heel bewust dacht ik alleen maar aan hetgeen ik voor me zag, maar zo nu en dan kroop er langs mijn ruggengraat een opwindende gedachte omhoog: *ik ben weer helemaal van mijzelf.* Op dat soort momenten maakte het verdriet binnen in me plaats voor een soort van uitgelatenheid, en de opluchting die daarmee gepaard ging was overweldigend.

Al was het niet van lange duur. Op een avond stopte ik rond een uur of tien bij een motel. In de kamer naast de mijne hoorde ik een stelletje de liefde bedrijven. Hun geluiden waren sentimenteel en een tikje hysterisch. *Dronken*, dacht ik. Ik zette de radio hard aan, liet het bad vollopen, en terwijl ik op de rand van het bad zat en het bespottelijk kleine zeepje uitpakte, voelde ik hoe ik beetje bij beetje weer werd bekropen door het gewicht van mijn verlies. Nadat ik me had afgedroogd ging ik voor de televisie zitten en verbaasde me over het loze gezwam dat doorging voor amusement. Uiteindelijk zette ik hem uit, ging op het bed zitten en staarde in het niets voor me uit. Ik pakte de telefoon en draaide het nummer van mijn huis. Na de bekende tonen hoorde ik een bandje dat zei: *Het nummer dat u heeft gedraaid is niet langer aangesloten.* Ik hing op, sloot mijn ogen en haalde diep adem. Toen knielde ik naast het bed en drukte mijn gezicht in mijn handen.

Op de derde dag, tegen het einde van de middag, stopte ik bij een yoghurtijszaakje in het centrum van een stadje dat ik opvallend aantrekkelijk vond. Ik werd bediend door een lange man die ik ergens begin dertig schatte. Hij was al een beetje kaal en hij had een opvallend slechte huid. Daar stond tegenover dat hij prachtige blauwe ogen had. 'Dat is dan één dollar vijfenzestig,' zei hij, terwijl hij me het frambozenijsje gaf dat ik besteld had. Ik haalde twee dollars uit mijn portemonnee, gaf ze aan hem en nam een likje van mijn ijsje. 'Zalig,' zei ik, en ik schonk hem een glimlach. Hij glimlachte aarzelend terug, en was vervolgens geruime tijd met de kassa in de weer terwijl ik toekeek – aanvankelijk lichtelijk geïrriteerd, toen meelevend, en ten slotte ronduit gefascineerd. Uiteindelijk draaide de man zich om en riep naar iemand achter in de winkel: 'Louise?' Kennelijk had hij te zacht geroepen, dus hij riep het nog eens, maar toen luider. 'Louise?'

'*Wat is er?*' riep ze terug.

De man zette het papieren petje op zijn hoofd recht. 'Zou je even kunnen komen helpen?' vroeg hij. 'Alsjeblieft?'

Louise kwam met een geïrriteerd gezicht naar voren. Ze had een roodbruine sweater aan en ze was veel te dik. Ze droeg haar haren in een hoge paardenstaart. Het was echt prachtig haar – dik en kastanjebruin. Ik concentreerde me op haar haren terwijl zij zich op mij concentreerde. Ten slotte keek ik naar haar gezicht. 'Hallo,' zei ik.

Ze stak haar kin naar me uit. 'Dag.' Ze had een vrolijke oogopslag.

'Was jij dat, die van achteren riep?' vroeg ik.

Ze grinnikte. 'Ja, dat was ik – ik fluit nu eenmaal onder het werk.' Ze bewoog haar hoofd in de richting van de man. 'Dít heb ik van de vroege ochtend tot de late avond.'

'Ach,' zei ik. 'Zo erg is dat toch niet?'

'Dat kunt u gemakkelijk zeggen.' Ze keek boos naar de man die naar de neuzen van zijn schoenen stond te turen. Toen repareerde ze de kassa en liep ze terug naar achteren.

'Oké,' zei de man. 'Hier staat dat ik u vijfendertig cent terug moet geven.' Hij gaf me het wisselgeld.

Ik bedankte hem en voegde er toen lachend aan toe: 'Maar volgens mij had je dat ook best zelf kunnen bedenken.'

Hij keek me twijfelachtig aan.

'O, toe zeg,' zei ik. 'Vind je ook niet dat we veel te afhankelijk worden van dit soort apparaten?'

Nu kreeg zijn blik iets dankbaars. 'Nietwaar?'

Ik bedankte hem opnieuw en wilde het zaakje verlaten. Maar alvorens de straat weer op te stappen draaide ik me om en vroeg: 'Kun je me zeggen hoe dit stadje heet?'

Hij wees op de vloer. 'U bedoelt dit stadje, waar we ons nu bevinden?'

'Ja.'

Hij rechtte zijn schouders en maakte zich zo lang mogelijk. 'Dit is Stewart, Illinois. En ik zal u nog eens wat zeggen. Van hier naar Chicago is het maar tachtig kilometer. Exactamento. Ik woon hier al mijn hele leven. Het is een fijn stadje, Stewart. Zocht u dit?'

Na even geaarzeld te hebben antwoordde ik: 'Ja.'

Toen ik opnieuw naar buiten wilde gaan, hoorde ik hem zijn keel schrapen en zeggen: 'Mevrouw?'

Ik draaide me om. Hij had een kleur gekregen, en met iets van geforceerde moed vroeg hij: 'Zou u in mijn radioprogramma willen komen?'

Ik deed mijn uiterste best om geen verbaasde indruk te maken. 'Heb jij dan een radioprogramma?'

'Ja, mevrouw, *Talk of the Town*. Ik ontvang gasten uit ons stadje, en dan maken we een praatje. Dat is alles.'

Ik dacht aan de lege kilometers die ik had afgelegd om hier te komen, en de paar kantoorgebouwen die ik tot dusver in Stewart had gezien. Er was me niets opgevallen dat een studio zou kunnen zijn, of zou kunnen herbergen. 'Waar?' vroeg ik.

'Een paar straten verder, bij WMRZ. Het is boven de drogist. Ik heb Louise in mijn programma gehad, en we hebben over yoghurt gesproken. Waar komt het vandaan en waar gaat het naar toe? Louise vond het reuzeleuk om in de uitzending te zijn, vraagt u het haar gerust. Ze had zich er speciaal voor opgedoft en er een nieuwe tas voor gekocht.' Hij boog zich over de toonbank naar me toe en voegde er fluisterend aan toe: 'Louise is mijn sponsor. Bijtende honden blaffen niet, als u snapt wat ik bedoel.'

Ik moest me beheersen om hem niet te corrigeren. 'Ja,' zei ik, 'ik snap precies wat je bedoelt.'

'Nou, dus wilt u in mijn programma? Ik neem de show altijd op zondagochtend op. Om half zeven. U moet er natuurlijk wel vroeg voor op, maar u gaat toch naar de kerk. Het is alleen maar een kwestie van eerder opstaan.'

'Nou, ik...'

'U hoeft niet meteen te beslissen,' zei de man. 'Als u het besluit te doen, dan komt u gewoon even langs. Of u kunt me bellen. Ik heet Ed Selwin. Ik sta in het telefoonboek. Je schrijft mijn naam zo ongeveer precies zoals hij klinkt. Denkt u er eerst maar even over na. Ik dacht alleen dat het, als u hier toch komt wonen, leuk zou zijn om u te interviewen. Omdat u hier nieuw bent, en zo.'

'Maar ik... Heb ik dan gezegd dat ik hier zou komen wonen?'

'Niet met zoveel woorden. Maar ik zag uw volgepakte auto en het kenteken van elders, en toen u zei dat dit het stadje is waarnaar u had gezocht...'

'Aha.'

'En omdat u hier nieuw bent, is het leuk om te weten waar u vandaan komt, en zo. U weet wel. En maakt u zich geen zorgen, mensen die voor de radio komen zijn zenuwachtig, dat is heel normaal, maar ik stel u meteen op uw gemak.'

'Goed, nou... ik laat het je wel weten.' Ik zwaaide ten afscheid en likte van de snel smeltende yoghurt. Ik stapte weer in de auto, startte de motor, zette de verwarming aan – de temperatuur was eindelijk min of meer normaal geworden voor de tijd van het jaar – en at mijn ijsje op. Ik was me bewust van een vreemd maar vertrouwd gevoel, een soort van innerlijke zekerheid zonder enige directe aanleiding. Het was een gevoel dat ik als kind vaak had gehad, en het had tot impulsieve beslissingen geleid waar ik nooit spijt van had gehad. Ik vroeg me af of ik moest zeggen: *ja, hier wil ik wonen*, en vervolgens op zoek gaan naar een huis. Waarom ook niet? Wat had ik uiteindelijk te verliezen? Ik bevond me, zoals ik gewild had, in het Midwesten. Het leek echt een charmant stadje. En bovendien had ik er ook niets op tegen om weer eens iets ingrijpends te doen, en om te vertrouwen op het geluk dat me altijd had toegelachen. Ik herinnerde me een verhaal dat ik ooit eens had gehoord over een echtpaar van een boerderij in Iowa dat op zoek was naar een huis in Washington D.C. Ze konden maar niets vinden en huizen waren verschrikkelijk duur, en om alles nog gecompliceerder te maken, hadden ze drie honden. Ze zagen het steeds minder zitten, en toen, op zekere dag, hief de vrouw haar handen op en zei: 'Goed. Laten we nou gewoon tien minuten een bepaalde kant op rijden, en dan slaan we linksaf. En dan rijden we nog eens tien minuten, en dan slaan we rechtsaf. En dan rijden we weer tien minuten rechtdoor, en als we tegen die tijd nog niets hebben gevonden, geven we het op.' Ze kwamen terecht bij een enorme boerderij vlak buiten de stad, en er stond een man op het erf. Een beetje beschroomd vroegen ze hem of hij in de buurt toevallig iets te huur wist. Het bleek dat hij op zijn erf een huisje had dat hij aan zijn knechten verhuurde, en dat onlangs vrij was gekomen. Alles zat vers in de verf. Als ze bereid waren om een beetje mee te helpen op het bedrijf, konden ze het voor een schijntje van hem huren. En de drie honden? Geen enkel probleem. John zei: 'Soms is serendipiteit uiteindelijk niets anders dan gewone, onverhulde opzet.' Als ik me goed herinner, zat ik een boekrecensie te lezen en antwoordde ik met zo'n onduidelijk en nietszeggend *mmm, ja*, maar het verhaal was me altijd bijgebleven. En nu meende ik te begrijpen wat hij ermee bedoeld had. Wanneer je in staat was je wens duidelijk onder woorden te brengen, kreeg je soms vanzelf een extra zetje in de rug.

In stapte uit om mijn servetje weg te gooien, en reed toen verder het stadje in om de verschillende buurten wat nader te bekijken.

Voor het overgrote deel waren de huizen oud, groot en goed onderhouden. Er liepen stegen achterlangs – van het brede, ouderwetse soort waarvan ik altijd heb gehouden omdat je daarvandaan altijd zo'n goed uitzicht hebt op de achterzijde van de huizen. In stegen ging alles er altijd veel ongedwongener en intiemer aan toe – en op grond daarvan kwam je er ook meer over een wijk te weten. In de zomer kon je dingen zien als glazen van gekleurd plastic die op tuintafels waren blijven staan, kleden die over de reling van de veranda achter hingen te luchten, speelgoed op het gras van de achtertuin of zelfgemaakte zandbakken, en wasgoed aan de lijn met de mouwen van op hun kop hangende overhemden die je leken toe te zwaaien. Soms zag je stokrozen en leeuwenbekjes en enorme zonnebloemen, zware ranken met tomaten, en groene paprika's in de schaduw van hun eigen loof, in afwachting van het moment waarop ze als paaseieren gevonden zouden worden. Soms zag je peultjes tegen het gaashek op groeien, kindertuintjes vol ijslollystokjes waarop met onhandige letters geschreven stond wat er op een bepaalde plek aan gemakkelijk gewas gezaaid was – zucchini, worteltjes, margrieten. In de winter zag je hele families van sneeuwpoppen, sleetjes die als aangebonden paarden tegen de achtermuur stonden, afdrukken van sneeuwengelen, allesbehalve ronde cirkels met ingestampte vakken voor een spelletje sneeuwtaart. En ongeacht het seizoen keek ik altijd graag naar wat er bij het grof vuil was neergezet – kartonnen verpakkingen van nieuwe aankopen, keukenstoelen met kapotte dwarslatten, koelkasten waar de deuren vanaf waren gehaald waardoor ze op een vreemde manier naakt leken.

Stegen riepen vele plezierige jeugdherinneringen bij me wakker – bezoeken aan mijn tante Lala in Worcester en het spelen met mijn neven en nichtjes in die smalle straatjes achter de huizen. We deden ouderwetse spelletjes als tikkertje en verstoppertje en boompje verwisselen, spelletjes waarvan ik vermoedde dat ze plaats hadden moeten maken voor nieuwere, elektronische spellen en de angst om kinderen alleen op straat te laten spelen. Maar hier zag ik, hoewel het intussen toch echt fris was geworden, veel kinderen op straat, hoewel ze voornamelijk op de stoep, en niet in de stegen speelden. Een groepje meisjes was aan het touwtjespringen, waarbij ze bekende, ritmische liedjes zongen. Oudere jongens waren op een oprit aan het basketballen, en ze dribbelden als bezetenen door hopen bladeren waarvan de herfstkleuren hadden plaatsgemaakt voor een uniforme bruine tint. Ik zag lichtblonde meisjes die zusjes leken en die in een kringetje rond een bruin hondje dansten dat voortdurend naar hen uitviel en in de zoom van hun broek probeerde te happen. 'Nee, Tootsie!' riepen ze lachend.

'Het stadje waar de tijd stil is blijven staan,' zei ik hardop, en misschien wel tegen John die het mogelijk kon horen. Toen zette ik de radio uit en draaide het raampje een eindje open om de geluiden van dit plaatsje, dat zo totaal anders was dan de stad die ik had achtergelaten, beter te kunnen horen. Zelfs de lucht was anders hier – het rook schoon en naar appels.

Ik sloeg een brede, bomenrijke straat in en halverwege zag ik iets wat op een 'Te Koop'-bord leek. En dat bleek het inderdaad te zijn. Ik zette de auto langs de kant, vlak voor een wit houten bord van HENCKLEY REALTORS, de makelaar, met een telefoonnummer erop. Het huis in victoriaanse stijl, en met zijn veranda romdom, was een plaatje. Zo te zien stond het leeg. Er waren geen gordijnen, en ik zag geen meubels en geen schilderijen door het raam, en het dorre gras was aan de lange kant. Mijn hart begon sneller te slaan – dit was precies waar John en ik over gefantaseerd hadden wanneer we plannen maakten voor onze reis. Ik stapte niet meteen uit, maar bleef meer dan een minuut zitten. Ik wist dat ik het huis, als het me zou bevallen, zou kopen, en ineens was ik bang om datgene door te zetten waar ik voor mijn gevoel zo zeker van was. Als John hier was geweest, zou hij de stabiele kracht zijn geweest waarop ik mijn spontane ideeën kon uitproberen. Ineens vroeg ik me af of deze reis eigenlijk wel zo'n goed idee was geweest. 'Doe het eerste halfjaar vooral helemaal níets,' had een vrouw tegen me gezegd. Maar een ander had gezegd: 'Neem zo snel mogelijk de draad van je leven weer op. Je bent geen twintig meer, weet je.' Toen had ze zo ongeveer haar hand voor haar mond geslagen en eraan toegevoegd: 'Ik bedoelde het niet zoals het klonk.'

Ik besloot naar de voordeur te lopen en aan te bellen. Als het huis inderdaad leegstond, zou ik door de ramen naar binnen gluren. En als het nog bewoond was... nou, dan zou me wel iets anders te binnen schieten. Ik zette de motor af en bekeek mezelf in de achteruitkijkspiegel. In tegenstelling tot wat ik gevreesd had, zag ik er niet uit alsof ik gestoord was. Dat nam niet weg dat ik me bewust was van een enorme gretigheid. Ik had op zijn minst verwacht dat mijn ogen wat uit zouden puilen. Maar nee, ik zag er volkomen normaal uit: een vrouw van vijfenvijftig met lichtelijk asymmetrische, lichtgroene ogen, een ietwat scheve neus, trekken waar ik vroeger op school om gehuild had maar die ik op den duur aanvaard had en zelfs was gaan koesteren omdat John ervan had gehouden. Ik was een vrouw met rood haar en sproeten die dringend naar de kapper moest, maar die behoorlijke kleren droeg en de diamanten oorbellen die ik op onze vijftiende trouwdag van John had gekregen. Ze waren niet zo groot dat ze ordinair waren, maar volgens mij zou de makelaar eraan kunnen zien dat ik niet onbemiddeld was. Dat leek me belangrijk. Ik verwachtte dat hij geïrriteerd zou zijn omdat hij een dergelijk groot huis aan een alleenstaande vrouw zou moeten tonen – wanneer het ging om het serieus nemen van vrouwen, was er naar mijn idee nog niet zo heel veel veranderd in de wereld.

Toen ik bij de deur kwam zag ik dat het huis inderdaad leegstond. Ik keek om me heen om me ervan te vergewissen dat er niemand naar me stond te kijken, en ging toen voor het grote raam staan om naar binnen te gluren. Wat ik zag deed mijn adem stokken. Eierlijsten, een open haard met een stenen schoorsteenmantel en een glanzende eikenhouten vloer. Een draaitrap naar de eerste verdieping. Op de overloop was een groot glas-in-loodvenster dat qua kleur en stijl van Frank Lloyd Wright zou kunnen zijn. Ik haalde mijn mobieltje uit mijn tas, stelde vast dat mijn handen beefden – ik wist niet of dat van angst was of van begeerte – en draaide het nummer van de makelaar terwijl ik vurig hoopte dat iemand me het huis nu meteen kon laten zien.

Ik vroeg de receptioniste die opnam of ik meneer Henckley zou mogen spreken. Ik wilde de eigenaar van de zaak. Dat leek me de beste manier om dit aan te pakken. 'U spreekt met mevróúw Henckley,' zei de vrouw. 'En ik ben de makelaar. De enige.'

'O!' zei ik. 'Neemt u me niet kwalijk. Ik dacht dat u de receptioniste was.'

Ze lachte. 'We hebben hier geen receptioniste! Ik ben in mijn eentje – ik en de kat. Waarmee kan ik u van dienst zijn?'

Ik haalde diep adem. 'Ik zou graag een huis willen bezichtigen dat u in de verkoop heeft. Het is een zachtgeel huis in victoriaanse – '

'O, u bedoelt het huis van mevrouw Samuels. Maple Street 311?'

Ik keek op het nummer naast de deur. 'Inderdaad. Ik zou graag een afspraak willen maken om het te bekijken.'

'Nou,' zei ze, 'komt nu meteen u uit? Wilt u het nu meteen zien?'

Ik knikte enthousiast, en het duurde even voor ik me realiseerde wat ik deed. 'Ja!' zei ik. 'Graag. Dat zou geweldig zijn.' Ik ging op de bovenste tree van de veranda zitten. 'Ik wacht hier op u. Op de veranda.'

'Ik heb ongeveer een kwartier nodig om bij u te zijn,' zei ze. 'Neemt u alvast een kijkje in de achtertuin. Hoewel er op dit moment niet veel te zien is, zult u er toch een indruk van krijgen. Lydia Samuels heeft een pact met de duivel gesloten om zo'n schitterende tuin te krijgen. Ik kan u foto's laten zien van hoe hij eruitziet wanneer alles in bloei staat. O, tussen haakjes, hoe heet u?'

Ik noemde mijn naam, en voegde er toen aan toe: 'Uit Boston.'

Stilte.

'Maar ik ga verhuizen. Hiernaartoe. Misschien. Ik bedoel, dat ik ga verhuizen, dat staat vast. Ik weet alleen nog niet zeker of dit het huis is dat ik zoek.'

Opnieuw was het even stil, en toen zei ze bedachtzaam: 'Natuurlijk weet je dat nog niet, lieverd. Je hebt het nog niet eens gezien. Kijk nou maar vast wat rond, en dan zie ik je zo. Ik heet Delores, oké?'

En ik dacht dat ik niet *gestoord was?*

Ik bleef nog even door het raam staan kijken, en liep toen

door naar de achterzijde van het huis. De zijtuin was smal, maar aan de achterkant was een flinke lap grond waarop een beeldschone tuin was aangelegd. Middenin stond een vogelbadje van witte steen – de zuil was strak en zonder tierelantijnen, het badje zelf had de vorm van een schelp. Onderin lagen dorre blaadjes, en ik veegde ze eruit alsof ik de baas van het spul was. Achter in de tuin stonden twee vogelhuisjes naast elkaar, het ene een beetje groter dan het andere. Ze waren eenvoudig en mooi en groot, en ze waren vervaardigd van donkergroen gelakt metaal. Naar de spinnenwebben te oordelen was er heel lang geen voer meer neergelegd, en ik hoopte dat dit betekende dat het huis al enige tijd leegstond. In dat geval zouden de eigenaars meer haast hebben om te verkopen.

Er was een garage die in dezelfde zachtgele tint geschilderd was als het huis zelf, met een venster met kleine ruitjes, luiken en een vensterbank. Ik keek door het raam naar binnen en zag harken en spades keurig naast elkaar staan, en houten planken met netjes gestapelde bloempotten, plastic zakken die gevuld waren met iets wat ik niet kon zien, losse stukken traliewerk en bundels opbindstokken in alle mogelijke maten. Dit was geen achtertuin, dacht ik, dit was het landgoed van de Kennedy's! Zo'n arbeidsintensieve tuin kon ik nooit aan. Maar ik begeerde het huis met het verlangen en de koppigheid van een kind dat een bepaald stuk speelgoed in de etalage heeft zien staan. Ik verlangde niet alleen naar dit huis omdat ik het mooi vond. Het was vooral het gevoel dat ik, door het te kopen, beter in staat zou zijn om te doen wat ik wilde doen. Er was zoveel dat ik nog wilde doen.

Ik ging midden in de achtertuin staan en probeerde me voor te stellen hoe het er hier in de zomer uit zou zien. Ik zag mijzelf op een warme namiddag op een ligbed, met een opengeslagen boek op mijn schoot, van een glas limonade nippen. Bijen, met hun poten vol stuifmeel, vlogen zwaar, en schijnbaar zwalkend, van bloem naar bloem. Of ik zou 's avonds op de veranda liggen en naar de glimwormpjes kijken – er waren glimwormpjes in het Midwesten.

En toen realiseerde ik me dat John in mijn fantasieën bij me was – in gedachten had ik het voeteneind van zijn ligbed gezien, en zijn bij de enkels over elkaar geslagen blote, gebruinde voeten.

Ik ging op de grond zitten en sloeg mijn armen om mijn knieën. 'Wat haal je je toch in je hoofd?' vroeg ik me hardop af. Er vloog een vliegtuig over. De piloot wenkte niet met zijn vleugels. Er streek geen briesje langs mijn wang. Er daalde geen vogel neer op een tak om nadrukkelijk een lied voor me te zingen. Ik hoorde geen, al dan niet verzonnen, gefluisterde woorden in mijn oor. Maar ik had dergelijke bevestigingen ook niet nodig om te weten wat hij gezegd zou hebben. Zo erg was ik hem niet kwijt.

Ik liep de veranda weer op om door de achterdeur naar binnen te kijken. Ik had gehoopt dat ik de keuken zou kunnen zien, maar de ruit was volledig bedekt met verschoten gele gordijntjes. En toen hoorde ik iemand roepen: 'Joe-hoe!'

Ik koop het, dacht ik. *Joe-hoe, zeg dat wel.*

Een zwaargebouwde vrouw met kort grijs haar kwam de hoek om. Ik schatte haar eind zestig, begin zeventig. Ze droeg een slechtzittend, mosterdkleurig makelaarsjasje op een jurk met een zwartwitmotief – je kon zien dat er op het zakje van de blazer iets had gezeten wat er was afgehaald. Haar schoenen waren rood en zwaar versleten. Ze moest vroeger een knappe vrouw zijn geweest. Ze had prachtige, ver uit elkaar staande donkerblauwe ogen, een gulle mond en diepe kuiltjes in haar wangen. 'Ik ben Delores,' zei ze, en ze legde haar hand vlak op haar borst. 'Pfff!' Kennelijk was ze buiten adem van de paar meter die ze van haar auto hiernaartoe had gelopen.

'Betta Nolan.' Ik bood haar mijn hand. Ze gaf een opvallend stevige hand, pijnlijk bijna. 'Hallo,' zei ik, en ik moest me beheersen om mijn hand niet te masseren.

'Hoe vind je het huis?' vroeg ze. 'Is dit geen fantastische tuin? Ik bedoel, stel je voor hoe het er hier van de zomer uit moet zien. Heb je die sering in de voortuin gezien? Naast de veranda?'

'Ik heb wel een paar struiken gezien,' zei ik, 'maar ik wist niet wat ze waren.'

'Nou, het zijn seringen, Miss-Kim-seringen. Je weet wel, dat zijn die met de sterkste geur. Overweldigend, zo sterk als ze ruiken. Ik heb ze zelf ook. Zalig gewoon. En volgens mij heeft ze ook ergens wilde laurier staan, ik weet alleen niet waar precies.' Delores liep naar een groepje kale struiken en bestudeerde de takken door het onderste gedeelte van haar dubbelfocuslenzen. 'Dit zou hem wel eens kunnen zijn, maar ik weet het niet zeker. Kom maar mee naar binnen, daar liggen foto's van de tuin.'

Ik liep terug naar de achterdeur, maar Delores zei: 'O, nee, we gaan door de voordeur naar binnen. Dat vind ik veel fijner.'

Ik volgde haar terug naar de voorzijde van het huis en toen de treden van de veranda weer op. Ze was echt goed buiten adem toen we bij de deur waren, en ze begon in haar tas naar de sleutels te zoeken. 'Rook je?' vroeg ze, terwijl ze zich omdraaide en me opnam alsof ze aan mijn uiterlijk zou kunnen zien of het antwoord ontkennend of bevestigend zou zijn.

'Nee,' antwoordde ik.

'En ook nooit gedaan?'

'Nee.'

'Nou, dat is intelligent van je. Ik ben er eindelijk mee opgehouden. Door die rotdingen heb ik nu nog maar de longcapaciteit van een vlo.' Ze draaide de sleutel in het slot en duwde de deur open. 'Ga je gang,' zei ze.

Ik stapte het halletje in. Het rook een beetje muf, maar het was geen nare lucht. Het deed me denken aan de oude bibliotheek waar ik als kind naartoe was gegaan, dus de associatie voor mij was er eentje van een prettig vooruitzicht. Het halletje had een deur met gekleurd glas die me nog niet eerder was opgevallen. Het was fraai gedaan, maar het haalde het niet bij de ruit op de overloop.

'Kom, dan geef ik je een rondleiding,' zei Delores, terwijl ze langs me heen stapte.

Ik volgde haar door de eetkamer met zijn schouderhoge lambrisering. De keuken was niet gemoderniseerd – het fornuis en de koelkast waren oud, en ik zag geen vaatwasmachine. Maar ik was alleen, dus zo'n ding had ik helemaal niet nodig. En eigenlijk had ik het altijd fijn gevonden om met mijn handen in het sop te zitten, de piepgeluidjes van het afwassponsje te horen, de zeep te ruiken en door het raam naar buiten te kijken. Hoe dan ook, er was een mooie, ouderwets grote gootsteen en een flinke bijkeuken, twee dingen die weer helemaal in waren.

Boven waren vier relatief kleine slaapkamers met verschoten oudroze behang – ook hier gold: oud genoeg om weer modern te zijn. Er was een grote badkamer met oorspronkelijke tegels, en een badkuip op pootjes. In gedachten zette ik er mijn spulletjes al neer. Dit zou de leeskamer worden, en dit het kantoor, daar mijn slaapkamer en daar een gecombineerde televisie-logeerkamer.

'Wil je de kelder ook zien?' vroeg Delores, toen ik voor het bad stond en mezelf weggedoken onder de belletjes zag zitten.

Ik wist wat die vraag betekende. Alleen serieus geïnteresseerde kopers namen een kijkje in de kelder. Ik vroeg me af wat ik daar zou moeten bekijken. John was de enige die van elektrische bedrading en verwarmingssystemen af wist. Even dacht ik: *waar ben ik mee bezig? Dit kan ik niet. Wat ik nodig heb is een flat met uitzicht op het water, een supermarkt om de hoek, een balkon met bloempotten en een klus-*

jesman die ik alleen maar hoef te bellen. Ik heb buren nodig om me niet alleen te voelen. Maar hoewel die fantasie een stuk veiliger was, voelde hij vooral oersaai. En dus zei ik ja, dat ik de kelder wilde zien.

We gingen naar beneden, Delores voorop. Ze hield zich stevig vast aan de leuning. Toen we beneden waren gekomen bleef ze staan, draaide zich glimlachend naar me om en vroeg: 'Hoe groot is je gezin?'

'Ik... ik ben alleen.' Ineens voelde ik me meer dan ellendig. Dwaas en hebzuchtig.

Delores keek me met grote ogen aan. 'Wil je zo'n groot huis helemaal voor jezelf alleen?'

'Nou, het lijkt vanbuiten groter dan het is,' zei ik.

'Dat is waar.' Ze aarzelde even, en toen zei ze: 'Moet je luisteren. Je zult alleen de kelder in moeten, want die treden zijn zo steil dat ik ze niet weer op kom. Vind je het heel erg om alleen naar beneden te gaan?'

'Helemaal niet.'

Delores nam me mee naar de kelderdeur en ze deed het licht voor me aan. Ik liep de smalle houten trap af. Een doordringende aardegeur drong mijn neusgaten binnen – het was een heel oude kelder.

Rechts was een washok met een hoog venster. Er stond een houten stellingkast en er was een diepe, dubbele gootsteen. Dat moest voldoende zijn. Links achteraan zag ik de verwarmingsketel en de meterkast. Ik sloeg mijn armen over elkaar en liep erheen. Eerlijk gezegd had ik geen idee waar ik op zou moeten letten. Er zou natuurlijk een taxateur komen kijken. Zo iemand zou weten waarop gelet moest worden. Ik had genoeg gezien. Ik zou de ruimte toch niet nodig hebben, alleen maar om er het hoognodige op te slaan.

Toen ik weer boven was keek ik Delores aan en knikte. 'In orde,' zei ik.

'Heb je enig idee waar je daar beneden op moet letten?'

Ik schoot in de lach. ‘Nee.’

Delores glimlachte een soort van meelevend glimlachje. ‘Dat dacht ik al.’ Ze legde haar hand op mijn arm. ‘Ben je gescheiden, schat?’

‘Nee, ik ben niet gescheiden.’ Ik deed een paar stapjes opzij en liep door naar de zitkamer, en vandaar naar de trap waar ik strak naar het glas-in-loodvenster bleef staan kijken en verschrikkelijk mijn best deed om niet te huilen.

Achter me hoorde ik Delores zeggen: ‘Er is niets mis met ongehuwd-zijn. Dat zal vijftig procent van de getrouwde vrouwen onmiddellijk met je eens zijn. En waarschijnlijk nog wel meer dan dat, laten we eerlijk zijn.’

Ik draaide me om, en voor ik iets had kunnen zeggen zei ze: ‘O, ik begrijp het.’ Ze deed een stapje naar me toe, en toen nog een. ‘Wanneer is hij gestorven?’ vroeg ze, en toen ik midden oktober zei, hoorde ik haar adem stokken. ‘Och, lieverd,’ zei ze. ‘Het is veel te snel om nu al een huis te kopen.’

‘Nee,’ zei ik, ‘dat is het niet. Kunnen we nu naar je kantoor?’

‘Natuurlijk,’ zei ze, hoewel ze roerloos bleef staan. Ik liep langs haar heen naar buiten en wachtte tot ze me volgde. Even later kwam ze naar buiten. Ze deed de deur dicht en op slot en voelde of hij goed dichtzat. Toen zei ze: ‘Rij maar gewoon achter me aan. Het is niet ver en het is gemakkelijk.’

Ik stapte in de auto, veegde twee tranen weg, reed bij de stoep vandaan en volgde haar oude witte Cadillac. Toen ik via de achteruitkijkspiegel nog een laatste blik op het huis wierp, wist ik dat het voor mij was.

Mijn man, John, was vijfenvijftig toen hij van een pas afgestudeerde arts – Johns eigen arts was kort tevoren met pensioen gegaan – te horen kreeg dat hij leverkanker had. 'U weet het zelf waarschijnlijk al,' was de jonge man blozend begonnen, en John had alleen maar 'ja' gezegd. Hand in hand en koud tot op het bot hadden we de praktijk verlaten.

Toen het einde nabij was, begon ik uit te kijken naar tekenen dat het onvermijdelijke niet onvermijdelijk was. Ik keek naar de paar blaadjes die, in strijd met het jaargetijde, weigerden hun groene kleur op te geven. Ik putte troost uit het feit dat de zon vrolijk bleef schijnen op een dag waarop regen was voorspeld – geen wolkje aan de hemel! Ik probeerde zelfs hoopgevende boodschappen te lezen in de manier waarop het muntgeld op de commode lag – moet je zien, ze liggen allemaal met de kop naar boven, hoe groot is de kans dat zoiets gebeurt?

Bidden deed ik ook, op de manier waarop agnostici dat op dergelijke momenten doen. *Het spijt me, Heer, dat ik aan u heb getwijfeld; lieve God, help ons toch, alsjeblieft.* Ik stond 's ochtends vroeg rillend met mijn kop koffie in de achtertuin en liet het universum weten dat, als er krachten waren die ons konden en wilden helpen, dit daar nu het moment voor was. Ik probeerde mijzelf er met heel mijn wezen van te overtuigen dat er een wonder zou gebeuren – geloof en vertrouwen gingen hand in hand, daarvan was ik mij bewust. Ik stelde me voor hoe ik, na Johns genezing, iedereen zou vertellen dat ik de hoop nooit had opgegeven, en moet je zien! Maar mijn dromen vertelden een heel ander verhaal: John verschrompelde tot het formaat van een duim, tuimelde uit mijn tas waarin ik hem bewaarde, en er werd op hem getrapt. In een andere droom ging ik een straatje om, en toen ik terugkwam was mijn huis verdwenen.

Drie dagen voor zijn dood zei John dat hij naar het ziekenhuis wilde. Hij kreeg een prettige kamer met zicht op de rivier. Ik zat naast hem, of kroop bij hem in bed, en liet hem alleen maar uit mijn ogen gaan wanneer hij zich waste of naar de wc moest. De hemel bleef loodgrijs met laaghangende, dreigende wolken. Vogels vlogen langs in formatie, op weg naar een zachter klimaat. John sliep het grootste gedeelte van de tijd en ik bestudeerde hem zoals ik een schilderij bestudeerd zou kunnen hebben – zijn hoge jukbeenderen, zijn dunne maar zinnelijke lippen, zijn opvallend grote oorlelletjes waar hij ooit eens namaak diamanten oorbellen aan had geklemd als puntje op de i van zijn Halloween-verkleedkostuum. Ik bekeek het subtiele licht- en schaduwspel op de plooien van zijn blauwe pyjama – hij had per se zijn eigen pyjama aan gewild, in plaats van het malle patiëntenhemd dat hij bij de opname overhandigd had gekregen. Altijd wanneer hij sliep schopte hij de dekens van zich af, en zijn winterwitte voeten straalden een intense onschuld uit. Aan de ene kant wilde ik John koste wat het kost overal tegen in bescherming nemen, maar aan de andere kant voelde ik me volkomen machteloos. Wanneer ze kwamen om hem bloed af te nemen, was mijn enige protest het afwenden van mijn blik.

Wanneer John wakker was, was hij volkomen helder, en

keer op keer sprak hij dezelfde wens uit. Hij wilde dat ik naar het midden van het land zou verhuizen, dat ik via de kleine weggetjes naar een plaatsje zou rijden waarvan ik nog nooit eerder had gehoord, en dat ik daar een nieuw leven zou beginnen.

Dat was iets wat we samen van plan waren geweest, en vlak voordat John ziek werd, hadden we thuis, in onze villa op Beacon Hill, bezoek gekregen van een makelaar die ons verteld had wat ons huis waard was – en dat was veel meer dan we hadden gedacht. We hadden op het punt gestaan ons plan in daden om te zetten, en we waren al lange tijd niet meer ergens zo enthousiast voor geweest. We hadden een goed huwelijk met vaste, ingesleten tradities en gewoontes, maar onze plannen leken ons nieuw leven in te blazen, en zelfs de vage onzekerheid over het verlaten van Boston waar we, met uitzondering van onze studietijd, altijd hadden gewoond, werd ruimschoots overtroffen door het vooruitzicht van al het nieuwe dat ons te wachten stond.

Dit was allemaal oorspronkelijk mijn idee geweest, en het was voortgekomen uit een zekere innerlijke onrust die verband hield met de middelbare leeftijd. Ik was niet in een crisis terechtgekomen, maar het was meer een groeiend besef dat er andere manieren van leven mogelijk waren die ik graag wilde onderzoeken. Mijn leven zoals het was voelde al jarenlang bevredigend, dat wel, maar wat me eraan begon te storen was de eindeloze herhaling. Nu verlangde ik naar iets anders. John voelde dat min of meer ook zo, en het duurde dan ook niet lang voor we het erover eens werden dat we weg wilden. John was psychiater, en we besloten dat we zijn praktijk zouden verkopen, en ikzelf zou ophouden met het schrijven van kinderboeken. We hadden beiden een succesvolle carrière achter de rug, en we konden het ons financieel veroorloven om vervroegd met pensioen te gaan, of heel andere dingen te gaan doen.

We wisten niet veel van het Midwesten – wanneer we op reis gingen trokken we altijd naar de kust of naar Europa. Maar we waren altijd gecharmeerd geweest van de mensen die we ontmoet hadden die daarvandaan kwamen, en het leek de juiste plek om een nieuw bestaan op te bouwen – exotisch, of dat was het in ieder geval voor ons, maar een stuk eenvoudiger dan, laat ik zeggen, Praag. John bekende me dat hij altijd had gedroomd van het hebben van een buurtwinkel, een kruidenierszaak, waarin hij alle klanten bij de voornaam noemde, en het Midwesten leek ons daar de ideale plek voor. En ik bekende John dat ik altijd had gedroomd van een winkel met een grote verscheidenheid aan gewoon mooie dingen – bijzondere sieraden, handgemaakte quilts en aardewerk, prachtige spullen voor de keuken en antieke theedoeken, ultraluxueuze badproducten, dagboeken van handgeschept papier en kleine, exclusief ingelijste aquarellen. 'What a Woman Wants' – waar een vrouw van droomt – had John mijn winkel gedoopt. Die avond leunde hij naar achteren in zijn stoel en had hij dromerig geglimlacht. 'Wie weet, misschien beginnen we echt wel een winkel,' zei hij. 'Of misschien geven we er uiteindelijk de voorkeur aan om lekker, ontspannen en nietsdoend op onze grote veranda te zitten.' Beide mogelijkheden klonken ons aantrekkelijk in de oren.

John wilde ervan op aan kunnen dat ik, ook zonder hem, zou doen wat we van plan waren geweest. 'Zet het door. Het is een goed idee,' zei hij. 'Het is echt iets voor jou. Je zult van alle kanten en van iedereen goedbedoeld advies krijgen. Je zult in de verleiding komen om je aan het een of andere scenario te houden, om te doen zoals er van je wordt verwacht. Doe dat niet. Je zult mij geen groter plezier kunnen doen dan met het doorzetten van onze plannen.' Ik begon te huilen en hij pakte mijn hand en keek me in de ogen. 'Je bent sterker dan je denkt, Betta; je kunt het best,' zei hij. 'Ik heb zo vaak meegemaakt dat de ene helft van een echtpaar sterft, en dat de ander vervolgens uitdooft. Laat jou dat niet overkomen.'

'Goed,' zei ik, hoewel ik niet echt overtuigd was.

'En, Betta? Doe ook je best om in dat nieuwe stadje vrienden te maken.' Met een zucht liet hij zich terugzakken in de kussens. 'Ik heb je bij de mensen weggehouden. We waren altijd te veel op onszelf. Jij had anderen nodig, maar door mij heb je die behoefte verwaarloosd.'

'Nee, dat is niet waar,' zei ik.

'Wel waar,' zei hij nadrukkelijk, terwijl hij zijn hand op de mijne legde.

Ik boog me naar hem toe, streek een van de opstandige haren van zijn wenkbrauwen in het gelid en zei: 'Maar ik vond het helemaal niet erg, hoor.'

Op de laatste ochtend in het ziekenhuis, toen we hand in hand in zijn bed lagen en naar de schitterende zonsopgang keken, zei hij: 'Wat ik hoop is dat je, zelfs in je verdriet – nee, juist in je verdriet – vreugde zult kunnen vinden. Beloof je me dat je dat zult proberen?'

'Ja,' zei ik, terwijl ik naar de steeds lichter wordende wolken keek en me afvroeg hoe ik dat in vredesnaam zou moeten doen.

'Ik zal je helpen,' zei hij. Opnieuw had hij mijn gedachten gelezen.

'Goed.' Ik boog me nog wat verder over hem heen en drukte een kus op zijn kruin terwijl ik vaststelde dat de zorgenrimpels op zijn voorhoofd wel heel erg zorgelijk waren.

Een paar uur later lag hij stilletjes te rusten terwijl ik op de stoel naast zijn bed zat en gedichten van Neruda voorlas. Het regende licht, en in de verte rolde de donder. Dat soort donder had een speciale naam, en ik nam me voor om John ernaar te vragen zodra ik het gedicht uit had. Maar ik hoorde zijn ademhaling vertragen, en toen rochelde hij een beetje. Ik keek snel van het boek naar hem, maar hij glimlachte en sloot vervolgens zijn ogen. Ik wachtte tot zijn borst weer omhoog zou komen. Dat deed hij een paar keer achter elkaar, maar toen ineens niet meer. Ik pakte zijn hand en boog me naar hem toe. Binnen in mij voelde het alsof iemand een kleed stond uit te kloppen. 'John?' zei ik. 'John?' Ik voelde me steeds wanhopiger worden. Ik had een vraag. Ik had nog één vraag. '*John?*' Nog één vraag maar, en dan wilde ik hem, als het kon, nog tot het eind van de dag houden. Een paar uurtjes nog. Maar hij was gestorven. Ik drukte mijn hand tegen mijn mond, en voelde hoe een inwendig trillen zich beetje bij beetje naar al mijn ledematen verspreidde tot ik over mijn hele lichaam beefde. Ik moest me heel erg beheersen om niet op te springen en het uit te schreeuwen. Om het nachtkastje en de stoel niet omver te werpen, de kleren van mijn lijf te rukken en de muren om ons heen tot puin te slaan. Natuurlijk deed ik niets van dat alles. Ik slikte de oerwoede weer in en onderdrukte het. Het was alsof ik iets enorms in iets heel veel kleiners moest persen, terwijl dat alles, net als kwik, verrassend weinig woog. Ik hoorde geluiden, een bepaald on-damesachtig grommen, uit mijn keel komen. Wat ik doormaakte leek in de verste verte niet op het beeld dat ik me van deze momenten had gevormd. Het was totaal anders. Wat ik me verbeeld had was de schaduw geweest, en niet de berg zelf. En toen zei ik: 'Rustig maar, het is goed. Het is goed.' Achteraf vroeg ik me af tegen wie ik dat eigenlijk had gezegd.

Ik sloot de dunne gedichtenbundel en bleef lange seconden roerloos zitten. Toen boog ik me weer naar hem toe en legde mijn hoofd in het vertrouwde holletje van zijn schouder. Na een poosje belde ik de zuster. Ik hoopte dat Lonnie zou komen. Ze was zijn favoriete verpleegster geweest. En het was inderdaad Lonnie die kwam, en als eerste omhelsde ze mij. 'Hij was een echte heer,' zei ze.

'Ja, dat was hij,' antwoordde ik.

'U heeft heel erg geboft,' zei ze, maar daar ging ik verder niet op in.

Ze lieten me afscheid van hem nemen, en ik stopte zijn kleren in het koffertje dat we hadden meegebracht. Uit het laatje van zijn nachtkastje haalde ik zijn horloge, zijn bril en zijn portefeuille. Er stond ook een blauw plastic bekertje voor het gebit in, en dat was vreemd, want hij had geen vals gebit. Toen ik erin keek, zag ik drie stukjes papier. Op een ervan stond *groene kom*. Op een ander *kolen*. En op het derde *gemberkoek*. En ik stopte het bekertje met de papiertjes ook in de koffer.

Omdat ik me niet kalm genoeg voelde om te rijden, nam ik een taxi terug naar huis. Het regende niet meer en de zon scheen. 'Eindelijk is het weer mooi, hè?' merkte de taxichauffeur op. Hij was van middelbare leeftijd – waarschijnlijk ongeveer even oud als John – en hij droeg een sweatshirt van Harvard.

Ik slikte, mompelde iets instemmends en trok Johns koffertje, dat ik naast me op de achterbank had gezet, dichter tegen me aan.

De chauffeur keek me via de achteruitkijkspiegel aan. 'Nou, ik kan u wel zeggen dat ik betere dagen heb gehad,' zei hij, waarna hij wachtte tot ik zou vragen: hoezo. Maar ik zei niets, en keek naar buiten, naar de prachtig synchrone bewegingen van de roeiers op de rivier de Charles. Nog even, en het zou te koud worden voor hun trainingen.

Eenmaal thuis moest ik natuurlijk huilen, en ik dwaalde van de ene kamer naar de andere. De snikken kwamen van een plek heel diep in mijn binnenste. Ik huilde tot mijn ogen zo opgezet waren dat ze niet meer open wilden, en toen viel ik in slaap, een diepe, droomloze slaap waaruit ik verrassend verfrist ontwaakte – in ieder geval tot ik het me weer herinnerde.

Op een haast afstandelijke manier, waarvan ik me realiseerde dat die voor dit soort taken noodzakelijk was, belde ik met verschillende instanties om Johns crematie en herdenkingsdienst te regelen. Ik had niet gewild dat hij zich liet cremeren, hoewel ik hem had gezegd dat ik dat zelf ook graag wilde, voor het geval ik als eerste zou komen te overlijden. Maar dat was geweest toen ons sterven nog iets abstracts had geleken. Toen duidelijk werd dat John dood zou gaan, veranderde ik van gedachten – ik wilde dat hij begraven zou worden. 'Ik zal behoefte hebben aan een plek waar ik je kan vínden,' zei ik, waarop hij zei: 'Die plek zul je na verloop van tijd vanzelf wel vinden.' Hij vroeg me om zijn as in zee uit te strooien en ik beloofde dat te zullen doen.

Daarna bleef ik een week lang thuis. Overdag liep ik in Johns overhemden, en 's nachts droeg ik zijn pyjama. Soms leek het alsof ik mijn gevoel voor realiteit kwijt was en kon ik de meest simpele dingen niet begrijpen – een uitgelaten stem op de radio, een reclamebrochure in de post. De telefoon ging, en ik keek ernaar alsof ik een bezoeker van een verre planeet was, en niet wist wat voor een mal dier dat was dat van die irritante geluiden maakte.

Op andere momenten voelde ik me verdoofd en was het alsof een stelletje gieren mijn binnenste helemaal leeg had gepikt. Op dat soort momenten leek ik niet te kunnen proeven, of horen, of aan te kunnen raken of te voelen. En op dat soort momenten vroeg ik me af of ik het nu eindelijk achter de rug had, of ik het huilen te boven was, en of het proces van helen had ingezet. Kort daarop werd ik dan weer overspoeld door een volgende, mogelijk nog heftiger stortvloed van misselijkmakend verdriet, en was ik tot niets anders in staat dan met mijn vuisten op de keukentafel te beuken. Ik wist dat het een bekend verhaal was, de dood van een echtgenoot, weduwnaarschap, maar ik had niets aan de wetenschap dat er voor mij zovelen waren die ditzelfde hadden doorgemaakt. Ik herinnerde me een vrouw van negenentachtig die haar man vele jaren daarvoor had verloren, en me met onvaste stem vertelde: *Je blijft altijd op je eigen helft van het bed slapen.* En dat bleek inderdaad zo te zijn.

En toen, op een avond, om half acht, kreeg ik opeens een ontzettende honger. Ik had geen zin om te koken en ik wilde ook niet ergens naartoe waar ik met John had gegeten, dus ik liep naar een Italiaans restaurant waar ik nog nooit eerder was geweest. Buiten leek het donkerder dan gewoonlijk – het was bijna alsof het licht van de straatlantarens er geen zin in had en nauwelijks de nodige kracht kon opbrengen. Ik vermoedde dat het kwam doordat het een heel klein beetje mistte. Maar waarschijnlijker was het, dacht ik, dat het kwam doordat ik me zelf zo donker voelde, iets wat me al heel lang niet meer was overkomen. Ik kon de zoetige geur van de herfst ruiken, maar het was warm en ik deed de knopen van mijn jas open.

Het restaurant was lawaaiig en er was te veel licht, en op de tafeltjes lagen de zo algemene, maar onveranderlijk vertrouwd aandoende rood-wit geblokte kleden. Aan het plafond en de wanden hingen kleine lampjes. De tafeltjes werden door de hoge rugleuningen van de mooie houten bankjes van elkaar gescheiden. Onder de gasten zag ik stellen waarvan sommigen met de hoofden heel dicht bij elkaar zaten, terwijl anderen de onverschilligheid van veel te lange huwelijken uitstraalden. Ik concentreerde me op de verveelde stellen om geen getuige te hoeven zijn van de intieme glimlachjes, vluchtige liefkozingen en de stralende blijdschap van iemand die zichtbaar van het gezelschap van de ander geniet.

Ik bestelde courgette met parmezaanse kaas om mee te nemen, en leunde tegen de muur naast de balie om erop te wachten. Om de paar minuten keek ik op mijn horloge. Toen ik opeens aan John moest denken en ik vrijwel op hetzelfde moment tranen in de ogen kreeg, onderdrukte ik ze met de gedachte: *later.* Het voelde als het onderdrukken van een enorme nies.

Toen mijn bestelling klaar was, betaalde ik, en liep snel terug naar huis. Voor het gebouw van de Bank of Boston zag ik Bert de Zwerver (zo noemde hij zichzelf) op zijn vaste plekje links van de ingang zitten. Hij droeg zijn gebruikelijke kloffie – kostuum met T-shirt, sportschoenen en een gedeukte hoed. Ik had geruchten gehoord waarin werd verteld dat hij in het verleden een succesvolle beursmakelaar was geweest, maar op den duur problemen had gekregen met het onderkennen van de werkelijkheid. 'Hé!' riep hij. 'Waar waren jullie al die tijd?'

Ik aarzelde even, en liep toen naar hem toe. 'John was erg ziek.'

'O, wat ellendig. En is hij nu weer beter?' Hij boog zich over de plastic zak van het restaurant heen en snuffelde eraan. 'Restjes?'

'Hij is overleden,' zei ik, en ik stond versteld van de eenvoud van die uitspraak. Drie woordjes maar, en toch een heel verhaal.

Bert zette grote ogen. Hij nam zijn hoed af. 'O, nee. Verdomme. Ik heb hem altijd gemogen.'

'En hij jou ook.' Dat was waar. Ik werd wel eens ongeduldig van het wachten wanneer John lange gesprekken voerde met Bert, terwijl ik naar huis wilde. John had waardering gehad voor wat hij Berts heldere brein noemde, hoewel voor mij duidelijk was dat Berts brein alles behálve helder was. Maar dat nam niet weg dat hij een interessant personage was en dat hij de gewoonte had de waarheid te zeggen.

'En... hoe is het nu met jou?' vroeg Bert.

Ik haalde mijn schouders op en gaf hem de zak van de Italiaan. 'Heb jij hier zin in?'

Hij schudde zijn hoofd. 'Ik heb ineens geen honger meer.'

'Ik ook niet.' Maar ik maakte de zak open en keer erin.

'Maar het is vast erg lekker,' zei Bert.

'Heb je vandaag gegeten?'

'Ik heb een donut op.'

'Wanneer?'

'Gisterochtend.'

'Dat is niet vandaag.' Ik haalde het aluminium bakje uit de zak en gaf hem de plastic vork. 'Hier, eet er maar wat van.'

Hij keek me aan, zette zijn hoed weer op en nam een hap. 'Niet slecht,' zei hij. 'Weet je zeker dat je niet wilt?'

'Nee, nee, ga gerust je gang.' Het rook heerlijk. Ik leunde tegen het gebouw en trok mijn jas strakker om me heen.

'Jammer dat ik al mijn wijn al op heb,' zei Bert. Hij kauwde peinzend, leunde tegen de muur, drukte zijn vingertoppen in zijn maag en liet een boer. 'O, sorry.' Hij keek me aan. 'Het leven gaat verder, zullen we maar zeggen.'

'Ja, dat is zo.' Ik glimlachte. En toen opeens zei ik: 'Ik ga verhuizen.'

'O ja? Waar naartoe?'

'Dat weet ik nog niet. Ik ga mijn huis verkopen, laat mijn meubels opslaan en dan rij ik naar het Midwesten. En als ik dan ergens een leuk klein stadje vind, dan koop ik er een huis.'

'Hm. Lijkt je dat verstandig?'

'John wilde het ook. We hebben het er uitvoerig over gehad. Hij heeft me op het hart gedrukt om ook zonder hem te gaan.'

'O, nou, in dat geval is het goed.' Hij nam nog een hapje aubergine, en vroeg met volle mond: 'Is dit van Augustino's?'

'Ja.'

'Ze zijn niet slecht, maar bij Donatello's doen ze iets speciaals in de saus, misschien is het wel piment of zo. Begrijp me goed, ik bedoel niet dat dit niet zou smaken.'

'Eet het maar lekker op,' zei ik, en ik deed een stapje bij hem vandaan.

'Ga je alweer?'

'Ja.'

'Wat ga je doen vanavond?'

'Ik weet niet. Geen... idee.'

‘Als je je verdrietig voelt, of eenzaam, kom dan maar hier bij me zitten. Daar heb ik niets op tegen.’

Ik schonk hem een glimlach.

‘Dat meen ik!’

Er schoot me iets te binnen. Ik had altijd gedacht dat we Bert eens uit moesten nodigen voor een behoorlijk maal, of om eens lekker te douchen. Maar John had dat een slecht idee gevonden, en daarom hadden we er nooit iets van gezegd. Op dat moment zei ik: ‘Ik woon twee straten verderop. Heb je zin om langs te komen?’

‘Dank je, Betta, maar ik zou me niet op mijn gemak voelen. En voel je alsjeblieft niet beledigd.’

‘Ik zou je voor de nacht een logeerkamer kunnen aanbieden.’

‘Ik ben hieraan gewend.’

‘Ik dacht alleen dat je het misschien fijn zou vinden om – ’

‘Ik zou me niet op mijn gemak voelen, Betta.’

‘Oké.’ Ik haalde diep adem. ‘Nou, dan ga ik maar.’

Hij kwam met moeite overeind en reikte me zijn hand. Ik schudde hem en veegde de tranen weg die spontaan over mijn wangen begonnen te rollen.

‘Weet je wat, Betta? Ik zal me geen zorgen om je maken. En weet je ook waarom?’

‘Nee?’

‘Omdat je je wel zult redden. Daarom. Dat kun je zelf nog niet zien, maar ik zie dat wel.’ Hij tikte met zijn wijsvinger tegen de zijkant van zijn hoofd. ‘Helderziend. Echt waar.’

‘Nou, vooruit dan maar, Bert. Tot kijk. Zorg goed voor jezelf.’ Ik haalde een briefje van twintig dollar uit mijn tas en gaf het aan hem. ‘Hier.’

Hij keek verdrietig naar het geld. ‘Betta, je moet me niet beledigen.’

‘Hoe bedoel je?’

‘Doe dat weg.’

'Maar we hebben je altijd geld gegeven!'

'Ja, een briefje van vijf, dat is goed, daar kan ik een kop koffie en een broodje van kopen. Maar met twintig dollar zeg je dat je medelijden met me hebt.'

'Heb je dan liever een briefje van vijf?' vroeg ik.

Hij stak zijn kin in de lucht, tuitte zijn lippen en dacht na. 'Ja, best,' zei hij toen. En toen ik hem het geld gaf, stopte hij het zonder me aan te kijken in zijn zak.

'Tot kijk, Bert.' Ik draaide me om.

'Wacht.' Hij zette zijn hoed weer op. 'Het ga je goed, Betta. En... ik wil nog even zeggen dat ik hem een erg aardige man vond. Hij was een bijzonder mens. Je weet wel. Gewoon... een bijzonder mens.'

'Ja. Dank je.' Ik liep met haastige pas bij hem vandaan. Op een vreemde, bijna analytische manier registreerde ik de verschillende kenmerken van mijn verdriet – het zat in het midden, en het drukte zwaar op me, net alsof er iemand op mijn maag was gaan zitten. Ik balde mijn handen tot vuisten en dacht: *Ik ga naar huis en maak een portie roerei. Misschien dat ik er een beetje smeerkaas bij doe.* En daarna, een warm bad. Met jasmijnolie. *Eine Kleine Nachtmusik* op de achtergrond, mijn zijden pyjama. Toen keek ik op naar de nachtelijke hemel en de sterren die half schuilgingen achter de wolken. 'Hoe lijkt je dat?' vroeg ik.

De herdenkingsdienst die eind oktober voor John werd gehouden, was een eenvoudige maar stijlvolle plechtigheid die zich kenmerkte door de gebruikelijke mengeling van anekdotes en gevoelige herinneringen. Alle aanwezigen – enkele vrienden en een groot aantal collega's uit het ziekenhuis waar John werkte – waren op de hoogte van mijn voornemen om zo snel mogelijk te verhuizen, en iedereen raadde me aan om dat niet te doen. Maar hun advies om te blijven had niet half zo goed aangevoeld als Berts reactie, die prompt aanvaard had dat ik weg wilde. En bovendien had John me juist gevraagd om te gaan.

Na de dienst reed ik naar zee om de as uit te strooien. Maar ik gooide niet alles in het water – ik hoopte maar dat hij het niet heel erg zou vinden dat ik zijn laatste wens een klein beetje aanpaste. Een heel klein deel van de as begroef ik in de aarde. Ik gooide een beetje van hem in de lucht. En een klein hoopje van hem verbrandde ik opnieuw door er een lucifer bij te houden. En ik stopte een klein beetje van hem in mijn mond en slikte het door. Met de as die over was liep ik, nadat ik mijn schoenen en kousen had uitgedaan, de zee in. Ik bleef een poosje staan kijken naar hoe het water hem opnam, en ik rilde, want ofschoon het een ongewoon warme dag was, waren het zand en het water ijskoud. Ik legde mijn hand op mijn hart en zei: 'Ik hou van je.' Ik zei: 'Mijn allerliefste lieve lieveling.' En toen zei ik: 'Tot ziens.' Even later liep ik terug naar de auto. Achter me hoorde ik het schelle krijsen van de meeuwen. Ik draaide me niet om, om te kijken of ze in de buurt van de as vlogen. Uiteindelijk was hij die as ook niet echt zelf. En ik besefte ook dat hij terecht om crematie had gevraagd. Want als hij nergens was, kon hij in principe overal zijn. Zoals, bijvoorbeeld, in mijn binnenste.

Op de eerste november zei ik de makelaar die John en ik hadden laten komen, dat hij ons huis op de markt kon brengen, en het werd zó snel verkocht dat we er niet eens mee hoefden te adverteren. De huizenmarkt in Boston was een gekkenhuis, en er was een wachtlijst van mensen die het soort villa wilden waarin wij woonden. Ik kreeg van zeven mensen een bod dat mijn vraagprijs overtrof, en alle bieders leken elkaar te willen overtreffen. Een van de stellen was eind twintig. 'Hoe komen die lui aan zoveel geld?' vroeg ik aan Victoria, de makelaar, en ze haalde haar schouders op. Ik interpreteerde dat als een hint dat het mij niets aanging.

Voor de week om was, werd het huis uiteindelijk gekocht door een stel van achter in de dertig met een jong kind. Eén komma negen miljoen dollar in contanten, en dat terwijl John en ik er indertijd honderdveertigduizend voor hadden betaald. Ik maakte geen kennis met de kopers, vooral omdat ik er geen behoefte aan had. Ik machtigde mijn advocaat tot het tekenen van de akte, en belde een verhuizer om mijn boel te komen halen en op te slaan.

'U boft,' zei de vrouw aan de telefoon. 'We hebben net een afzegging gekregen. Schikt het u dat we donderdag komen?' Het was dinsdag. Donderdag was waarschijnlijk te snel, maar toen ik iets probeerde te bedenken om het nog wat uit te stellen, wilde me niets te binnen schieten. Het zou goed voelen om in beweging te blijven, dacht ik. Ik wilde hier niet blijven, in dit huis waar alles me aan hem herinnerde. Ik wilde ergens anders wonen. Welbeschouwd had ik al veel eerder weg gekund.

Op mijn laatste avond in Boston kwam mijn buurvrouw Sheila Murphy me een cadeautje brengen. Het was schitterend ingepakt – roze met goud gebloemd papier en een breed, roze lint van satijn eromheen. Aanvankelijk was ik bang dat ik niet in staat zou zijn om in voldoende mate uiting te geven aan mijn vreugde. Ik was aan het einde van mijn krachten en had echt geen reserves meer. Maar toen bleek dat het cadeau niet van haar, maar van John was. Dit was typisch iets voor hem, een sentimentele man met een groot hart die plezier had in het citeren van aforismen als: 'We bestaan bij gratie van wat we krijgen, maar we leven bij gratie van wat we geven.' Zelfs toen hij al heel erg ziek was, had hij me nog bloemen gestuurd. Eens had de bloemist een enorm boeket bezorgd, en ik kon er geen kaartje bij ontdekken. Toen keek ik naar John die op de bank zat te grijnzen. Hij had geen kracht meer gehad om nog ver te lopen, maar telefoneren kon hij nog steeds.

En nu bracht Sheila me zijn laatste geschenk. Ik moest huilen, drukte een tissue tegen mijn ogen en kromp ineen van de pijn. Mijn rechteroog was ontstoken als gevolg van het wegvegen van tranen met alles van zakdoeken tot keukenrol en enveloppen van condoleancekaarten. 'Kom even bij me zitten,' zei Sheila.

We gingen in de zitkamer op de bank zitten. Ik snikte en zij gaf me onhandige klopjes op de rug. Het duurde niet lang. Nog geen minuut later rechtte ik mijn rug en haalde diep adem. 'Neem me niet kwalijk,' zei ik.

'Doe niet zo mal,' zei ze. 'Je hoeft je nergens voor te verontschuldigen.' Haar eigen ogen waren ook vochtig.

Ik keek naar het cadeau op mijn schoot. 'Weet je wat erin zit?'

'Zo ongeveer.'

'Wat is het dan?'

'Nou... weet je nog die keer dat jij boodschappen moest doen en ik bij hem ben gebleven? De hele tijd was hij bezig om dingen op kleine stukjes papier te schrijven. Ik weet niet waarvoor of wat hij precies schreef, maar het zit hierin.'

Ik dacht aan de briefjes die ik in het laatje van zijn ziekenhuiskastje had gevonden. 'Alleen... maar woorden?'

Ze haalde haar schouders op. 'Ik weet niet. Hij verzocht me ze niet te lezen, dus dat heb ik niet gedaan. Hij zat daar maar al die dingen te schrijven, en toen stopte hij ze in een sigarendoos. En dat is het, een sigarendoos, maar hij vroeg me of ik het extra mooi wilde inpakken – en hij zei erbij dat je van roze hield.'

Ik knikte verdrietig.

'Hoe dan ook, ik kwam alleen maar even langs om je dit te brengen.' Ze keek om zich heen, en toen keek ze naar mij. 'O, Betta, hoe is het met je?'

'Best,' zei ik, zo opgewekt en automatisch dat we er alle twee om moesten lachen. 'Nee, echt,' zei ik toen, 'het gaat wel.'

'Je bent afgevallen.'

'Nou, dan zit er tenminste nog een goede kant aan.'

'Nee, maar even serieus, je moet goed voor jezelf blijven zorgen. Heb je vandaag gegeten?'

'Ja.'

'Alle drie de maaltijden?'

'Eh, ja.'

'En wat heb je dan gegeten?'

Ik zuchtte. 'Slecht cholesterol voor het ontbijt, gekkekoeienziekte voor de lunch en kwikvergiftiging als avondmaal.'

Er verscheen een rimpel op haar voorhoofd, en toen zei ze: 'O? De zalmschotel van Wagner's?'

'Precies.'

'En hoe was het? Randy en ik hadden er ook heen willen gaan.'

'Niet slecht.' Ik probeerde me niet te storen aan het feit dat ze zich in mijn aanwezigheid geïdentificeerd had als de helft van een stel, nu ik geen stel meer was.

'Ik kan amper geloven dat je al zo snel wilt verhuizen!' zei Sheila.

'Ik weet wat je bedoelt. Ik kan het niet goed uitleggen, maar volgens mij is het de beste oplossing.'

Ze tuurde naar haar schoot en speelde met de armband van haar horloge. 'Betta, het moet me van het hart dat ik het echt veel te radicaal vind. Randy en ik hadden het er vanmiddag nog over, en – '

'Het is te laat om er nog iets aan te veranderen,' zei ik. 'Ik ben je dankbaar voor je bezorgdheid – ik kan begrijpen dat je het dwaas van me vindt, maar het is nu eenmaal wat ik wil doen.' Ik dacht terug aan die keer dat Sheila en ik elkaar op Copley Place waren tegengekomen, waarna we bij Legal Seafood waren gaan lunchen. We hadden gesproken over een buurvrouw van ons wier man was verdronken. Hij was nog maar achtendertig geweest. Dat was toen iets van zeven maanden tevoren gebeurd, en Sheila en ik – en de herinnering eraan deed me huiveren – waren van mening geweest dat ze nu wel genoeg had getreurd. Het moest afgelopen zijn met al dat rouwen. Annie moest nu toch eindelijk weer eens iets dóen. 'Ik bedoel, waarom gaat ze niet naar Cambridge Center om een kookcursus te doen?' had ik gezegd. Ik zag het weer helemaal voor me, alsof het gisteren was geweest, zoals we daar uiterst hypocriet bij Legal Seafood hadden zitten roddelen. De jaloezieën van het restaurant waren gesloten geweest tegen de felle zon, en de mannen aan het tafeltje naast het onze waren opgetogen geweest over hun *frutti di mare*. 'Ze geven daar echt geweldige cursussen,' had ik gezegd. 'En daarna mag je opeten wat je hebt gekookt. Ze is jong genoeg om een nieuwe man te vinden, en het zou ook geen kwaad kunnen als ze daar nieuwe vriendinnen vond.' En Sheila had gezegd: 'Je hebt helemaal gelijk. En ze zou met een vriendin naar de film moeten gaan, of gezellig moeten gaan winkelen, wat dan ook, maar ze moet ophouden met alleen maar naar de muren van haar slaapkamer te turen.' 'Precies,' was ik het met haar eens geweest. 'Het is niet gezond om je zo lang te... ik weet niet of *wentelen in je verdriet* de juiste uitdrukking is.' 'Volgens mij wel,' had Sheila met volle mond gezegd. Hoe wreed waren we geweest, zoals we daar zaten met onze tassen vol nieuwe kleren voor de herfst, en precies hadden geweten wat iemand moest doen om de kloof in haar hart te dichten. Ik vroeg me af of ik in staat zou zijn mijn eigen, meedogenloos uitgevaardigde recept op te volgen.

Op verzoenende toon – uiteindelijk probeerde Sheila alleen maar te helpen – zei ik: 'Als het geen goede beslissing blijkt te zijn, kom ik gewoon weer terug.'

'Maar niet hier. Niet in dit huis. Dit is een prachtig huis. Ik heb zelf met de gedachte gespeeld om het te kopen.'

'O?' Ik keek haar aan en wist niet goed wat ik moest zeggen, en we schoten alle twee in de lach.

'Neem me niet kwalijk,' zei Sheila. 'Dat klonk vast – '

'Het geeft niet,' zei ik. En toen: 'Nou, dus...'

'Tja.' Ze stak haar handen in haar broekzakken. Het was ons alle twee duidelijk dat er verder niets meer te zeggen viel. Opnieuw schonken we elkaar een wat onhandig glimlachje, en Sheila stond op en liep naar de deur. Ze wilde hem opentrekken, maar ze bedacht zich en draaide zich weer naar mij om. 'Ik wilde alleen nog maar zeggen... weet je, ik wou dat ik je met dit alles meer had kunnen helpen. Ik wou dat we echte vriendinnen waren geweest. Het valt niet mee om je te leren kennen – dat is niet jouw schuld, zo bedoel ik dat niet, maar jij en John, jullie waren zo... ik weet niet, jullie leken genoeg aan elkaar te hebben. Dat had ik je alleen nog maar willen zeggen. We hadden jullie vaker willen uitnodigen, en andere mensen ook, maar – '

'Dat weet ik. Ik heb meer dan eens op het punt gestaan je te bellen, om iets met je af te spreken, je weet wel – ergens gaan lunchen, of naar het theater gaan...'

'Dat zou ik leuk hebben gevonden. Ik weet dat jij en John geen familie hebben. Op dit soort momenten denk ik dat je veel gehad zou kunnen hebben aan een paar echt goede vriendinnen. Ik bedoel, want die heb je niet, of wel? Randy en ik – '

'John en ik hebben gelukkig wel een paar heel goede vrienden. Ze wonen alleen niet hier.' Dat was een leugen. Maar door dit soort geklets voelde ik me alleen maar nog ellendiger. Ik wilde naar bed. Nou nee, ik verlangde naar John.

'O! Nou, neem me dan alsjeblieft niet kwalijk. Maar omdat ik nooit iemand zag – '

'We gingen voornamelijk bij hen op bezoek.' Ook dat verzon ik maar. Maar als schrijfster kostte het me geen enkele moeite om me dit soort vrienden te verbeelden – vriendelijk uitziende mensen, allemaal met een goed gebit. Vaste inwoners van Martha's Vineyard, en wanneer we bij ze logeerden vonden we het leuk om met zijn allen te gaan fietsen.

'Aha. Nou, dan ga ik maar weer. Laten we contact houden.'

'Dat doen we.' Alwéér een leugen.

'Heb je al telefoon?'

'Nee, nog niet, maar zodra ik een nieuw nummer heb, bel ik je.' Dat betwijfelde ik ten zeerste.

'Mooi. Nou... ik wens je veel geluk, Betta.'

'Dank je.' Ik deed de deur achter Sheila dicht en keek haar na terwijl ze naar huis liep. Er was niets mis met haar. Ze was echt een aardige vrouw. Een paar keer had ik haar dingen het huis binnen zien dragen waar ik haar naar had willen vragen – een krukje dat ik mooi vond, een kamerplant met een prachtig, gevederd blad waarvan ik wilde weten hoe hij heette. Eén keer was ze thuisgekomen met een bespottelijke hoeveelheid boodschappentassen, en ik was voor het raam naar haar blijven staan kijken en had niet aangeboden om haar te helpen. Ik was verlegen, maar dat was geen excuus. Sheila had gelijk – het zou fijn zijn geweest om nu een echt goede vriendin te hebben, iemand bij wie ik echt helemaal mezelf zou kunnen zijn. Maar die tijd was voorbij. Ik had John vlak na mijn afstuderen, toen ik weer in Boston was gaan wonen, leren kennen, en ik had mezelf van begin af aan, en zonder daar ooit spijt van te hebben gehad, helemaal aan hem gegeven. Verliefde mensen doen zoiets meestal in het begin – ze hebben alleen nog maar tijd voor elkaar en andere vrienden zijn ineens niet belangrijk meer – maar bij John en mij was dat eigenlijk altijd zo gebleven. Dat was de negatieve kant van het hebben van zo'n goede relatie – we vormden zo'n hecht stel dat we eigenlijk geen behoefte hadden aan het sluiten en in stand houden van vriendschappen buiten ons huwelijk. De flatgenootjes die ik tijdens mijn studie had gehad waren me even na geweest als zussen – of misschien was onze band nog wel hechter dan dat – maar kort na ons afstuderen had ik het drietal uit het oog verloren. Het was jammer dat ik dat had laten gebeuren, maar het was zinloos om daar nu over te treuren.

Ik liep terug naar de bank, pakte het cadeautje op en maakte het open. In de sigarendoos zat een grote hoeveelheid papiertjes met mysterieuze kreten erop. *Eclipse*, las ik. *Oude cd's*. Zo te zien zaten er honderden briefjes in. *Mist. Gebarsten reling*. Wat bedoelde hij hiermee? Niets. Ik begon boos te worden – waarom had hij dit voor me nagelaten zonder erbij te zeggen wat ik ermee moest doen? En toen bedacht ik dat hij uiteindelijk misschien toch niet zo heel helder meer in zijn hoofd was geweest, zoals ik wel tegen een heleboel mensen gezegd had. En zoals ik tegen mijzelf had gezegd. Zijn laatste cadeau voor mij was niets anders dan een hoop onzin.

Ik stopte de briefjes weg in een diepe la van de Chinese kast die we in de zitkamer hadden staan. Van alles wat we bezaten hadden we alle twee altijd het meeste van deze kast gehouden – hij was dan ook prachtig beschilderd met bloemen en vogels. Soms stopten we er dingen in weg die we aanvankelijk vergaten en dan later bij wijze van verrassing terugvonden. Zo had ik er ooit eens een geslepen amethist in gevonden waarvan ik me niet kon herinneren dat ik hem daarin had weggelegd. John had zich er ook niets van kunnen herinneren. Ik had er ooit eens het nestje van een winterkoninkje in gelegd dat John pas maanden later vond, en een horloge dat ik hem voor Kerstmis had willen geven maar dat hij er enkele minuten later al in ontdekte. John had er een collier van jade in gelegd die hij voor me had gekocht, en een gedicht dat hij mooi vond en uit *The New Yorker* had gescheurd, en ook eens kaartjes voor het toneel die hij vervolgens helemaal was vergeten en die ik nog maar op het allerlaatste nippertje was tegengekomen. Nu zocht ik naar iets nieuws, maar het enige wat me opviel was een veertje, en dat zat zo ver weggestopt in een la dat ik aannam dat het er al in gezeten moest hebben toen we de kast kochten.

Ik deed alle lampen op één na uit, en ging naar boven. Mijn alleen-zijn lag als een jas om me heen. Je zou denken dat je tijdens het sterfproces aan de dood gewend raakt. Maar als dat proces eenmaal voltooid is, begrijp je hoe het einde ook een begin kan zijn.

Ik nam een bad, luisterde naar Mozart en moest weer even huilen – het bad is een goede plek voor tranen. Ik kroop in bed en probeerde een poosje te lezen, hoewel het me moeite kostte om me te concentreren. Ten slotte deed ik het licht uit, vouwde mijn handen op mijn borst, haalde diep adem en ademde uit. En toen ineens begreep ik het.

Op zekere zondag, toen John en ik in een antiekzaakje aan

het snuffelen waren, vond ik een groen kommetje waar ik helemaal weg van was. Het had precies de juiste maat voor het klutsen van een eitje. Ik liet John het kommetje zien, en vertelde erbij waar ik het voor meende te kunnen gebruiken. ‘Dan koop je het toch,’ zei hij, en ik zei nee. Ik hield van kommen, en ik had er al veel te veel. Onder de exemplaren die op zolder in krantenpapier waren weggeborgen, bevonden zich een klein, zwart-wit gestreept exemplaar, een antieke, botergele mengbak, een kom met handgeschilderde viooltjes erop, en meerdere sets nestschalen. Ik zette de groene kom terug op de plank, maar moest er toch steeds weer naar kijken. ‘Koop hem dan toch!’ zei hij weer, maar opnieuw zei ik nee. Hij pakte hem om hem voor me te betalen, maar ik zei nee. Toen ik de volgende dag alsnog besloot dat ik hem wilde kopen, was hij weg. Hij had maar twee dollar gekost.

Dus wat wilde hij zeggen met die woordjes op dat stukje papier? Koop die groene kom. Koop alle groene kommen. Geniet ergens van zonder je ervoor te hoeven excuseren. Ik ging weer naar beneden, naar de Chinese kast, en haalde er andere papiertjes uit. Met enkele ervan kon ik op dat moment nog niets beginnen. Maar het mooie eraan was dat we nog niet klaar waren met elkaar.

Het kantoor van de makelaar bevond zich op enkele kilometers rijden in een kleine winkelgalerij, waarin ook een pizzeria, een dierenzaak, een sportschool, een schoonheidsspecialiste en een wasserette een onderkomen hadden gevonden. Het geheel straalde de typische troosteloosheid uit van een winkelgalerij, maar gelukkig behoorden de gevestigde bedrijfjes tenminste geen grote ketens toe. Ik bleef een paar minuten in de auto zitten. Wist ik het zeker? Ja, ik wist het zeker, besloot ik even later.

Ik ging naar binnen en zag Delores die aan het enige bureau zat. Haar jasje hing over de rugleuning van haar stoel. Filodendrons rankten omlaag langs de zijkant van een archiefkast. Ik zag een bijzettafel met een geborduurd kleed erop, en daarop een koffiezetapparaat en een paar mokken van uiteenlopende grootte. Op een ervan stond: *I worked my ass off, but it came back and found me.* Rond een andere, ronde tafel stonden drie stoelen – de spreekkamer, nam ik aan. Delores was aan de telefoon, en er lagen diepe rimpels op haar voorhoofd. 'Nee, dat is niet wat ik – ' zei ze. 'Nou, als je wilt, dan kan ik – ' Ze luisterde lange seconden, en toen zei ze: 'Nee, ik vind dat – ' Ze luisterde opnieuw, maar op een gegeven moment leunde ze naar voren en riep ze: '*Lydia!* Hou op met dat gezeur en laat mij nu ook eens wat zeggen! De vrouw die belangstelling heeft staat hier voor me. Wil je soms dat ze denkt dat je een – ' Ze zuchtte. 'Ja... goed, Lydia. Blijf even aan de lijn, dan vraag ik het.'

Delores legde haar hand op de hoorn en keek me aan. 'Ik heb de verkoper aan de lijn, Lydia Samuels. Voor het geval je dat nog niet begrepen had. Ze wil je ontmoeten. Ze weigert te verkopen aan iemand die ze niet kent. Zou je dat willen? Ze woont in het bejaardencentrum, het Rosa McNair Home, hier vlakbij. Het is tien minuten, hooguit een kwartier rijden.'

'Ja, dat is goed. Maar je hebt nog niet eens gezegd wat de vraagprijs is!'

'Ja, dat weet ik. Je bent vergeten ernaar te vragen, en ik ben vergeten het je te zeggen. En verder ben ik vergeten je de foto's van de tuin te laten zien, zoals hij eruitziet wanneer alles in bloei staat! Wat een stel! Het huis staat te koop voor driehonderdvijftigduizend dollar. Over de financiering hebben we het later, net als over een aantal andere dingen die ik je erbij moet vertellen. Maar ik moest eerst Lydia even bellen. Ik heb haar beloofd dat ik dat zou doen wanneer ik een bezichtiging had gehad. Maar nu doet ze ineens – ' Ze drukte de hoorn weer tegen haar oor. 'Wat?... Ja, goed, dat kan ik wel voor je doen, denk ik. Wat voor soort?... Met of zonder noten?... Goed. Nou, dan spreken we af om vijf uur? Is dat in orde?' Delores keek me aan en ik knikte. 'Goed dan, Lydia, tot zo.'

Hoofdschuddend legde Delores de hoorn terug op het toestel. 'Ze is me er eentje, dat oudje. Vijfennegentig is ze nu, en ik ben nog steeds bang voor haar.' Ze wees op de stoel die voor haar bureau stond. 'Ga zitten.'

Ik liep naar de stoel en pakte het stapeltje krantenknipsels dat op de zitting lag. 'Waar wil je deze hebben?'

'O, dat.' Ze pakte de knipsels van me aan en stopte ze in een la. 'Recepten. Ik knip ze elke dag uit, en uiteindelijk doe ik er nooit iets mee. Ken je dat?'

Ik knikte. 'Dat heb ik ook een tijdje gedaan.'

'En je zult het opnieuw doen,' zei ze, op voorspellende toon. Ik nam haar onderzoekend op en hoopte op nog meer wijsheden, maar ze was al bezig met het doorlezen van de gegevens van het dossier dat opengeslagen voor haar lag, en waarvan ik aannam dat het over het huis ging dat we zojuist hadden bezichtigd.

Maar toen ze opkeek zei ze: 'Dit is een flat waarvan ik denk dat het meer iets voor je is. Wat zou je ervan vinden om daar eerst even een kijkje te nemen voordat je een bod uitbrengt op een huis van driehonderdvijftigduizend dollar, en waarvan ik je nu al kan zeggen dat je er geen cent vanaf zult krijgen?'

Ik schudde mijn hoofd.

Ze trok haar wenkbrauwen op, en ik zag dat ze de ene verder had doorgetrokken dan de andere. 'Hou je niet van flats?'

'Nee, ik hou inderdaad niet van flats. Ik ben geïnteresseerd in dat huis. En de prijs is geen probleem.'

'Nou, laat me je dan iets vertellen over een ander huis dat je zou kunnen interesseren. Het is echt een lief huis. Ik weet bijna zeker dat het je zal bevallen, en het is niet zo groot. En ook niet zo duur.'

Ik zei niets.

'Wil je het zien?' Delores pakte haar jasje en begon het aan te trekken. 'Het heeft een piepklein keukentje, maar alles zit erin!'

'Ik bied geen cent onder wat ze wil hebben,' zei ik. 'En ik betaal cash. Als je wilt schrijf ik meteen een cheque voor je uit.'

Delores ging, met haar jasje half aan, weer zitten. Even zei ze niets en keken we elkaar alleen maar aan. Maar toen stak ze haar andere arm in de tweede mouw van het jasje en zei: 'Weet je, als ik je niet al aardig vond, misschien dat ik dan op dit moment een hekel aan je zou hebben gekregen.'

'Dat geeft niet,' zei ik. 'Ik snap het.'

‘Alles hangt af van wat Lydia zegt. Dat zeg ik je nu maar vast. En ze laat zich niet bepraten. Ben je klaar voor haar?’

Ik zei ja.

Vanuit de ruimte achter de winkel klonk miauwen, en een oude, dikke zwart-witte kat kwam geeuwend naar voren gewaggeld. Delores zette haar handen in haar zij, aarzelde en zei toen: ‘Laat me eerst Boodles nog gauw even wat te eten geven, en dan gaan we. Je ziet, ze is uitgehongerd. En laten we ook niet vergeten om even bij Mick langs te gaan om een ijsje voor Lydia te kopen. En misschien moesten we er zelf ook maar eentje nemen. Om onszelf te sterken.’

Laat dat oudje maar koppig zijn, dacht ik. *Dat ben ik ook.*

We vonden Lydia Samuels in de overigens verlaten gemeenschappelijke ruimte. Het was een grote zaal met veel ramen, meerdere grote houten tafels en stoelen en een oude piano. Het rook er niet onplezierig naar schoonmaakmiddelen. Op het midden van elke tafel stond een stukje van plastic bloemen op een kleedje, terwijl de muren werden opgefleurd door felgekleurde amateuristische schilderijen van vuurtorens, fruitschalen en schommelstoelen op veranda’s. En een portret van een meisje met een aardappelneus.

Lydia zat, met haar rug naar het uitzicht gekeerd, onderuitgezakt in een rolstoel bij het raam. Ze was klein en tenger, en vanaf een afstand leek ze een kind dat zich als een oud vrouwtje had verkleed. ‘Hoe maakt u het!’ riep ze met luide stem, nog voor we halverwege de zaal waren. Toen we bij haar waren gekomen keek ze naar me op en voegde eraan toe: ‘Er mankeert echt helemaal niets aan mijn gehoor.’

‘Mooi,’ zei ik. En er mankeerde ook niets aan haar stem – hij was onverwacht diep en krachtig. Bijna een mannenstem.

‘Ik laat het je alleen maar even weten om te voorkomen dat je, alsof ik een oude dwaas zou zijn, tegen me begint te schreeuwen.’ Ze sloeg haar benen over elkaar en leunde naar achteren in haar stoel. Ze droeg een bont gekleurd huisschort, een bruin vest, witte sportschoenen en dikke grijze kniekousen, en alles zag eruit alsof het dringend in de was moest. Het tehuis zelf maakte een keurig schone indruk, maar ik kon me voorstellen dat het niet meeviel om Lydia ervan te overtuigen dat ze schone kleren aan moest trekken – áls ze al ergens van te overtuigen was. Halverwege haar neus prijkte een ouderwetse bril – een blauw, met nepdiamantjes bezet kattenogenmontuur – die op zich uiterst hip had kunnen zijn, ware het niet dat de glazen ronduit smerig waren, en dat een van de poten met leukoplast gerepareerd was. Ze rook naar babyvoedsel en vagelijk ook naar urine. Het weinige haar dat ze nog overhad, zat in een, met oranje wol bijeengebonden paardenstaartje. De kortere pieken opzij werden met een veelheid aan schots en scheef gestoken schuifspeldjes op hun plaats gehouden. Ze had meerdere lange haren op haar kin die duidelijk te zien waren in het heldere licht dat door het venster naar binnen viel.

‘Hier heb je je ijsje,’ zei Delores, terwijl ze Lydia het snel smeltende lekkers aangaf. De oude vrouw schrokte het naar binnen, waarna ze Delores het lege bakje teruggaf om weg te gooien. Nadat ze niet het servetje, maar de rug van haar hand had gebruikt om de chocoladeresten van haar kin te vegen, zei ze tegen mij: ‘Geef me je hand.’

Ik gaf haar mijn rechterhand, maar ze schudde ongeduldig haar hoofd. ‘Nee, de andere.’

Ik reikte haar mijn linkerhand die ze, met de palm naar boven, stevig in haar beide handen nam. Haar huid was droog en papierachtig, maar warm. Ze snuffelde aan mijn hand zoals ook een hondje gedaan zou kunnen hebben, en Delores en ik wisselden een blik. Toen zette ze haar bril af en tuurde naar de lijnen in mijn hand. ‘Lang leven. Neiging tot dagdromen. O, gelukkig in de liefde, zie ik. En je...’ Ze zweeg en keek nog aandachtiger. Ze zat zo roerloos dat ik even dacht dat ze in slaap was gevallen, maar toen liet ze mijn hand opeens los en leunde ze naar achteren in haar stoel. 'De prijs van het huis is zojuist gestegen,' zei ze, en ze kakelde – er was geen ander woord voor. Voorzichtig zette ze haar bril weer op. Toen vouwde ze haar handen op haar schoot en begon ze in snel tempo haar duimen tegen elkaar te tikken. Een nietsvermoedende passant zou mogelijk gedacht hebben dat ze parkinson had, maar ik begreep wat ze deed. Ze wachtte.

'Lydia,' zei Delores, 'dat kun je niet doen.'

Lydia greep de armleuningen van haar rolstoel stevig beet en keek Delores woedend aan. Ze had donkere, kraalachtige oogjes, en haar mondhoeken wezen op dramatische wijze omlaag. 'Natuurlijk kan ik dat wel. Ik ben de eigenaar.'

'En hoeveel kost het nu?' vroeg ik.

Lydia draaide zich langzaam naar me toe – de spin en de vlieg. Nu speelde er een poeslief glimlachje rond haar lippen. 'Nu kost het driehonderdzestigduizend. Vijfenzestigduizend.'

'Verkocht,' zei ik, hoewel ik Delores zuchtend bezwaar hoorde maken.

'Wat ik bedoelde, was driehonderdzeventig,' zei Lydia.

Ik zei nee.

Op dat moment leek Lydia opeens genoeg te hebben van het spelletje. Ze maakte een vermoeide indruk, zuchtte, en zei: 'Goed dan, je kunt het krijgen. Voor driehonderdvijftigduizend.'

'Bedoel je niet... vijfenzestig?' vroeg ik. Delores' adem stokte. Ik wist dat we het er na afloop nog over zouden hebben.

'Driehonderdvijftig!' zei Lydia. 'En daar blijf ik bij!'

Ik keek naar Delores, die haar schouders ophaalde.

'Gekocht,' zei ik, maar toen ik Lydia de hand reikte om de deal te bezegelen, wuifde ze hem weg.

'Breng me terug naar mijn kamer,' zei ze. 'Ik wil het nieuws zien.'

Nadat we Lydia voor de televisie hadden gezet, namen Delores en ik afscheid van haar en wilden weggaan. Maar toen zei ze opens tegen mij: 'Jij! Kom eens hier.'

Ik ging voor haar staan en zette me schrap voor een nieuwe prijsverhoging. 'Hij zal komen,' zei ze ten slotte. Ik had een gevoel alsof iemand een ijskoude hand in mijn nek had gelegd.

'Hoe bedoelt u?' Ik schraapte mijn keel en glimlachte.

Ze boog zich opzij om langs me heen te kijken. 'Je staat in het zicht. Ga opzij. Ik kan de televisie niet zien.' Ze snoof, haalde een opgepropte zakdoek uit de mouw van haar vest, drukte hem tegen haar neus en keek aandachtig naar een reclamespotje voor een sportwagen. Toen riep ze: 'Bedankt voor het ijsje, Dorothy! Als je terugkomt met de stukken die getekend moeten worden, neem je er dan nog eentje voor me mee? Of breng me er maar liever meteen twee!'

'Ik heet Delores.'

'Ach, wat maakt het uit. Je weet toch dat ik het tegen je heb, of niet?'

Dolores draaide zich vermoeid naar me om. 'Ik stel voor om ergens een hapje te gaan eten. En een borrel te halen.'

Ik knikte, en wendde me tot Lydia. 'Tot ziens,' zei ik. 'Ik vind het fijn dat ik u heb leren kennen. Ik ben weg van uw huis, en ik beloof u dat ik er – '

'Genoeg,' zei ze.

Delores en ik zaten aan het nogal donkere tafeltje in de Chuck Wagon Round Up, dat we voornamelijk hadden gekozen omdat het naast een redelijk geprijsd motel was dat Delores me voor de nacht had aangeraden. Ze haalde een kleine zaklantaren uit haar enorme tas om de kaart te kunnen lezen.

'Dat is handig,' zei ik.

'Je moest eens weten hoe vaak dat ding van pas komt,' zei

ze. 'Afgezien daarvan heb ik ook altijd een kleine waaier bij me, en een werkelijk allerschattigst gereedschapssetje.' We bestelden hetzelfde – spareribs van de grill, gebakken aardappeltjes, salade met peperdressing en een Bacardi-cocktail.

'Het spijt me van Lydia,' zei Delores. 'Ik had je beter op de ontmoeting moeten voorbereiden. Maar ja, je blijft leren in dit vak.' Ze trok haar clipoorbellen van haar oren, liet ze in haar tas vallen, boog zich naar me toe en bekende: 'En ik heb mijn schoenen ook uitgeschopt. Nog even, en dan moet mijn jarretelgordel er ook aan geloven.'

'Hoe lang ben je al makelaar?' vroeg ik.

'O, ach, eigenlijk is het alleen maar een hobby van me. Zoiets als macramé. Ik ben er een paar jaar geleden ingerold, na de dood van mijn man. Veel heb ik niet te doen, zoals je wel al begrepen zult hebben. Ik heb hooguit vier, vijf cliënten tegelijk. Lydia wordt mijn belangrijkste overdracht. Ik heb haar huis gekregen omdat niemand anders met haar in zee wilde.'

'Is ze ooit getrouwd geweest?' vroeg ik.

'Ja, met een zekere Lucifer Beëlzebub.'

Ik schoot in de lach, en vroeg toen: 'Ik hoop dat je het niet erg vindt dat ik het vraag, maar waar is je man aan overleden?'

'Hartaanval. Op een warme dag besloot hij het gras te gaan maaien, en dat was dat. Ik was net naar binnen gegaan om een glaasje fris voor hem te halen, en toen ik weer buiten kwam was het al te laat. En weet je wat? Toen ik hem voorover in het gras zag liggen, schoot ik in de lach omdat ik dacht dat hij een spelletje speelde.' Ze schudde haar hoofd bij de herinnering. 'Het eerste wat ik dacht toen ik hem op zijn rug had gedraaid was: *Verdomme, hoe vaak heb ik hem niet gezegd dat hij te oud is voor zo'n handmaaier!* Ik was woedend op hem! Ik probeerde mond-op-mondbeademing, maar het had al geen zin meer. Ik huilde en beukte met mijn vuisten op zijn borst en ging tegen hem tekeer in de trant van: "Hou hier onmíddellijk mee op! Vooruit, schiet op nou!" O, het was verschrikkelijk. Ik rende het huis in om de ambulance te bellen, en toen rende ik weer naar buiten om het te blijven proberen tot ze er waren – ik heb nog nooit van mijn leven ergens zo lang op moeten wachten. Het enig positieve eraan is dat hij op slag dood was – hij heeft niet eens beseft wat hem overkwam. En die van jou?'

'Kanker,' antwoordde ik. Ik werd me op hetzelfde moment bewust van een vreemd trekkend gevoel vanbinnen dat zich langzaam maar zeker naar boven werkte. Gelukkig kwam de serveerster op dat moment onze drankjes brengen. Het was een knappe, jonge blonde vrouw met een fonkelende verlovingsring om haar vinger. 'De cocktails!' zei ze joviaal. 'Hé, Delores, nog honderdachtenzestig en een half uur.'

'Heerlijk voor je, lieverd,' zei Delores. 'Nog tijd genoeg om van gedachten te veranderen.'

'O, dat ben ik heus niet van plan,' zei de vrouw, waarop ze, met de veerkrachtige stap van een verliefd iemand, terugliep naar de keuken.

'Weet je,' zei Delores, 'haar verloofde had de ring verstopt in een dessert van Kentucky Fried Chicken – zo heeft hij haar ten huwelijk gevraagd. Nogal gevaarlijk, vind ik – ze had hem wel kunnen inslikken! Maar Cindy zei dat hij haar nauwlettend in de gaten hield. En omdat hij haar op zo'n ongewone en intense manier zat aan te kijken, zei ze, was ze eigenlijk bang dat hij het uit wilde maken.'

Ik tuurde in mijn glas en knikte. Ik had mijn aanzoek op het einde van een heerlijke zondag gekregen. John en ik waren eerst samen gaan ontbijten, daarna hadden we een lange wandeling langs de Charles gemaakt, hadden we in antiekzaakjes gesnuffeld en waren we in een gezellig restaurantje in Cambridge gaan eten. Net toen we weg wilden gaan, vroeg John heel zacht: 'Heb ik iets tussen mijn tanden?' Als een chimpansee trok hij zijn lippen op.

'Nee,' antwoordde ik giechelend. 'En ik?' Ik toonde hem mijn eigen tanden.

'Nee, ook niet,' zei hij. En toen veranderde zijn gezicht opeens, en kwam hij van zijn stoel. Ik herinnerde me dat ik gedacht had dat hij zich opeens onwel had gevoeld en zo snel mogelijk naar de wc wilde. Maar in plaats daarvan ging hij voor me op zijn knieën zitten.

'Wat doe je?' vroeg ik. 'John?'

'Sssst!' zei hij. 'Ik sta op het punt je ten huwelijk te vragen!' En toen haalde hij het zwart fluwelen doosje uit zijn zak.

'Ja,' zei ik.

En hij zei: 'Maar ik heb je nog helemaal niet gevraagd.' Maar toen zei ik dat dat niet hoefde, en ik kuste hem, en de mensen om ons heen begonnen te klappen, en ik dacht dat ik ter plekke, in dat Ethiopische restaurantje, zou bezwijken.

'Gaat het?' vroeg Delores.

Ik zuchtte. 'Ja. Het is alleen... Ik heb grote moeite met het feit dat John zo jong is gestorven. Ik denk dat het makkelijker zou zijn geweest als hij ouder was geweest – ik had zo graag samen oud willen worden met hem. En als ik, aan de andere kant, jonger was geweest, zou ik nog de kans hebben gehad op een nieuw huwelijk en kinderen. John en ik konden geen kinderen krijgen. Maar zoals de zaken er nu voor staan...'

'Je moet niet denken dat het ooit gemakkelijk is,' zei Delores. 'Ik vond het vooral moeilijk om niet bitter te worden. In het begin krijg je van alle kanten aandacht – mensen komen je eten brengen, de post bezorgt kaarten en de telefoon staat roodgloeiend. Maar dan komt het moment waarop je op jezelf bent aangewezen, en dan begint het tot je door te dringen wat je allemaal kwijt bent. Het grappige was dat ik in het begin nog verwachtte dat álles voorbij zou gaan, en dat Carson op een gegeven moment weer gewoon binnen zou komen, en zou zeggen "Nou, schat, die begrafenis van me, dat heb je mooi georganiseerd allemaal. Wat eten we vanavond?" Maar hij komt niet terug en dat is moeilijk. Je kunt je opwinden en boos worden. En je kunt de hele wereld ervoor laten boeten. Ik heb dat meer dan eens zien gebeuren. Maar aan de andere kant kun je ook de waarheid bekennen, ook al schaam je je dood. Je kunt mensen bellen en zeggen dat je hulp nodig hebt, en je kunt aannemen wat de mensen je bieden – ook al valt dat helemaal niet mee! Het is echt heel moeilijk! En je kunt jezelf dwingen om het rustig aan te doen, en daar is veel kracht voor nodig. Maar zo te zien ben jij sterk – kijk maar eens waar je nu mee bezig bent!'

'Nou, ik ben vooral bezig met het inlossen van een verzoek van mijn man. We hadden een droom, en hij wilde dat ik die door zou zetten. Dat en... je weet wel, John zei altijd dat je de invloed van ontkenning niet moest ontkennen. En dat is dit eigenlijk ook wel een beetje, denk ik. Ontkenning.' Ik dronk mijn glas leeg en haalde mijn schouders op. 'In het ergste geval verkoop ik het huis en ga ik terug. En dan kun jij mijn makelaar weer zijn.'

'Dat,' zei Delores, 'lijkt me een welkome afwisseling na Lydia Samuels.' Ze leunde naar achteren om ruimte te maken voor het grote bord dat voor haar werd neergezet. 'O jeetje mineetje,' zei ze, 'ziet dát er even heerlijk uit!'

Ik kon me niet herinneren dat ik, afgezien van in mijn stijve jeugdboeken, ooit iemand 'o jeetje mineetje' had horen zeggen zonder dat sarcastisch te bedoelen. Ik vond het leuk om het haar met zoveel oprecht enthousiasme uit te horen roepen.

Toen we klaar waren met eten en op het punt stonden om weg te gaan, zei Delores: 'Luister. Waarom ga je eigenlijk naar dat motel? Waarom kom je niet gewoon bij mij logeren?'

Ik keek haar aan en woog alle argumenten tegen elkaar af, maar toen glimlachte ik en schudde het hoofd.

‘Waarom niet?’ vroeg ze. Haar stem klonk luid – ze had nog een tweede cocktail genomen.

‘Ik red me wel in dat motel,’ zei ik. ‘Maar in ieder geval bedankt.’

‘Nou... niets te danken,’ zei Delores. ‘Maar morgenochtend vroeg zie ik je op kantoor en dan regelen we alles. En bel je verhuizers maar vast, want binnen twee weken zit jij in dat huis.’

Uiteindelijk werd het ruim een week. Lydia vond het goed dat ik het huis voor vijftig dollar per dag van haar huurde tot we de koop getekend hadden. En ik bofte opnieuw, want de verhuizers konden mijn spulletjes vier dagen later al brengen.

Vrijdagavond om tien uur wikkelde ik een quilt om me heen en ging op de bovenste trede van mijn nieuwe veranda zitten. Een paar uur tevoren had ik de wegrijdende verhuiswagen nagekeken, en gewacht tot de achterlichten zo klein waren geworden dat ze uiteindelijk niet meer te zien waren geweest. Het was alsof John en Boston en mijn hele leven tot op dat moment in die rode lampjes besloten lagen. Ik stelde me voor hoe de verhuizers ergens zouden stoppen voor een kop koffie en een broodje, waarna ze weer in zouden stappen, de radio aan zouden zetten en aan de lange terugreis in oostelijke richting zouden beginnen. Ik moest me beheersen om de vrachtwagen niet achterna te rennen. Het was één ding geweest om op reis te gaan, nieuwe indrukken op te doen en overal afleiding in te vinden. Maar intussen zat ik nu wel hier. En wat nu? Moest ik echt een winkel openen?

Ik dacht aan de dozen vol spullen die ik in Boston had gehad en die nu hier in de kelder stonden – de kroonluchter met vogels en kronkelende ranken die ik in New Orleans op de kop had getikt, de glazen pennen en potjes met sepiakleurige inkt die ik in Florence had gevonden, de kalligrafeerpennen die John van een dankbare patiënt had gekregen, prachtige exemplaren lapis lazuli waar ik een armband van had willen laten maken. Ik had antieke vogelkooien, meters kimonozijde, een bankje waarvan de uiteinden waren voorzien van prachtig smeedijzerwerk, en de kussens gemaakt waren van abrikoos- en roomkleurige gestreepte zijde. Ik had meters en meters beeldschoon lint. Een hele doos met gedroogde bloemen, een andere, waar oorspronkelijk wijn in had gezeten, maar waarin ik nu – netjes in afzonderlijke vakjes – een verzameling vogelnestjes bewaarde. Ik had bedels en kralen, antieke schorten, lampenkappen met luipaardmotief, bewerkte deurknoppen, kleine glas-in-loodramen. Ik had een kinderbord en bijbehorend zilveren bestek van Hopalong Cassidy, ouderwetse bakelieten telefoons met kiesschijf, ingelijste foto's van vrouwen van langgeleden met prachtige kapsels, en een verzameling antieke voorraadbussen. Toen we pas getrouwd waren vroeg John wel eens wat ik met al die spulletjes wilde doen. Maar toen ik hem telkens geantwoord had 'Dat weet ik niet, ik vind ze gewoon mooi' vroeg hij het uiteindelijk niet meer.

Ik keek op naar de met sterren bezaaide hemel, en zo helder had ik hem al in lange tijd niet meer gezien. Het leek net onecht, een decor voor een toneelstukje van leerlingen van de lagere school die mogelijk nog steeds geloofden dat sterren kleine, vijfpuntige voorwerpen waren die je op je hand kon laten glinsteren, die je mee naar huis kon nemen en in een schoenendoos onder je bed kon bewaren. Gedurende de eerste weken na Johns dood voelde ik hem dichterbij wanneer ik naar de hemel keek. Nu voelde ik die etherische band niet meer – wat ik nu veel meer voelde was mijn eenzaamheid. Ik trok de quilt strakker om mij heen en haalde diep adem. Het rook vochtig. Midden november was nog vroeg voor sneeuw, maar die ochtend had ik voor de komst van de verhuizers in de achtertuin gestaan en een paar vlokjes als verkenners omlaag zien dwarrelen om vervolgens op de kale, donkere bloemstengels te landen en te smelten.

Delores had me uiteindelijk de foto's van de bloeiende tuin gegeven. Met de komst van het voorjaar en de zomer kon ik mij verheugen op rozen, lelies en seringen, op vingerhoedskruid, pioenrozen, ridderspoor, zinnia's en dahlia's en, daar keek ik echt het meeste naar uit, hortensia's in mijn favoriete kleur blauw. In gedachten zag ik al een witte kan vol bloemen van eigen oogst midden op de keukentafel staan. Een bitterzoet genot – John zou dol zijn geweest op zo'n tuin als deze. Hij was vaak degene die, wanneer we ergens buiten gingen wandelen, boeketten veldbloemen plukte.

Die middag, terwijl de verhuizers de ene doos na de andere naar binnen brachten, in het Spaans met elkaar spraken en lachten om dingen die ik niet kon begrijpen, besloot ik niet langer te proberen hen bij te houden, en ging naar buiten. De bomen in de straat waren voor het merendeel kaal, maar hier en daar zag ik nog een schitterend rood en geel gekleurd blaadje op het gras of op de stoep liggen. Ik raapte een paar van de mooiste exemplaren op en legde ze op de vensterbank van de keuken. Ik wist dat ze de volgende dag verdord, en de randen omgekruld zouden zijn, maar ik kon ze gewoon niet laten liggen – daar waren ze te mooi voor. Het oprapen van mooie blaadjes was een traditie voor me. Al sinds mijn jeugd had ik de gewoonte om de keukenvensterbank te versieren met wat de seizoenen aan moois te bieden hadden. John had zich bij deze traditie aangesloten. Elk jaar, met Halloween, sneed hij griezelige gezichtjes in miniatuurpompoenen, en dan zetten we er brandende waxinelichtjes in. In december haalden we takken hulst in huis, in het voorjaar forsythia die we in gekleurde flesjes zetten, en in de zomer legden we de drie zanddollars neer die John en ik, toen we elkaar nog maar net kenden, tijdens een strandwandeling hadden gevonden. Tijdens die wandeling waren we er, ieder voor zich, van doordrongen geraakt dat de ander De Ware was, al duurde het nog een hele poos voordat we dat hardop durfden uit te spreken. Het was hetzelfde strand waarop ik zijn as had uitgestrooid. Het is maar goed dat we onze toekomst niet kennen.

De wind blies onder de quilt door en ik huiverde, maar ik was nog niet zover dat ik al naar binnen wilde. Ik keek naar de andere huizen in de straat. Op sommige veranda's brandde licht, maar verder was het donker. Ik nam aan dat de mensen hier bijtijds gingen slapen. Dat deed ik vroeger ook, maar die gewoonte was ik allang kwijtgeraakt. Gedurende de laatste paar maanden van Johns leven sliepen we in korte pozen wanneer het uitkwam.

Ik legde mijn kin op mijn knieën en maakte me zo klein mogelijk. Ineens had ik behoefte aan een sigaret – wat kon het schelen dat het levensbedreigend was, want wat was dat niet tegenwoordig? Ik wou dat ik een lange haal kon nemen om de rook dan uit te blazen en te kijken hoe hij oploste en vervaagde. Er leek me een troostende invloed van uit te gaan.

In de jaren zestig, toen ik studeerde, woonde ik samen met drie vrouwen – de drie die mijn laatste beste vriendinnen waren geweest – die alle drie rookten. Bijna elke avond zaten we bij elkaar in de keuken urenlang te praten. Midden op tafel stond een overvolle oranje asbak en de lucht zag blauw van de rook. Een paar keer heb ik ook geprobeerd te roken, maar het wilde me niet lukken. Als ik inhaleerde moest ik verschrikkelijk hoesten. En als ik rookte zonder te inhaleren, voelde ik mij een idioot. En dus keek ik naar hen, naar hoe ze hun kin ophieven, naar hun blanke kelen en het wiebelen van hun lange oorbellen wanneer ze de rook uitbliezen naar het plafond.

Wel hielp ik ze mee bij het leegdrinken van de flessen goedkope Boone's Farm-wijn die we kochten, en bij het wisselen van de platen op de pick-up zodat er altijd muziek opstond. We luisterden naar Odetta. Naar Dylan. Marvin Gaye. Joan Baez en Joni Mitchell. The Beatles, the Stones, Jimi en Janis. Ook naar Lou Rawls' versie van de 'September Song' en Morgana Kings 'How Insensitive'. In die tijd was muziek veel belangrijker dan tegenwoordig. Bij het opstaan 's ochtends zetten we de eerste plaat op, en de laatste 's avonds voor het slapengaan. We draaiden platen om onze eigen behoeften en verlangens mee tot uitdrukking te brengen, en om onze ontluikende politieke opvattingen kenbaar te maken. Musici kwamen met vragen waarvan we ons niet realiseerden dat we daar ook mee rondliepen tot het moment waarop we ze hoorden. Het was een stilzwijgende afspraak dat, bij bepaalde nummers, iedereen vrijwillig en spontaan zijn mond hield.

Maddy, Lorraine en Susanna, zo heetten ze. Maddy was van Italiaanse afkomst. Ze had een schitterende huid, van de olijfolie, beweerde ze. Ze was altijd bezig iets voor een ander te doen en stond nooit toe dat iemand iets voor haar deed. Zelfs al op haar twintigste kon ze fantastisch koken, ze borduurde alsof het een fluitje van een cent was en ze was een geoefende bergbeklimmer (haar uitrusting daarvoor bewaarde ze in kussenslopen achter in haar kast). Susanna wilde actrice worden en ze deed overal altijd heel dramatisch over – 'O, hélp! Ik moet er als de házen vandoor!' – en ze had een onmiskenbaar charisma waarmee ze het beslist ver had geschopt in de theaterwereld. En dan had je de beeldschone Lorraine met haar zwarte haren op wie ik, ondanks haar aangeboren snobisme en sombere buien, eigenlijk het meeste was gesteld. Lorraine heeft ooit eens een longdrink in het decolleté van een vrouw gegoten, en dat was lang voordat dit in een film werd gedaan. Ze vertelde de mannen met wie ze iets had dat haar moeder een Hongaarse zigeunerin was die haar echtgenoot gecastreerd had. Vreemd genoeg leken mannen dat juist aantrekkelijk te vinden. Lorraine en ik hebben onze bescheiden kerstboom ooit eens een Vikingbegrafenis gegeven: op een spoorbrug staken we hem, met al zijn versieringen er nog in, in brand en gooiden hem toen in de Mississippi. Ik geloof dat de achterliggende gedachte was dat je iets moois in zijn waarde moest laten – door hem te strippen raakt hij die waardigheid kwijt. Laat hem in zijn volle glorie sterven. Ik weet nog dat ik, toen Lorraine met het idee was gekomen, vroeg of dat niet gevaarlijk was, waarop zij dat doodkalm beaamde.

We woonden in een flat waar zeep- en shampoogeuren wedijverden met het luchtje van patchoeli-olie. Halskettingen hingen aan deurknoppen, hendels van de vensters en kastknoppen. Onze ringen bewaarden we op schoteltjes. Niemand was in het bezit van zoiets praktisch als een juwelendoosje. Overal lagen stapels boeken, platen en kleren. De telefoon stond altijd roodgloeiend, en vooral midden in de nacht. Eens werd ik om vier uur 's ochtends gebeld door een zekere Dan die me vertelde dat ik zijn Suzanne was, waarna hij Leonard Cohens laatste hit voor me zong. Ik voelde me vereerd. Dans flatgenoot, Ron, had me gebeld toen hun telefoon was aangesloten – geen van tweeën had ooit eerder een eigen telefoon gehad en ze vroegen me hun nummer te draaien om te kijken of de telefoon het deed. Ik voldeed aan het verzoek, en nadat hij dertien keer was overgegaan, en ik net wilde ophangen, nam Ron op en zei 'Hallo?' 'Waarom nam je niet op?' vroeg ik. En hij zei: 'We zaten ernaar te luisteren.'

Het was Ron die me op een koude nacht in januari kort na middernacht belde. Ik was net in slaap gevallen. 'Heb je zin om langs te komen?' vroeg hij. 'Dan en ik hadden het juist over je en we hebben zin om je te zien.' Ik zei dat ik net in bed lag en dat ik moe was, en ik had de volgende ochtend om acht uur college. 'Ah, toe nou,' zeurde hij. 'We zeiden dat je zo'n echt mens bent. Als dat zo is, dan moet je komen.' Ik zei dat ik geen auto had. Dan moest ik die van Lorraine maar nemen, zei hij. Vervolgens bracht ik hem in herinnering dat ik ook geen rijbewijs had. 'Dan rij je toch heel langzaam,' zei hij. En ik nam Lorraines auto, een wijnrode Mustang met open dak uit 1965. Wat zou ik nu dolgraag zo'n auto willen hebben! De raampjes waren bevroren en ik had geen idee hoe ik ze moest laten ontdooien. Dus ik deed het dak open en reed half zittend en half staand om boven de voorruit uit te kunnen kijken, naar Rons huis. Ik weet nog dat ik de radio keihard aan had staan en dat ik uit volle borst meezong. Het was één van die momenten die je je leven lang bij blijven.

Het was een leuke tijd geweest en ik had het fijn gevonden om mijn leven met die drie jonge vrouwen te delen. Lorraine zei dat er iets troostends van onze vriendschap uitging, maar volgens mij bedoelde ze ermee dat we zo tolerant waren. Zo kon het gebeuren dat je aan de keukentafel zat en dat er iemand bij je kwam zitten om haar hart uit te storten.

Ineens wilde ik ontzettend graag weten wat er van die vrouwen geworden was. We hadden echt en oprecht met elkaar kunnen praten, realiseerde ik me. Als er iemand was die – na al die tijd – bereid was om me aan te horen en te begrijpen wat ik wilde zeggen, dan waren zij het wel. Kierkegaard had gezegd dat, als een vriendschap een echte vriendschap was, het niet uitmaakte hoe lang je elkaar niet zag, maar dat je de draad ervan op elk moment weer op kon pakken. Maar hoe zou ik ze ooit moeten vinden? Ze waren vast getrouwd en hadden de naam van hun man aangenomen – we waren nog van de generatie die dat vanzelfsprekend vond. Ze konden wel naar ik weet niet waar zijn verhuisd, en misschien woonden ze zelfs wel in het buitenland. En er was nog iets wat ik me realiseerde. Het was niet ondenkbaar dat één van hen – of meer – niet meer leefde. Ik begon in het oeroude ritme van voren naar achteren, van voren naar achteren te wiegen.

Na nog een laatste blik op de hemel te hebben geworpen, stond ik op om naar binnen te gaan. De beweging bezorgde me pijn in mijn knie. Reumatiek? Nu al? Bij wie kon ik nu met mijn oudedamesangsten terecht? Wie zou me nu nog zeggen dat ik lippenstift op mijn tanden had, of dat ik het verhaal dat ik vertelde, al eens eerder had verteld? Wie zou me, heel zachtjes, adviseren om een pepermuntje te nemen zonder dat ik me ervoor zou hoeven schamen?

In Boston woonde er een oud dametje bij ons in de straat. Ze kwam alleen maar buiten om de post te halen, en dat deed ze altijd meteen, zodra de post was langs geweest. Dan bleef ze op de stoep staan en bekeek ze alles wat ze had gekregen, onverschillig of het echte post of reclame was, met evenveel aandacht. 'Volgens mij belt ze die mensen van de reclamecampagnes nog op ook,' zei John. Wanneer hij haar passeerde groette hij haar, maar dan haastte ze zich altijd meteen weer naar binnen. Ik had dat leven van die vrouw, in vergelijking met het mijne, altijd onbegrijpelijk gevonden, maar intussen kon ik me beter voorstellen wat eenzaamheid met iemand kon doen.

Ik ging naar binnen, vouwde de quilt op en legde hem op de leuning van de bank. Ik keek om me heen, naar de chaos van onuitgepakte dozen waarin tegelijkertijd ook al een zekere orde heerste door de meubels en het kleed die hun vaste plaats al hadden gekregen. John zou het een heerlijk huis hebben gevonden. 'Jij,' fluisterde ik. 'John.' Zijn naam, alsof dat het er gemakkelijker op zou maken. Alsof hij daardoor, in de door hem gekozen vorm, zou kunnen verschijnen. Een voetstap op de trap. Het maanlicht achter op de rugleuning van de stoel. Een aanraking zonder aan te raken. Een geur. Ik wachtte. Ik dacht aan Lydia Samuels en haar mysterieuze uitspraak: *Hij zal komen.* Maar hij kwam niet.

Ik deed het licht uit en sloot af. Maar juist toen ik naar boven wilde gaan, zag ik een kleine gestalte op de veranda bukken en weglopen. Een beetje angstig deed ik de deur weer open, en zag, onder een steen, een briefje liggen. Ik nam het mee naar binnen. In zorgvuldige letters stond er:

> 'Ik heet Benny. Voor het geval u dat niet mocht weten, ik ben uw buurjongen. Welkom in onze buurt! Als u hulp nodig heeft, kunt u mij inhuren. Ik kost maar vijftig cent (of meer, als u vindt dat ik echt goed werk heb geleverd). U kunt mij bellen, en dit is mijn nummer. Schrijft u het maar op. 555-0098. En als u niet wilt bellen, dan ziet u mij na schooltijd en in het weekend wel op straat. Ik weet zeker dat u, zodra ik klaar ben, zult zeggen: Wauw, dat heeft hij perfect gedaan!!!!'

Eerder die middag had ik bij het huis naast het mijne een jongen op de veranda zien zitten. Hij had naar me gekeken terwijl ik de bladeren bijeen aan het harken was. Nu realiseerde ik me dat hij me mogelijk maar heel onhandig had gevonden, zoals ik daar aan het werk was geweest, en dat dit zijn zakeninstinct gewekt moest hebben. Het was een kleine, magere jongen met lang zwart haar. Hij had een bril op gehad, en een verschoten blauw flanellen hemd gedragen. Ik vroeg me af waarom hij nog niet sliep. Ik ging bij het raam staan en keek naar zijn huis. Donker.

Ik liep naar de keuken, trok de bovenste la open en liet het briefje erin vallen. De la was verder leeg – een overduidelijk teken dat de bewoners van een huis werkelijk zijn vertrokken. Nog even, en het zou de rommellade worden, vol met de gebruikelijke papiertjes, pennen, bonnetjes, elastiekjes, plastic bestek en folders van afhaalrestaurants. Wat ik ook altijd in de rommellade bewaarde, waren de foto's die ik uit tijdschriften en kranten scheurde – een oude gewoonte van me. 'Waar bewáár je die dingen toch voor?' had John ooit eens lichtelijk wanhopig gevraagd. 'Als je er niets mee dóet, waarom gooi je ze dan niet gewoon wég?' 'Laat ze nu maar liggen,' zei ik. 'Jij bent niet verantwoordelijk voor de keukenkastjes. Dat ben ik. Jij bent verantwoordelijk voor het gereedschap en de spullen in de garage. Ik zeg toch ook niet dat je al die oude moeren maar weg moet gooien?' 'Moeren zijn ergens góed voor,' had hij gezegd. 'Nou, dat zijn mijn foto's ook.' En toen hij had gevraagd waar die foto's dan wel niet goed voor waren, had ik mezelf de luxe veroorloofd hem te negeren.

Maar een paar dagen na Johns opmerking had ik de foto's uit de la gehaald. Hij had gelijk, ze namen te veel plaats in beslag. Ik plakte ze in een klein plakboek met suède kaft, en toen dat vol was, begon ik aan een volgend. Ik begon er een gewoonte van te maken om 's middags met een kop thee aan tafel te gaan zitten en verhaaltjes bij de foto's te verzinnen. Het was in zekere zin een andere manier van schrijven – deze verhaaltjes hoefden niet naar een uitgever en ik hoefde ze ook niet op te schrijven. Het was fantasie in zijn meest zuivere vorm, niet vervuild door gedachten aan deadlines en kritieken en verkoopcijfers en tournees. Ik hield van de manier waarop de verhaaltjes veranderden telkens wanneer ik weer door het plakboek bladerde. Ik hield van de manier waarop fragmenten van gesprekken mij te binnen schoten, of bepaalde flarden muziek, en ik hield van de manier waarop de foto's in mijn verbeelding soms uitgroeiden tot méér, zodat ik, in plaats van alleen maar de gele keuken te zien, ook de zitkamer ernaast zag, en de straat ervoor. En kijk, daar had je de vrouw van wie de keuken was, ze kwam met zware boodschappentassen de stoep af gelopen en glimlachte bij wijze van groet naar een buurvrouw. Haar wangen waren rood van de wind. Ik bezat inmiddels een grote hoeveelheid van die plakboeken, en ik had ze al uitgepakt en naast de chaise longue op de grond gelegd.

John heeft nooit geweten wat ik met die plakboeken deed.

Ik neem aan dat iedereen zo zijn privépleziertjes heeft. Ik weet zeker dat hij de zijne had. Op forellen vissen, dat was er een van – ik ging nooit met hem mee wanneer hij dat ging doen. En soms ging hij 's avonds alleen een eindje om en rookte hij een sigaar. Soms, wanneer hij met zijn koptelefoon op naar opera's zat te luisteren, werd hij volkomen onbereikbaar voor me. Dan sloot hij zijn ogen, verscheen er een verlangende uitdrukking op zijn gezicht en was ik jaloers op de diva die hem op die manier wist te ontroeren.

Ik ging aan de keukentafel zitten en vouwde mijn handen op mijn schoot. Het licht aan het plafond maakte een zacht zoemend geluid – iets wat me overdag niet was opgevallen. Was dat iets waar ik een deskundige bij moest halen? En wie moest ik dan bellen? Een elektricien? Een klusjesman? Er hing een waterdruppel aan de keukenkraan, maar hij was niet zwaar genoeg om te vallen. Vanuit mijn ooghoeken zag ik mijn gezicht weerspiegeld in het raam, en ik zag de duisternis erachter. De stilte was even intens en irritant als te veel lawaai – ik wilde ernaar uithalen, haar wegmeppen. Ik overwoog iets van muziek op te zetten, maar ik wist niet waar de geluidsinstallatie of de radio was, en ik was te moe om nog meer dozen uit te pakken.

Maar ik was niet moe genoeg om te kunnen slapen. Ik moest eerst half slaapwandelen voor ik naar boven zou gaan. Zelfs in dit nieuwe huis was de slaapkamer een gevaarlijke plek waar herinneringen op de loer lagen – John die zijn overhemd uit zijn broek trok, die zijn horloge op de commode legde, die naar me toe kwam en me met een lieve glimlach veelzeggend aankeek. Hier, op deze eerste nacht, zouden we hand in hand in het donker hebben gelegen en opgewonden hebben gefluisterd over welk deel van het stadje we het eerst nader zouden onderzoeken. Dat deden we altijd, fluisteren wanneer het licht uit was. En altijd, wanneer we 's ochtends wakker werden, keek hij me glimlachend aan. 'Welkom op deze dinsdag, Betta,' zei hij dan. Dat deed hij tot op het allerlaatst, toen een plezierige routine een grimmig ironisch ondertoontje had gekregen. Welkom op deze vrijdag, Betta, een nieuwe helse dag. Een hel voor jou, en een ander soort hel voor mij. Maar toch welkom.

Ik pakte een pannetje om wat water te koken – ik was de ketel nog niet tegengekomen. Hij zou wel in een van de paar keukendozen zitten die ik nog uit moest pakken. Ik zou een mok kruidenthee drinken en dan, wanneer ik zeker wist dat ik mijn ogen geen minuut langer open kon houden, zou ik naar boven gaan en in bed kruipen. En morgen was weer een nieuwe dag. Ik legde mijn handen laag op mijn rug, rekte me uit en liet een *o, god* over mijn lippen komen. 'Helen doet pijn,' had iemand op Johns crematie tegen me gezegd. 'Maar pijn heelt.'

Om drie uur 's nachts deed ik mijn ogen open en was ik klaarwakker. Ik had het gevoel dat ik helemaal niet had geslapen, terwijl ik dat in feite vier uur lang achter elkaar had gedaan – lang niet slecht. Ik ging op de rand van het bed zitten en keek de kamer rond. De maan scheen door de gordijnloze ramen naar binnen. Het was een redelijk ruime kamer. Kleiner dan onze vorige slaapkamer, maar deze was gezelliger en dat kon ik op het moment goed waarderen. De grote kastdozen stonden als wachters midden in de kamer, en de kleinere dozen waren ernaast opgestapeld. Er was zoveel te doen, alleen al in deze kamer. Mijn blik dwaalde af naar de commode. Ik geloofde niet dat ik hem daar, waar de verhuizers hem hadden neergezet, wilde laten staan. De muur ertegenover zou beter zijn. Ik was alleen bang dat ik hem niet in mijn eentje zou kunnen verplaatsen. Alweer zo'n kleine ergernis. Meer en meer begon ik te beseffen dat verdriet ook een complexe vorm van irritaties kon zijn.

Ik wilde niet weer gaan liggen. Maar ik had ook geen zin

om door het nog onvertrouwde huis te lopen. Ik had er nog geen plekjes waar ik troost uit zou kunnen putten. De chaise longue stond in de hoek van de woonkamer, maar er stond nog geen schemerlamp naast, er lag nog geen plaid op, er hingen nog geen tikkende klokken en nergens stonden nog orchideeën met hun exotische bloemen op lange stelen. In plaats daarvan stonden er alleen nog maar meer dozen vol met spullen die een plaatsje moesten krijgen. En in de grotere kamers was het nog stiller – er hing een intensere stilte, en hoe groter de stilte, hoe groter de bedreiging voor mijn nog zo broze kalmte.

Ik ging op mijn buik liggen in de houding die ik afgelopen winter geleerd had tijdens de enige yogales die ik ooit had bijgewoond. Ik liet een van mijn hielen naar het plafond wijzen, strekte mijn been, en deed toen hetzelfde met mijn andere been. S-t-r-e-k-k-e-n. Ik kon me het vrolijke gezicht van de lerares nog herinneren toen ze ons vroeg: 'En, zijn jullie nu allemaal een paar centimeter gegroeid?' Ze was een elegante vrouw uit Amsterdam, en ze had een charmant accent. Ik vroeg me af of ze altijd zo 'yoga-achtig' was, of dat ze ook wel eens, net als wij, momenten van wanhoop kende en onaardige dingen deed waar ze achteraf spijt van had. Zweefde ze echt op een wolk van verlichting door haar huis, of kwam ze nijdig, met een stapel onbetaalde rekeningen de keuken binnen, en smeet ze ze met een ongeduldig gebaar op een tafel die dringend afgenomen moest worden, en belde ze met een vriendin om te klagen over het feit dat al haar leerlingen een stelletje sukkels waren? Ik was niet in staat die vraag te beantwoorden, en had dat feit als excuus gebruikt om niet meer te gaan. Wat wist dat mens eigenlijk van het leven, vroeg ik me af, maar wat ik me in werkelijkheid afvroeg was: waarom moet ik zo vroeg opstaan en het huis uit gaan terwijl het koud is?

Maar nu probeerde ik te ademen op de manier die ze ons

die dag had geleerd. *Wanneer je op deze manier inademt, besef dan dat het een helende werking heeft op elke cel van je lichaam.* Ik weet nog goed hoe ik met mijn ogen rolde toen ze dat zei, hoewel ik het tegelijkertijd juist heel graag wilde geloven. Nu, als volgzame leerling van een juf die mijn juf niet meer was, haalde ik heel diep adem, en toen nog een beetje dieper en nog een beetje dieper. *Denk aan een hoge waterval en laat je in de diepte vallen, dieper en dieper. En nu laat je je adem weer los, laat je hem in een vloeiende stroom langs je ruggengraat omhoogkomen tot alle lucht er helemaal uit is.*

Ik herinnerde me de geladen sfeer in die studio, de geur van sandelhout, het kalmerende blauw van de muren en de manier waarop de stofjes fonkelden in het zonlicht dat door de hoge ramen naar binnen viel. Wat ik me ook herinnerde was de luxe van het beleven van een dergelijke intense kalmte en rust, en dat ik dit afwees omdat ik vond dat ik het niet nodig had. Het is net zoiets als wanneer je met een volle buik een schaal heerlijk eten langs ziet komen. Op dat soort momenten sta je er niet bij stil dat er ooit een dag kan komen waarop je uitgehongerd bent.

Ik zou een nieuwe yogacursus zoeken, en erheen gaan. En ik zou boeken over tuinieren kopen zodat ik, wanneer het voorjaar werd, zou weten hoe ik voor mijn schitterende achtertuin moest zorgen. Ik zou mijn best doen om Johns wens zo bewust mogelijk op te volgen – ik zou proberen om, ondanks het verwerken van het verdriet, plezier aan dingen te beleven, en dat verdriet verwerken echt wérk was, hoefde niemand mij te vertellen. Het was Johns leven dat voorbij was, niet het mijne. Ik moest me voor blijven houden dat het maken van dat onderscheid in geen enkel opzicht hetzelfde was als gebrek aan loyaliteit. Ik moest me voor blijven houden dat ik nog een jonge vrouw was! Nou ja, ik was nog geen óude vrouw.

Ik streek de bovenkant van het laken over de deken, vouwde mijn handen op mijn borst en voelde tot mijn opluchting dat ik in slaap viel – dat gevoel alsof je in je borst omlaag zakt en jezelf begint los te laten. Wat ik ook voelde, was een vertrouwde hoop: soms kwam ik hem tegen in mijn droom.

Ik werd wakker van de deurbel en wierp een slaperige blik op mijn horloge. Half elf. Ik stond op en liep naar het raam om te kijken of het de een of andere leverancier was. Misschien waren het wel de cd's die ik had besteld. Op een avond in het motel had ik achter mijn laptop gezeten en bij Amazon dertig cd's besteld. Ik kon me niet eens meer herinneren welke het waren.

Maar er viel geen bestelwagen te zien. Ik zag niets. Ik trok mijn kamerjas aan, ging naar de badkamer om snel even mijn haren te borstelen en mijn gezicht te wassen, en haastte me toen de trap af om open te doen. Het was de buurjongen die een mandje muffins kwam brengen.

'Voor u,' zei hij. 'Van mijn moeder. Met bosbessenvulling.'

'O, dankjewel,' zei ik. 'Of liever, dank háár wel.'

Hij duwde zijn bril wat hoger op zijn neus en keek me aan door vergrotende glazen waardoor zijn blauwe ogen bijna iets komisch kregen. 'Ik heet Benny Pacini. Heeft u mijn briefje gevonden?'

'Ja, dat heb ik. En ik heet Betta Nolan.'

'Betta?' herhaalde hij verbaasd.

Ik moest onwillekeurig glimlachen. 'Ja. Mijn moeder kon

niet kiezen tussen Betty en Anna. En ik heb werk voor je, als je me wilt helpen uitpakken.'

'Ik zou u morgen kunnen helpen. Vandaag heb ik al twee klussen – honden uitlaten en een garage schoonmaken.' Zijn blik ging over mijn kamerjas en pyjama. 'Sliep u nog?'

'Ja. Ik sta laat op. Soms.'

'O, neemt u mij niet kwalijk.'

'Het geeft niet.' Ik trok de deur wat verder open. 'Waarom kom je niet binnen?'

'Best.' Hij stapte het halletje in en trok zijn jack uit. 'Moet ik mijn schoenen uit?'

'Nee. Dat is niet nodig. Kom mee naar de keuken. Ik zet koffie en misschien wil je ook wel een muffin.'

'Ze zijn voor u. Ik mag er geen.'

'Maar als ze voor mij zijn, dan kan ik toch beslissen met wie ik ze wil delen, of niet? En ik zou ze graag met jou willen delen.'

Hij trok een gezicht en bewoog zijn schouders op zo'n typische overdreven kinderlijke manier – het scheelde een haar of ze hadden zijn oorlelletjes geraakt. Toen volgde hij me naar de keuken waar hij niet ging zitten, maar stijf naast een stoel bleef staan. 'Op de plaats rust,' zei ik.

Hij keek me met grote ogen aan. 'Hè?'

'Ga zítten,' zei ik.

Nadat hij een stoel had afgeschoven, ging hij op het puntje ervan zitten en zwaaide met zijn benen terwijl ik in een verhuisdoos naar de koffiefilters zocht.

'Wauw,' zei Benny, 'bent u met de *Mayflower* gekomen?'

Ik keek verbaasd naar hem op en hij wees op de doos. 'O,' zei ik. 'Nee. Nee, zo heet het verhuisbedrijf dat ik heb gebruikt.' Misschien, dacht ik, zou ik wat minder serieus moeten zijn.

'Waar komt u vandaan?'

'Boston.'

'Dat is de hoofdstad van Massachusetts.'

'Precies.'

Hij keek beleefd om zich heen, en probeerde niet verder te kijken dan de keuken zelf. 'Ik ben hier nog nooit binnen geweest. De vrouw die hier vroeger woonde was helemaal niet aardig!'

'Dat weet ik. Ik heb haar ontmoet.'

'Echt?'

'Ja.'

'Veel mensen zeggen dat ze een echte heks was. Grote mensen zeggen dat. Waar is ze eigenlijk naartoe gegaan?'

'Naar een verpleeghuis.' Ik maakte een andere doos open en begon daarin te zoeken – trechters, een vergiet, maatbekers, nestschalen. 'Naar het Rose McNair Home.'

'Daar zijn we met de tweede klas geweest, voor Kerstmis. We moesten "Stille Nacht" voor ze zingen.' Hij begon een paar maten van het lied te zingen, en deed dat zo afwezig en totaal niet verlegen dat ik vermoedde dat hij zich niet eens bewust was van het feit dat hij dat deed.

'Was het leuk om voor ze te zingen?' vroeg ik.

Ineens leek hij zich weer van mijn aanwezigheid bewust, en ik zag hoe hij als een politicus goed over zijn antwoord nadacht. 'Nee. De meesten van hen sliepen. Dat wilde ik u nog vragen. Heeft u kinderen?'

'Nee, ik heb geen kinderen.'

'En bent u getrouwd?'

Ach. Ik ging even rechtop staan en drukte het zeefje dat ik juist vast had tegen mijn hart. Toen zei ik. 'Mijn man leeft niet meer.'

Benny hield zijn benen stil. 'Nee?'

'Nee.' Ik groef tussen pannenlappen, ijskastmagneetjes en een theedoek.

'Nou, ik weet hoe dat voelt, want mijn lievelingsopa is vorige maand gestorven, twee dagen na mijn tiende verjaardag. Opa Will.'

'Wat naar voor je.'
'Ja. Hij kon goochelen. Hij had een truc waarbij hij zijn vinger eraf hakte.'
'Hemeltje lief!'
'Ja, en dan zette hij hem er weer aan.'
'Dat noem ik nog eens een truc.' Ik was zonder succes op de bodem van doos twee aanbeland. Waar wáren die filters?
'Hij hakte hem er niet echt af,' zei Benny. 'Dat leek alleen maar zo.'
'Natuurlijk, dat was juist de truc, dat hij deed alsof het echt was.' Ik maakte nog een doos open, haalde er een paar theedoeken uit en vervolgens een keukenrol. Ik zou een stuk keukenpapier als filter kunnen gebruiken. Ooit, op een ijskoude winterochtend, toen we geen filters en geen keukenrol meer hadden, had John het met wc-papier geprobeerd. Daarna had hij een zeefje gepakt om te proberen de koffieprut en het half uit elkaar gevallen papier van de koffie zelf te scheiden. En toen had hij het geproefd. En tóen was hij filters gaan kopen. Aangezien het door de harde wind aanvoelde als een graad of vier, kocht hij ook gerookte zalm en kappertjes en heerlijke broodjes en smeerkaas en rozen en een soort van wilde rijst die we hadden willen uitproberen. Dat soort dingen deed hij. Doe je voordeel met fouten en vergissingen. 'Die grootvader van jou klinkt als een interessante man,' zei ik tegen Benny.
Hij zuchtte. 'Soms word ik boos omdat ik hem nu niets meer kan vragen.'
'Ja, ik weet wat je bedoelt.' Ik tilde een paar doosjes thee op. En daar waren de filters! Ik liep ermee naar het koffiezetapparaat, deed er de juiste hoeveelheid koffie in, het water, en drukte op het schakelaartje. 'Zo voel ik het ook.'
'Van uw man?'
'Ja.' Het dankbare aroma verspreidde zich vrijwel onmiddellijk door de keuken, en ik voelde me meteen een stuk beter. 'Hoe komt het toch, denk je, dat het simpele ritueel van

's ochtends koffiezetten ons meteen zo'n opgewekt gevoel bezorgd?' had ik ooit eens aan John gevraagd. 'Misschien omdat het niet zo simpel is als het lijkt,' had hij geantwoord.

'Hoe heette uw man?'

'Hij heette John.' Ik trok de koelkast open, haalde er een half pak melk uit, zette het op tafel en ging zitten. 'Mooi.'

'Er staat niet echt veel in die koelkast van u, hè?' merkte Benny op.

'Nee. Ik heb nog geen gelegenheid gehad om boodschappen te doen.'

'Vindt u Dr Pepper lekker?'

'Ach, het gaat wel.'

'Het is mijn lievelingsfris. Mijn moeder vergeet het altijd te kopen.'

'Als je weer langskomt zal ik zorgen dat ik het in huis heb. Hoe vind je dat?'

'Fijn.' Hij glimlachte verlegen, en zei toen: 'Die jongen in mijn klas? Matt Lederman? Hij zegt dat ik gay ben.'

'O ja?'

'Gay betekent dat je van jongens houdt als je een jongen bent.'

'Inderdaad. Of van meisjes, als je een meisje bent.'

'Maar dat ben ik niet.'

'Als je het wel was, dan was het helemaal niet erg.'

'Nou, maar ik ben het níet.'

'Goed.'

Het koffiezetapparaat piepte, en ik stond op om voor mezelf een kopje in te schenken. 'Wil jij een beker melk bij je muffin?' vroeg ik aan Benny.

'Nee, dank u.' Hij trok het papiertje van het cakeje, hield zijn handen achter zijn rug en boog zich naar voren om een hapje te nemen. 'Zo eten paarden,' zei hij, met een mondvol.

Ik ging tegenover hem zitten. 'Je bedoelt, zonder handen?'

'Ja.'

Hij nam nog een hapje en sloot zijn ogen. 'Je kunt veel beter proeven met je ogen dicht. Probeer het maar eens.'

Ik sloot mijn ogen en kauwde. 'Je hebt helemaal gelijk,' zei ik, terwijl ik mijn ogen weer opendeed.

'Mensen zouden altijd zo moeten eten. Maar ze luisteren niet.'

'Denk je niet dat het lastig praten is wanneer je met iemand zit te eten en je je ogen aldoor dicht hebt?'

'Nee, want weet u waarom? Je kunt ook veel beter lúisteren met je ogen dicht!' Hij hield zijn hoofd schuin, zijn ogen waren nog steeds stijf dichtgeknepen en hij luisterde aandachtig als om zichzelf van zijn opmerking te overtuigen. Maar toen deed hij zijn ogen weer open en vroeg: 'Waar werkt u?'

'Ik heb op dit moment geen werk.' Grappig dat dit, nu ik het hardop tegen hem zei, voor het eerst pas tot me leek door te dringen.

Hij keek me met nietszeggende ogen aan. Ik vermoed dat het in deze tijd onbegrijpelijk is dat een vrouw niet werkt. En dus zei ik: 'Ik heb kinderboeken geschreven.'

Zijn ogen begonnen te stralen. 'Zoals *Harry Potter*?'

'Was het maar waar!' zei ik. 'Nee, ik heb prentenboeken geschreven, voor jongere kinderen.'

'Welke?'

Dat was een vraag die ik niet kon uitstaan. De man of de vrouw in het vliegtuig, als ik verteld had wat ik deed: 'En, is er ook iets van u uitgegeven dat ik zou moeten kennen?' En dan zeiden mijn titels hen nooit wat, waarop er een pijnlijke stilte viel en ieder zich weer over zijn eigen boek of krant boog. Maar tegen Benny zei ik: 'Nou, mijn lievelingsboek heet *De handtas van oma Sylvia*.'

'Waar gaat het over?'

Ik nam een tweede muffin. Ik wist zo goed als zeker dat ze van een bakmix waren gemaakt, maar ze waren lekker. 'Het gaat over een oma die elke vrijdagavond op haar kleinzoon past, die het leuk vindt om in haar handtas te snuffelen.'

'Waarom?'

'Omdat de dingen die in haar tas zitten in andere dingen veranderen. Op een van die avonden, bijvoorbeeld, verandert haar poederdoos in een kleine vliegende schotel.'

'Een echte vliegende schotel?'

'Een hele echte.'

'Hm. En wat heeft u verder nog geschreven?'

'O, nog een heleboel andere boeken. Er is er eentje dat je misschien wel kent. *De mensen die hier voor mij hebben gewoond*. Daar zijn er een heleboel van verkocht.'

Hij ging rechterop zitten en keek me met grote ogen aan. 'Dat boek heb ik!' Nu gleed er een uitdrukking van liefdevolle achterdocht over zijn gezicht.

Ik glimlachte. 'Echt?'

'Ja! Het gaat over een kind dat in een heel oud huis woont. Hij vindt een knikker in zijn kast en vraagt zich af van wie hij geweest is. En dan ontdekt hij allemaal spannende dingen over de kinderen die voor hem in dat huis hebben gewoond.'

Ik knikte. 'Ja, dat boek is het.'

Hij begon te lachen, eerst zachtjes, maar toen steeds luider en hoger. Uiteindelijk schaterde hij het uit, en scheelde het een haar of hij had zijn buik nog vastgehouden ook. 'Weet u dat nog van die ónderbroek?'

'Ja.'

'Ik neem dat boek mee naar school en vertel de juf dat u dat heeft geschreven.'

Opeens voelde ik me slecht op mijn gemak in mijn kamerjas. In gedachten zag ik Benny's juf voor me in een schone witte blouse en een wollen rok, terwijl ze met opgetrokken wenkbrauwen op me neerkeek.

'Schreef uw man ook boeken?'

'Nee, hij was jeugdpsychiater.'

Benny knikte. 'Stan Maken? Die jongen die bij mij op school zit? Hij gaat er naar eentje toe. Hij is een beetje raar. Eigenlijk mogen we dat niet weten, maar iedereen weet het omdat Stan het ons zelf heeft verteld. Wacht! Hoe laat is het?'

Ik zei dat het tegen elven moest zijn, en hij zei: 'Dan moet ik weg!' Hij liep het halletje in waar hij zijn jack had laten vallen. 'Als u wilt kan ik morgen langskomen om u met het uitpakken te helpen.'

'Dat zou fijn zijn,' zei ik. 'Je ziet maar hoe laat.'

Hij stak een vinger op. 'Eén ding nog. Moet ik u mevrouw Nolan noemen, of Betta?'

'Betta.'

'Dat dacht ik al,' zei hij, en hij vloog de deur uit.

Ik keek hem door het raam na terwijl hij de straat uit rende, en naar een andere jongen van zijn leeftijd zwaaide die, half in gedachten verzonken, midden over straat fietste. Ik weet nog hoe ik als kind me elke ochtend zo snel mogelijk aankleedde en ongeduldig was om de nieuwe dag, en alles wat hij me zou brengen, tegemoet te gaan – een half gebouwd huis, een school witvis, het beheersen van de radslag, geld onder het kussen op de stoel, en zelfs de ziekelijke opwinding die ik had gevoeld toen ik een blote babypop vol ketchup, dat op bloed moest lijken, half weggestopt onder een struik zag liggen. Ik voegde me bij het groepje andere kinderen dat met totaal uitdrukkingsloze gezichten naar de pop stond te kijken. Kleine kinderen hebben het aangeboren vermogen om de dingen te aanvaarden zoals ze zijn. De lijn tussen goed en slecht is voor hen nog vaag en onduidelijk, en daardoor zijn ze ook nog zo kwetsbaar. Aan de andere kant spreekt er juist een enorme wijsheid uit. Ik had ooit eens een hond die doodging terwijl hij naar de lucht stond te kijken. Tot op het allerlaatste moment maakte hij een blije en gelukkige indruk. En ik heb een kennis die me eens beschreef hoe de meest duistere momenten in iemands leven tegelijkertijd de mooiste zijn, maar dat we niet het vermogen hebben om dat te beseffen.

Misschien hoefde ik wel niet meer naar yoga. Misschien dat ik overal om me heen leraren had – sommige zichtbaar, andere onzichtbaar. Misschien dat het nu mijn taak was om te leren wat ik moest leren. John en ik hadden het vaak gehad over hoe, binnen onze cultuur, bijna alles om verstrooiing draait. We waren amper nog in staat om lang en respectvol bij de dingen stil te blijven staan. Er ging een enorme troost uit van de stilte, van de rust, en het ging erom te beseffen hoe waardevol dergelijke momenten konden zijn. Ik heb ooit eens ergens gelezen over een vrouw die de hele dag niets anders deed dan alleen maar kijken naar wat ze bezat, waarbij ze zich werkelijk bewust werd van alle spulletjes in haar huis. Net als zovele anderen maakte ik me ook schuldig aan het kopen van boeken die ik uiteindelijk nooit las, of aan het gejakker van 's ochtends vroeg tot 's avonds laat zonder ooit even ergens bij stil te staan. Ik nam alles als vanzelfsprekend aan in plaats van er dagelijks dankbaar voor te zijn. Wie stond er stil bij zijn goede gezondheid voordat hij ziek werd? Wie bad er nog voor het eten? Wie las zijn kinderen voor het slapengaan voor zonder daarbij heimelijk op de klok te kijken en wanhopig te denken aan alles wat hij nog moest doen voordat hij zelf naar bed zou kunnen? Wie maakte er een praatje met de caissière in de supermarkt? Iedereen scheen evenveel haast te hebben, en het einde ervan leek niet in zicht. De technologie stuwde ons voorwaarts, en normale goede manieren – een beetje vriendelijkheid en aandacht – werden daar het slachtoffer van. Ik bofte dat ik niet gedwongen was om het eerste het beste baantje dat op mijn weg kwam aan te nemen, dat ik heel bewust niets kon doen om te kijken waar ik met de rest van mijn leven heen wilde. En daar verheugde ik me op, al stemde het me ook wel een beetje verdrietig. De prijs leek me de koop niet helemaal waard.

De volgende ochtend werd ik wakker met een uitgelaten gevoel dat ik niet durfde te vertrouwen. Ik ontbeet en het was alsof ik voor het eerst sinds lange tijd weer proefde wat ik at. Ik zette een cd van Duke Ellington op terwijl ik douchte en me aankleedde, en probeerde me ondertussen niet schuldig te voelen. Mocht ik wel zo vrolijk zijn als mijn man nog maar zo kort dood was? Ook was ik mij bewust van een zekere opluchting dat het eindelijk allemaal voorbij was.

Op weg naar de supermarkt passeerde ik een groepje meisjes dat op het gras voor hun huis aan het dansen was – het waren de zusjes die ik de eerste dag dat ik het huis had ontdekt, gezien had toen ze met hun bijtende hondje aan het spelen waren. Ze hielden hun armen gespreid en hun hoofdjes naar achteren, en liepen op hun tenen met hele kleine stapjes in een kringetje. Ik was graag naar ze blijven kijken, maar omdat ik ze niet verlegen wilde maken, glimlachte ik en liep door. John en ik gingen graag naar concerten en naar toneel, maar waar we vooral van genoten waren amateurvoorstellingen. *Oklahoma!* opgevoerd door een middelbareschoolklas. Een kerstconcert op een lagere school, waar alle deelnemers binnenkwamen met een brandend kaarsje en strak keken naar het vlammetje dat ze in hun handen hielden – zo gevaarlijk! En de verantwoordelijkheid! Op een winterse avond – het sneeuwde – gingen we naar een dansuitvoering op een meisjesschool. Een van de solisten was een dik meisje dat op meelijwekkende wijze uit haar paarse, met lovertjes bezaaide pakje puilde. Ze had rode wangen en zag er onverzorgd uit. Haar blonde haren zaten in een slordig, half uitgezakt knotje dat met plastic bloemen was opgefleurd, en haar make-up was zo erg uitgelopen dat het vanaf de tiende rij, waar John en ik zaten, te zien was. Ik hoopte vurig dat haar danskunst buitengewoon zou zijn – zulk soort dingen gebeurden – maar dat was het niet. Haar bewegingen waren ronduit lomp. Zwetend en met een zuur gezicht werkte ze zich grimmig door haar choreografie, en het was duidelijk dat ze daartoe gedwongen was. Het grootste deel van het publiek volgde haar verrichtingen met zorgvuldige onverschilligheid, maar er waren ook mensen die zichtbaar hun best deden om niet te lachen, en anderen die onderling een soort van vijandige blikken wisselden – en dat waren geen jonge mensen, maar volwassenen. Halverwege het volgende nummer – tapdansen door een begaafde jonge vrouw, wier vader vooraan opzij stond en haar filmde, en die na afloop zeker een volle minuut enthousiast applaus kreeg – excuseerde John zich. Hij bleef relatief lang weg, en ik dacht dat hij door het ziekenhuis was opgepiept voor een spoedgeval en dat hij op de gang een wanhopig gesprek aan het voeren was. Maar toen hij weer terugkwam had hij een bos bloemen bij zich die hij bij een bloemist in de buurt had gekocht. Zes gele rozen met een breed geel lint eromheen. Ik wist meteen voor wie ze bestemd waren.

Na afloop van de voorstelling, toen hij ze aan het meisje overhandigde, zei hij: 'Deze bloemen zijn een blijk van mijn bewondering.' Ze reageerde verlegen en sloeg haar blik neer terwijl ze hem bedankte, en heel even was ik bang dat het geven van die bloemen een ernstige vergissing was geweest, iets dat, in plaats van iets verkeerds goed te maken, de boel er alleen maar erger op had gemaakt. Maar het meisje drukte de bloemen tegen zich aan, en John was zo verstandig om het daarbij te laten, en zich snel om te draaien. En toen we weg wilden gaan, hief ze haar kin op en glimlachte ze. Ik nam zijn hand en hij zei zacht: 'Wat vind je, zullen we haar adopteren?'

Nadat we jarenlang vergeefs geprobeerd hadden om zwanger te worden, en toen was gebleken dat John een lage spermaconcentratie had, besloten we dat we ook niet wilden adopteren. We waren inmiddels aan ons leventje gewend. Maar dat nam niet weg dat zowel John als ik het prettig zou vinden om veel kinderen om ons heen te hebben.

Er was een uiterst plezierig winkelbuurtje op loopafstand van mijn huis. Het was een klein stadje, maar er viel van alles voor te zeggen. Zo was er ook een boekhandel die als een boekhandel voelde, in plaats van als een warenhuis, en ze hadden een geweldige collectie poëzie. En er was een bioscoop waar ze hun eigen popcorn maakten. Verder waren er een damesmodezaak, een paar restaurants, een bakker, een kantoorboekhandel, een antiekzaak, een bloemist en twee schoonheidssalons. Er was maar één winkelruimte die leegstond, en dat zei veel over de welvaart van het stadje. Ik bleef een poosje voor de etalage van de lege winkel staan en vroeg me af hoe het eruit zou zien als het mijn winkel was. Er waren twee etalageruiten. In de ene zou ik een grote linnenkast, met bijzondere dingetjes erin zetten, en in de andere een bad op pootjes met de meest luxueuze producten eromheen en een kamerjas van rood kasjmier over de rand. Hoe meer ik erover nadacht, des te meer sprak het idee me aan, en ik pakte pen en papier om het telefoonnummer op te schrijven. Toen zag ik evenwel een briefje waarop stond dat de winkelruimte verhuurd werd met een tweekamerflat op de eerste verdieping, en dat winkel en flat niet afzonderlijk konden worden gehuurd. Geen wonder dat hij leegstond.

Op de hoek was een station en ik zag een dubbeldekker-forensentrein. Als ik naar Chicago wilde hoefde ik niet te rijden – ik zou kunnen lezen of, tegen het raampje leunend, naar het langsflitsende landschap kunnen kijken.

John zou het hier heerlijk hebben gevonden. Hij zou met name hebben genoten van het antiekzaakje – hij had een goed oog voor waardevolle spulletjes. 'Heb je zin in koffie?' zou hij op dit moment hebben gevraagd. Ik passeerde een cafeetje, en het kostte hem de grootste moeite om langs een café te lopen zonder er naar binnen te gaan. Te zijner ere besloot ik bij Cuppa Java naar binnen te gaan en iets zoets te nuttigen bij wijze van opkikkertje voor ik naar de supermarkt ging, en daarna naar huis om mijn inkopen weg te ruimen en verder te gaan met het uitpakken van verhuisdozen.

Ik bestelde de koffie van de dag en een citroenreep, en ging ermee aan een tafeltje bij het raam zitten. Afgezien van koffie, rook het er ook naar verse kranten, en naar iets met boter in de oven. Ik wilde langer blijven zitten om naar de mensen te kijken, om te zien wie hier woonden, maar mijn aandacht werd ongewild in beslag genomen door het jonge stel aan het tafeltje naast het mijne dat ruzie zat te maken. 'Waarom zou het iets moeten betekenen?' vroeg zij. 'Jij wordt verliefd op iedereen!'

'Nee, dat is niet waar,' antwoordde hij. Hij zat met hangend hoofd en scheurde zijn servet in lange repen. Zowel de man als de vrouw droeg een blauwe spijkerbroek met een gekleurd T-shirt en een flanellen overhemd erover. Haar lange blonde haren zaten in een slordig knotje boven op haar hoofd dat haar, op de een of andere manier, uitstekend stond. De rugzakken die aan hun voeten op de grond lagen, deden denken aan honden die een standje hadden gekregen omdat ze gebedeld hadden, maar toch in de buurt bleven voor het geval dát.

'Wel waar!' zei ze. 'En dat je verliefd op iemand bent wil

helemaal niets zeggen! Het zegt helemaal niets over degene op wie je zogenaamd verliefd bent. Ik bedoel, noem me één reden waarom je van mij zou houden!'

Hij keek met een intens verlangend gezicht naar haar op. Ik vond hem opvallend knap – zacht bruin haar, enorme blauwe ogen, een kuiltje in zijn kin. Jukbeenderen waar een vrouw een moord voor zou plegen. 'Ik hou van je omdat... jij jíj bent,' zei hij. 'Als je snapt wat ik bedoel.' Hij glimlachte en legde zijn hand op de hare.

Ze trok haar hand met een kribbig gebaar terug. 'Dat bedoel ik nou,' zei ze, en haar stem kreeg een schrille klank. 'Wat zégt dat nou? Wat zegt dat over mij als individu?'

Ik moest me beheersen om me niet naar haar toe te buigen en te zeggen: 'Lieverd, volgens mij is dit niet het moment of de plaats voor dit gesprek. En verder, als je nou eens even ophield met zo krengerig te doen, misschien dat hij dan zou kunnen zeggen waarom je in zijn ogen zo bijzonder bent.'

'Ik snap het niet,' zei de man, waarop zij een diepe zucht slaakte en van hem naar mij keek. Ik wendde me snel af naar het raam. Op de ruit hingen een advertentie voor tweedehandsmeubelen, voor massage, en van iemand die een kamer te huur aanbood. Zonnige kamer aan de achterzijde, stond er. Voor niet-roker. Driehonderd dollar per maand. Alle strookjes met het telefoonnummer zaten er nog aan, maar ik zag aan de datum dat de advertentie van die dag was. Hoe ging het in deze tijd wanneer jonge mensen een etage deelden? Schreven ze hun naam op hun pak melk? Konden ze, zoals ik en mijn flatgenootjes hadden gedaan, urenlang aan de keukentafel met elkaar zitten praten, of zat ieder nu verloren in cyberland achter zijn of haar computer? Iets op de computer opzoeken was best, maar wat mij eraan stoorde was dat je als het ware werd overvallen door een lawine aan suggesties voor aanverwante onderwerpen en pop-ups met reclame. Voor mij waren computers als een klas vol kinderen die voortdurend met opgestoken vinger zaten en *O, o, o, o!* riepen. Ik stond erom bekend dat ik mijn computer regelmatig boos toesprak. Op een keer, toen ik nijdig achter mijn computer van alles zat te wissen dat ongewenst op mijn scherm was verschenen, en daarbij 'Nee! Nee! Nee!' riep, kwam John mijn werkkamer binnen en vroeg met wie ik zat te praten.

Dat nam niet weg dat computers heus wel ergens goed voor waren. Misschien dat mijn computer me zou kunnen helpen met het vinden van mijn oude flatgenootjes en soulmates. Jarenlang waren mijn gesprekken met vrouwen vals en haperend geweest – meer dan eens had ik tijdens ronduit oppervlakkige gesprekken onopvallend op mijn horloge gekeken. En ik wist heus wel dat het mijn schuld was – ik deed geen moeite om dieper te gaan, om te doen wat nodig was voor een werkelijk hechte band. Bij mijn flatgenootjes was die intieme band te danken geweest aan het feit dat we zoveel met elkaar gemeen hadden, en dat je op die leeftijd geen blad voor de mond neemt. Ik verlangde terug naar dat soort vriendschap, en ik had een waanzinnige behoefte om op zoek te gaan naar iets wat ik nooit had mogen verwaarlozen.

'Krijg nou wat,' zei de jonge vrouw. Ze stond op en zwaaide haar rugzak over haar schouder. 'Ik wist dat een gesprek hierover zinloos zou zijn. Wat schieten we ermee op? Het is te laat. Ik bedoel, ik ben weg. En dat heb ik je ook duidelijk gezegd, maar jij... Het ga je goed. En je hoeft me niet te bellen!' Ze verliet het café en liep snel weg.

Ik draaide me om naar de jongeman en schonk hem een meelevend glimlachje. 'Neemt u me niet kwalijk,' zei hij. 'Ze is gewoon... Nou ja. Sorry.'

'Het geeft niet.'

Hij haalde heel diep adem en trok zijn wenkbrauwen op. 'Ik heb mijn dag niet, denk ik.' Hij pakte zijn rugzak en ging weg, de andere kant op. Ik had met hem te doen en wou dat ik iets troostends had gezegd. Terwijl ik hem nakeek zag ik de wind zijn shirt omhoog blazen, en ik vroeg me af of hij het merkte. 'Over twee maanden ben je dit vergeten,' had ik tegen hem moeten zeggen. Hij zou me alleen niet geloofd hebben. Ik had van zoveel mensen te horen gekregen hoe lang het verdriet zou duren. Al die woorden waren als steentjes die tegen een rotshelling werden gegooid, anders niet. Kleine brokjes goede raad die afketsten tegen een verpletterend feit.

Bij de supermarkt liep ik over de bakkersafdeling op zoek naar chocoladekoekjes. Ik dacht in de eerste plaats aan Benny, en zelf had ik ook wel zin in wat lekkers, maar dan wel zelfgebakken. Toen ik het meel wilde pakken, zag ik vanuit mijn ooghoeken de stroop staan, en ineens wist ik wat John met gemberkoek had bedoeld. Op een avond had ik voor toe gemberkoek gemaakt, compleet met de beroemde warme citroensaus van mijn moeder. Onder het eten ervan zei ik tegen John dat ik wou dat ik de koek ook voor het ontbijt kon eten. 'Nou, dan doe je dat toch,' zei hij, en ik kwam met een hele reeks argumenten waarom dat geen goed idee zou zijn – ik was een overtuigd voorstander van een gezond ontbijt. 'Laat je gewoonten niet tot dwangbuis worden,' zei hij, en ik vroeg hem of hij dat uit zo'n zelfhulpboek had. 'Nee,' zei hij toen, 'dat heb ik helemaal zelf bedacht.' En dus pakte ik nu niet alleen een fles stroop, maar liep ik door naar de fruitafdeling voor citroenen.

Toen ik weer buitenkwam was het een stuk koeler geworden en trokken er dikke wolken langs de hemel. Ineens, zonder dat ik het gemerkt had, was het december geworden. Dat was aan de ene kant omdat het weer zo zacht was geweest, maar aan de andere kant ook omdat ik me nog steeds niet echt bewust was van welke dag het was. Ik liep snel terug naar huis, en tegen de tijd dat ik de treden van de veranda beklom deden mijn armen pijn van het sjouwen. Mijn straat lag er verlaten bij – er speelden geen kinderen buiten, en ik zag nergens ook maar iets van activiteit. Ik realiseerde me dat het weldra echt winter zou worden met zulke lage temperaturen dat het normaal was dat je niemand op straat zag.

Ik bracht de boodschappen naar de keuken, stopte wat koel gehouden moest worden in de koelkast en liet de rest staan. Ik had ineens enorme behoefte om te gaan liggen. Er begon zich een diep gevoel van wanhoop van me meester te maken, en ik wilde het ontwijken door te gaan slapen. 'Zodra alles achter de rug is,' had John me kort na zijn diagnose aangeraden, 'wil ik dat je heel goed voor jezelf zorgt. Zorg ervoor dat je behoorlijk eet, dat je voldoende rust neemt en dat je je niet door verdriet laat overmannen.'

'Is dat het standaardadvies dat je aan weduwen geeft?' vroeg ik.

'Nee, niet aan weduwen maar aan alcoholisten,' had hij geantwoord. 'Het is het standaardadvies van de AA. Maar voor weduwen geldt het net zo goed.' We hadden gelachen – gelachen! – en ik was trots op ons geweest omdat we dat nog konden. Maar ik was ook bang geweest omdat ik wist dat het was omdat de echt erge dingen nog werkelijkheid moesten worden.

Ik deed het licht aan, ging op de bank liggen en sloot mijn ogen. Ik was me bewust van een intense wanhoop, een vaag verlangen om in te slapen en nooit meer wakker te worden. Natuurlijk wist ik dat het egoïstisch was, en dat ik het niet echt meende. Als ik opeens oog in oog zou staan met de dood, en de dood me zou vragen of ik klaar was, zou ik smeken om in leven te mogen blijven. En mijn dag was nog wel zo vrolijk begonnen. Echt een verrassing was het echter niet – rouwen betekende voor een groot deel dingen op een afstand houden, en je verzetten tegen een enorm gewicht dat op je schouders drukte. Van tijd tot tijd werd het me de baas. Op dat soort momenten was vluchten er niet bij, en kon ik twee dingen doen – huilen of slapen.

Ik deed een dutje, en toen ik weer wakker was geworden ging ik naar de keuken om de resterende boodschappen weg te ruimen. Mijn bewegingen waren wild en onbeheerst, en ik realiseerde me dat ik me gedroeg alsof ik boos was. *Daar!* Een potje pindakaas op de bovenste plank van de kast. *Daar!* Aluminiumfolie in een van de laden. Een brood... waar bewaarde ik het brood? Mijn broodtrommel zat nog in een van de verhuisdozen. Ik draaide rond en rond in een kringetje en riep, steeds hysterischer: 'Waar is de broodtrommel? Waar is dat ding? *Waar?*'

Er werd aangebeld, en ik schrok alsof ik betrapt was tijdens het stelen. Het bleek Benny te zijn die grijnzend naar me opkeek. 'Verrassing! Ik kom je helpen uitpakken – mijn andere klussen zijn klaar.'

'O,' zei ik. 'Mooi!'

'Maar ik kan ook later komen.'

'Hoezo?'

Hij lachte zenuwachtig, keek achterom naar zijn huis, en toen keek hij weer naar mij. 'Omdat... huil je?'

'Nee!' Ik bracht mijn handen naar mijn gezicht en voelde er de tranen. 'Nou, niet meer. Kom binnen. Drie keer raden wat ik heb gekocht.'

'Dr Pepper,' zei hij, terwijl hij met zelfverzekerde pas binnenkwam en zijn jas weer in de hal op de grond liet vallen. Deze keer raapte ik hem op en hing hem weg in de garderobekast, op een haakje dat ik in gedachten 'Benny's haakje' doopte. En toen bekende ik hem dat ik meel voor chocoladekoekjes had gekocht en dat ik zijn Dr Peppers helemaal was vergeten.

Hij zuchtte. 'Dat geeft niet. Iedereen vergeet dat. Zullen we meteen maar beginnen?'

Ik knikte en volgde hem naar de zitkamer. Zo klein als hij was, was hij een ware redder in de nood.

Om tien uur nam ik een bad, en daarna ging ik naar beneden om een kop thee te zetten en vanuit de chaise longue mijn klare zitkamer te bewonderen. Een uur daarvoor had ik Benny twintig dollar betaald, en ik voelde me een dief. Hij was onvermoeibaar geweest. Afgezien van een korte pauze waarin hij naar huis was gegaan om te eten, had hij aan één stuk door tot negen uur gewerkt, toen hij gezegd had dat hij naar bed moest. We hadden alle dozen uitgepakt, en hoewel nog niet alles een plaatsje had gekregen, wist ik tenminste waar alles was. Een feestje was op zijn plaats.

Ik liep naar de stereo om de cd van Thelonious Monk op te zetten waar ik altijd dol op was geweest, maar waaraan John een hekel had gehad. Dat waren de kleine compensaties. Ik bleef er een poosje naar staan luisteren en bedacht dat niemand de muziek zó voor me liet spreken als Monk. Niemand anders had zo'n sprankelend gevoel voor humor. Mijn flatgenootjes waren ook dol op hem geweest, en we hadden onze enige elpee van hem grijs gedraaid.

Hoewel ik eigenlijk naar de computer wilde, liep ik naar de keuken en pakte de telefoon. Ik nam me heilig voor om die vrouwen te vinden. Ik zou ze vinden, en dan zou ik een reünie voorstellen. Ik belde de telefoniste en vroeg om verbonden te worden met de telefoniste van Providence, Rhode Island, de stad waar we al die jaren geleden met elkaar hadden gewoond. Maddy stond niet in het telefoonboek, en Susanna ook niet, maar er bleek wel een Lorraine Keaton in te staan. Ik schreef het nummer op en probeerde mijn opwinding de baas te blijven – het zou net zo goed iemand anders kunnen zijn. Ik draaide het nummer, maar er werd niet opgenomen en er was geen antwoordapparaat. Ze was waarschijnlijk online, dacht ik. Of ze nam gewoon niet op, iets wat je tegenwoordig steeds vaker zag. Ik zou een poosje lezen, en het dan opnieuw proberen.

Drie kwartier later werd er nog steeds niet opgenomen. En

vijftien minuten daarna ook niet. Ik deed het licht beneden uit, nam het nummer mee naar boven en legde het naast me op het nachtkastje. Morgenochtend dan maar. Ze sliep altijd uit. Ik zou vroeg bellen.

Ik ging liggen, deed het licht uit en voelde me op een vreemde manier zeker van mezelf. Ik had alleen maar een telefoonnummer, maar het leek een enorme overwinning. Ik wist zo goed als zeker dat het Lorraines nummer was. Ik vroeg me af hoe ze er nu uitzag. Wedden dat ze ook al grijs begon te worden? Maar waarschijnlijk had ze nog steeds lang haar, want dat was haar stijl. Lang en wild. Verder vroeg ik me af of ze het gevoeld had, dat ik aan haar had gedacht en of ze, wanneer ze de telefoon opnam, ineens heel zeker wist dat ik het was die belde. Had ze opgekeken van waar ze mee bezig was, en mijn kant op gekeken? Hadden we dat niet allemaal wel eens, van dat soort kippenvelmomenten? Wat was anders de verklaring voor een déjà vu, of voor andere bovennatuurlijke verschijnselen waar we allemaal mee te maken kregen, maar waar slechts weinigen van ons voor uit durven komen?

Zelf hield ik van dingen waar geen logische verklaring voor was. Ik hield van vergezochte geloofsuitspraken, van daden die tegen de wetenschap en elk praktisch besef in druisten, maar die getuigden van geloof. Neem bijvoorbeeld de *Día de los Muertos*, de dodenherdenking. Het idee om eten en sigaretten naar begraafplaatsen te brengen, sprak me enorm aan. Of het Japanse ritueel om kleine offergaven op brandende papieren bootjes het water op te sturen. De Ierse gewoonte om aan tafel een plaatsje voor de gestorvenen mee te dekken. Ik waardeerde niet alleen de gedachte achter dergelijke rituelen, maar ook de manier waarop ze ten uitvoer werden gebracht. In een wat bizarre mengeling van heiligheid en absurditeit hadden al die dingen één facet met elkaar gemeen: het idee dat de doden altijd in meer of mindere mate bij ons blijven. Was het echt alleen maar een kwestie van verlangen? Of was het een oude wijsheid die nog in onze genen zat, een koppig vasthouden aan oude kennis die, hoewel de moderne wetenschap heel anders over de dingen dacht, toch waar was?

Ik ging verliggen. Misschien was het geen goed idee om nu aan dat soort dingen te denken. Morgenochtend zou ik gemberkoek maken, en dan zou ik mijn allermooiste schaal tevoorschijn halen en er een stukje op leggen. Mijn bootje, stevig voor anker. Om mij vast te houden.

Ik wachtte tot vrijdag met Lorraine opnieuw te proberen. Toen, om half acht 's ochtends, voor ik was opgestaan en ik ook nog een beetje slaperig was, draaide ik haar nummer opnieuw. Er werd niet opgenomen. Inmiddels begon ik geobsedeerd te raken. Maar wie kon dat iets schelen? Wie zou dat ooit weten? Ik begon te beseffen dat, om me geestelijk en qua fatsoen in het gareel te houden, de nabijheid van anderen enorm belangrijk voor me was. Ik realiseerde me hoe gemakkelijk het was om te veranderen in een vrouw die bij wijze van avondmaal voor het aanrecht staande een kippenboutje kloof, en die hardop voor zich uit pratend door haar veel te grote huis zwierf. Nadat mijn vader was overleden belde ik op een avond mijn moeder op om te horen hoe het met haar ging. Ik vroeg wat ze gegeten had, en ze zei muesli. Zo, uit het pak. 'Mam,' zei ik, waarop ze, op zo'n zielig en verontschuldigend toontje 'Ja, ik weet het' zei, dat ik bijna in tranen was uitgebarsten.

Ik legde de hoorn terug op het toestel, ging weer liggen en drukte mijn vingertoppen tegen mijn slapen – ik had hoofdpijn, waarschijnlijk omdat ik die nacht zo slecht had geslapen. Ik was verschillende keren wakker geworden, en had me helemaal niet prettig gevoeld, alleen in mijn nieuwe huis. De duisternis had levend aangevoeld, als kille slangen die om me heen kronkelden. Ik had het licht aangedaan, maar dat had nauwelijks geholpen – het leek alsof dat de duisternis alleen maar geïrriteerd had, en dat hij zich noodgedwongen in de hoeken had teruggetrokken in afwachting van het moment waarop hij met hernieuwde krachten toe zou kunnen slaan.

Dit was me nog nooit eerder overkomen, dat ik zo bang was 's nachts. Soms, wanneer John voor zijn werk op reis had gemoeten, had ik me wel eens een beetje onzeker gevoeld. Maar dat was alleen maar het geval met een vrouw die een beetje nerveus is omdat ze gewend is aan iemand om haar heen – een vrouw die ineens heel aandachtig luistert naar het op zich normale tikken van de leidingen, of van een vrouw die de deken over haar hoofd trekt om de bliksem niet te hoeven zien. Oppervlakkige angst. Wat ik die nacht voelde was iets anders.

Op een gegeven moment had ik een nachtmerrie waarin ik het op moest nemen tegen een angstaanjagend wezen met een donker gezicht en spleetogen. Ik schrok klaarwakker, en kon geen lucht meer krijgen. Ik kon ook niet slikken – het was net alsof iemand met zijn handen mijn keel dichtdrukte. Ik ging zitten en had het bloedheet, en ineens was het voorbij, gleed de angst van me af. Mijn handen lagen ineengeslagen op mijn schoot. Ik hoorde het geluid van mijn versnelde ademhaling. Mijn blik ging over de boeken op mijn nachtkastje en over de vage contouren van de parfumflesjes op de commode. En uiteindelijk viel ik weer in slaap.

Ik waste mijn gezicht, trok mijn kamerjas aan en ging naar beneden. Mijn hoofdpijn was al een stuk minder. Nadat ik het koffiezetapparaat aan had gezet, ging ik in de woonkamer voor het raam staan en keek naar buiten. De temperatuur was opgelopen – dat wat sneeuw had kunnen zijn was in de loop van de nacht een stortbui geworden, en nu had de hemel een lichtblauwe tint, het vale blauw dat je wel vaker ziet na een intense regenbui. Vogels zaten gezellig naast elkaar op de elektriciteitsleiding. Onder hen hingen uitgezakte druppels te fonkelen in het briesje. Ik bleef een poosje naar de vogels staan kijken in afwachting van het onzichtbare teken dat ervoor zou zorgen dat ze allemaal tegelijk opvlogen, maar dat kwam niet. Ze bleven rustig zitten genieten van hun versie van een koffiebabbel.

Aan de overkant zag ik een voor het werk geklede man de veranda op komen om de krant te pakken, en ik zag hoe hij zijn stropdas opzij hield toen hij zich bukte op de krant op te rapen. In gedachten kon ik een vleug aftershave ruiken, en daarna de geur van koffie en toast. En toen rook ik ook de geur van John, dat sexy luchtje in het holletje van zijn schouder. Hoe lang zou het duren voor ik iets kon denken zonder daarbij automatisch aan hem te moeten denken? Hoe lang duurde het tot de echte herdenkingsdienst was afgelopen?

Twee huizen verderop kwam een klein meisje de treden van de veranda af gesprongen. Ze hield haar benen stijf tegen elkaar en hupte van tree naar tree alsof het nemen van die paar treden een spelletje was. Ze was op weg naar school – ze had haar rugzak om en hield een roze boterhamtrommeltje in haar hand. Nog een paar huizen verder kwam een vrouw in een roodgeruite kamerjas naar buiten en gooide vanaf de veranda stukjes brood naar de eekhoorns die zich op haar gazon hadden verzameld. Haar mond bewoog – ze sprak tegen hen, en ze glimlachte. Nadat ze de laatste kruimels had uitgestrooid, zette ze haar hand in haar zij en bleef nog even staan om naar de hemel te kijken. Toen ging ze weer naar binnen.

Ik bleef staan om te zien wie er nog meer naar buiten zou komen, maar het bleef bij de man, het meisje en de vrouw. De enige verdere beweging was van een overvliegend vliegtuig. Ik volgde het toestel met mijn blik en stelde me voor hoe de passagiers door de raampjes naar buiten keken naar de plek waar ze weldra zouden landen. Vanuit het vliegtuig zag de aarde er altijd zo keurig netjes en zo vriendelijk uit. Zo vol overvloed en fatsoen en doelmatigheid. Overdag kon je je verwonderen over de keurig afgebakende velden. Wanneer het donker was zag je de clusters licht waaruit duidelijk bleek dat mensen de behoefte hadden om bij elkaar in de buurt te wonen. Wie voelde zich niet ontroerd, wanneer je vanuit de hoogte neerkeek op het bewijs van onze allerbeste voornemens?

Nadat ik de krant die ik de week tevoren besteld had uit de brievenbus had gehaald, keerde ik terug naar de keuken om mijn koffie in te schenken. Ik las het nieuws en knipte een foto uit die mijn aandacht trok – een oude man in de bus, die keurig stijf rechtop zat in zijn driedelige kostuum. Ik zou hem in mijn plakboek plakken en meerdere bestemmingen voor hem verzinnen.

Toen ik opstond om de muesli uit de kast te pakken, schrok ik bij het zien van Benny's gezicht dat tussen de keukengordijntjes door naar binnen gluurde. Zijn haar was nat en het was keurig gekamd.

Ik deed de deur voor hem open. 'Had je geklopt? Het spijt me, ik heb je niet gehoord.'

'Nee, ik heb niet geklopt. Ik wilde je niet wakker maken als je nog sliep.'

'Ik zat hier aan tafel de krant te lezen.'

Hij keek naar de uitgescheurde foto in mijn hand. 'Wat is dat?'

Ik liet hem de afbeelding zien. 'Zeg jij het maar.'

Hij haalde zijn schouders op en grinnikte. 'Geen idee.'

Ik keek opnieuw naar de foto. 'Nou, waar denk je dat hij heen gaat? Misschien... Is hij op weg naar zijn vriendin, denk je?'

Benny keek nog eens, en toen zei hij: 'Nee. Hij is op weg naar de dokter. Maar het is goed nieuws – hij is weer helemaal beter!'

Ik kreeg het koud en trok mijn kamerjas wat strakker om me heen. 'Dus dan stond je buiten te wachten? Hoe lang al?'

'Dat weet ik niet.'

'Nou, kom dan maar binnen.'

Hij keek achterom naar zijn huis, waar een auto de garage uit kwam rijden. 'O, o, te laat. Daar heb je mijn moeder. Ik moet naar school.'

Ik stapte de veranda op en zwaaide naar Benny's moeder. Ze was een knappe, jeugdig uitziende vrouw met een goed kapsel met highlights. 'Goedemorgen!' zei ik. 'Ik ben Betta Nolan. Bedankt voor de muffins!'

Ze hield haar hand boven haar ogen om ze tegen de zon te beschermen. 'Niets te danken. Ik ben Carol Pacini. Heb je erge last van hem?'

'Helemaal niet.'

Ze zette de autoradio zachter en stak haar hand in haar blouse om haar behabandje op te hijsen. 'Nou, als hij lastig wordt, dan stuur je hem maar naar huis.'

'Ik geniet juist van zijn gezelschap. Echt.'

'Dus dan kun je komen?'

Ik keek haar niet-begrijpend aan.

'Heeft Benny je dan niet gevraagd of je zin hebt om vanavond te komen eten?'

'Daar heb ik nog geen tíjd voor gehad!' zei Benny.

'Maar je bent daar al tien minuten!'

'Ja, maar ze heeft nu pas opengedaan!'

'Hij heeft niet geklopt,' zei ik, glimlachend.

Ze schudde haar hoofd. 'Kom op, Benny, instappen.' En tegen mij zei ze: 'We zouden het gezellig vinden als je kwam eten. Is half acht een goede tijd?'

'Ja, graag. En ik zorg voor het toetje.'

Benny sprong in de auto, en toen ze langs mijn deur kwamen stak hij zijn duim naar me op. Ik beantwoordde het gebaar, al moet ik in alle eerlijkheid bekennen dat ik niet weet waarom.

De vorige avond had ik naast de telefoon in de keuken een kalender opgehangen. Nu pakte ik een pen en schreef in het vierkantje van vandaag: *19.30 uur eten bij Carol*, en daaronder, met kleinere letters: *Bosvruchtentaart.* Alsof ik mijn eigen geheugen niet vertrouwde.

Maar het telefoonnummer dat ik geprobeerd had kende ik intussen wel uit mijn hoofd, en nu draaide ik het opnieuw. Toen er werd opgenomen door een slaperige en hoogst geïrriteerde vrouwenstem, was ik zo overdonderd dat ik meteen weer ophing. Maar toen raapte ik al mijn moed bij elkaar en draaide het nummer prompt nog een keer.

'Ik weet niet wie je bent, maar ik vermoord je,' zei de vrouw.

'Lorraine?'

'Jaaaaa?'

'Je spreekt met Betta Michaels.'

Stilte.

'Volgens mij waren we flatgenootjes in – '

'Waar zit je?'

'Spreek ik met de Lorraine Keaton die – '

'Betta. Waar zít je?'

'Nou, ik heb jaren in Boston gewoond, maar ik ben net verhuisd naar een stadje vlak buiten Chicago. Want mijn man is overleden en ik... en toen ben ik hier gaan wonen. Ik heb je ik weet niet hoe vaak gebeld.'

'En je man is gestorven?'

'Ja.'

'God, gecondoleerd. Met wie ben je getrouwd? Met die man die je ontmoet hebt kort nadat je de flat uit was gegaan?'

'Ja.'

'Nou, daar kijk ik niet van op. Jullie leken me van meet af aan al onafscheidelijk.'

'En dat waren we ook. En tegenwoordig heet ik Betta Nolan. En jij? Ben jij getrouwd?'

Ze lachte, die oude vertrouwde lach. 'Ben je gek? Alleen maar met het theater. Ik was voor mijn werk naar Canada, daarom kon je me niet bereiken.'

'Nou, ik... Je kunt je niet voorstellen hoe blij ik ben dat ik je heb gevonden! Ik had jullie alle drie willen bellen, jij, Maddy, Susanna...'

'We zijn nog steeds bevriend, en we zien elkaar regelmatig. Ze wonen in Californië, in Mill Valley, op een paar straten van elkaar af. Ik ben hier gebleven. We hebben jou uit het oog verloren. Geef me je adres en telefoonnummer.'

Toen we die gegevens met elkaar hadden uitgewisseld zei ze: 'Moet je horen, ik heb een afspraak en ik moet opschieten. Ik bel je terug. Wat is voor jou een goede tijd?'

'Dat maakt niet uit. Ik ben gewoon... Ik ben gewoon...'

'Is alles goed met je, Betta?'

Zij aan de keukentafel, terwijl ze zich naar me toe buigt, haar expressieve, hartvormige gezicht en heldere ogen. 'Betta? Is alles goed met je? Zeg op!'

'Nee.'

'Ik bel je terug.'

Toen ik had opgehangen haalde ik heel diep adem, en het was alsof de lucht door een membraan heen brak en omlaag zakte naar een plek waar hij behoorde te zijn, maar tot op dat moment niet had kunnen komen. Ik keek naar de krantenfoto die ik nog steeds in mijn hand hield, en toen pakte ik mijn plakboek om hem in te plakken. Ik kwam op het idee om een cent naast de foto te plakken. Omdat... omdat de man in de bus op weg was naar oude vrienden die hij onlangs had teruggevonden. In zijn zak zat een gelukscent waar hij meer op vertrouwde dan hij ooit iemand zou durven bekennen. Verder had hij de sleutels in zijn zak van het bejaardenhuis waar hij woonde. De vrouwen waren dol op hem omdat hij goed kon walsen, en hij had een tuintje waarin hij tomaten en goudsbloemen kweekte. En hij had ook butterscotchsnoepjes in zijn zak. En een portefeuille met dollarbiljetten die keurig op volgorde van waarde, en met de koppen van de verschillende presidenten naar boven toe waren gerangschikt. Zijn voornaam was Rudolph. Ik zou Benny vragen om een achternaam voor hem te kiezen. Rudolph was blij – hij verheugde zich over het onverwachte geschenk dat op deze hoge leeftijd op zijn weg was gekomen. Arthur en Douglas die hem na jaren hadden gevonden en hem hadden opgebeld. Hij popelde om te zien hoe zijn vrienden er nu uitzagen, hoewel hij wist dat hij ze altijd zou zien zoals ze vroeger waren geweest. Misschien zouden ze hun broekspijpen oprollen en gaan vissen. Het zitten op de harde rivieroever zou hun nu niet meer zo gemakkelijk afgaan als vroeger, maar Rudolph wist zo goed als zeker dat ze het nog konden. Daar ging hij vanuit.

Na mijn ontbijt van gemberkoek met citroensaus, maar wel – jawel! – netjes aan de keukentafel en daarmee niet verontrustend excentriek, ging ik naar boven, nam een douche en begon met het inruimen van de linnenkast. Ik zag dat mijn linnengoed aardig begon te slijten. Morgen zou ik nieuwe handdoeken kopen in kleuren die beter bij de badkamer hier pasten. Er viel heel wat te zeggen voor de kick van keurige stapels nieuwe handdoeken en washandjes in je linnenkast.

In de vouw van een van de handdoeken voelde ik iets hards. Ik legde de handdoek op mijn schoot om hem voorzichtig open te vouwen – ik wist inmiddels dat verhuizers de gewoonte hadden om spullen weg te stoppen op plaatsen waar ze logischerwijze niet hoorden. Zo vond ik de sleutel voor het opwinden van de tafelklok tussen mijn ondergoed, en vond Benny een spatel tussen de kussens van de bank. En hier, in de handdoek, zat een camera met een halfvol filmpje erin.

Even bleef ik roerloos zitten. Met wild kloppend hart vroeg ik me af of het foto's waren die John had genomen, of dat ze door mijzelf waren gemaakt. We waren geen van tweeën echt goed in fotograferen, en we waren nog slechter in het snel wegbrengen van het filmpje om het te laten ontwikkelen. Volgens mij genoten we van de verrassing wanneer we de foto's maanden – en soms wel jaren – later te zien kregen. Het maakte niet uit wie de foto's had genomen. Er was een redelijke kans dat er een foto van ons samen op stond – ontspannen hand in hand. Toen we het nog niet wisten. Er was een goede kans dat ik een voor mij geheel nieuwe foto zou vinden van een gezonde en glimlachende John. Nog een cadeau van hem, en dat terwijl ik gedacht had dat er geen cadeaus meer zouden komen.

Ik liep het dorp in en bracht het filmpje naar de één-uurservice van een fotozaak, en nam vervolgens opnieuw een kijkje bij de winkel die te huur stond. Eigenlijk zou ik moeten bellen. Waarschijnlijk kon ik de huur van winkel plus woning best betalen, en zou ik de etage als kantoor en opslagruimte kunnen gebruiken. Met mijn hand boven mijn ogen tuurde ik naar binnen. Het was een smerige boel, en tegen de achterwand stonden meerdere houten panelen. Hoe pakte je zoiets aan? Wat was de eerste stap? Moest je een architect in de arm nemen, of kon je zelf een ontwerp maken? Er was ineens zoveel om aan te denken, en ik realiseerde me dat ik er nog niet klaar voor was.

Bij de supermarkt kocht ik alles wat ik nodig had voor de taart, en omdat ik nog een halfuur moest wachten besloot ik naar Cuppa Java te gaan. Ik was de enige klant. De twee bedienden, een jonge man en een jonge vrouw, stonden achter in de zaak zachtjes met elkaar te praten en te lachen. Ik bestelde chocolademelk die gepresenteerd werd in een mok die naar mijn idee helemaal verkeerd was. Een mok voor chocolademelk moest laag en wijd zijn, en voldoende ruimte bieden voor de marshmallows die erin hoorden te drijven. In mijn winkel zou ik de juiste mokken verkopen. En Hollandse cacao en smalle, hoge potten met mokkaboontjes. Dan had ik natuurlijk ook chocoladekleurige pyjama's die bij de chocolademelk pasten – bruin flanel met een rood biesje. En om het geheel compleet te maken, kocht ik Joanne Harris' boek *Chocolat*, en Leah Cohens voortreffelijke werk *Glass, Paper, Beans*, want hoewel ze het daarin voornamelijk over koffie had, ging het ook over mokken, en daarmee sloot het weer aan bij de chocolademelk.

Hou op! Ik las de *Chicago Tribune* die iemand had laten liggen en wandelde rond om de beschrijving van verschillende soorten koffie te lezen. Vervolgens keek ik opnieuw naar de advertenties in het raam. De winkel waar je voor massage terecht kon was iets verderop in de straat, en het was er stukken goedkoper dan in Boston; ik overwoog een afspraak te maken. De laatste keer dat ik me had laten masseren was kort na Johns diagnose geweest, en ik had verschrikkelijk moeten huilen en me daar diep over geschaamd. De masseuse was een klein vrouwtje die een enorme kalmte uitstraalde. Ze had lang zwart haar dat ze met Chinese eetstokjes had opgestoken. 'Huilen is gezónd. Je hoeft je niet te schamen, laat je maar lekker gaan.' Ze vertelde me dat ik een glanzende aura had die ze kon zien, en ze voorspelde me dat ik me weldra weer heel gelukkig zou voelen. Maar ik voelde me ellendig en vroeg haar de behandeling te stoppen, en nadat ik haar een forse fooi had gegeven maakte ik dat ik thuiskwam.

Niemand had een strookje met telefoonnummer getrokken van de advertentie waarin een kamer te huur werd aangeboden, en ik zag dat de huur verlaagd was tot tweehonderdvijfenzeventig dollar. En waar eerst alleen maar *kamer* had gestaan, stond nu *gemeubileerde kamer.*

Ik ging aan een tafeltje vlakbij zitten en keek opnieuw op mijn horloge. Ondertussen vroeg ik me af of ik me voldoende zou kunnen beheersen om pas thuis naar de foto's te kijken.

Dat zou waarschijnlijk het beste zijn. De deur van de koffiebar ging open en de jongeman die ik de vorige dag ruzie had zien maken met zijn vriendin, kwam binnen. Hij knikte me een tikje beschaamd toe, en ik knikte terug. Hij bestelde een espresso en kwam toen, met zijn handen in zijn zakken, naar me toe geslenterd. 'Hoe is het?' vroeg hij, en ik zei: 'Ik had hetzelfde aan u willen vragen.'

'Met mij gaat het goed. Echt.' Hij glimlachte en keek over mijn schouder naar de advertentie op het raam. 'Hm, nog geen geïnteresseerden, zo te zien.'

'Nee, maar ik zag dat ze de huur hebben verlaagd.'

'Ja, dat klopt. Het is mijn huis. Mijn huisgenoot en ik zijn op zoek naar een huurder. We wonen een paar straten verderop. Een van de jongens die aanvankelijk ook huurde is opgestapt, en we zitten flink omhoog. En nu is dat meisje waar u me gisteren mee zag ook nog weggegaan. Bent u toevallig op zoek naar een kamer?' Hij lachte.

'Nou, de verleiding is groot!' zei ik, maar toen hij me hoopvol aankeek haastte ik me eraan toe te voegen: 'Nee, nee, ik ben alleen maar... Ach, ik heb een moeilijke nacht achter de rug. Ik ben hier net komen wonen, mijn man is pas overleden en ik heb nog nooit... Ik geloof dat ik een grote hond nodig heb. Of een alarminstallatie. Of iets in die geest.' Te veel informatie. Zoals die vrouw die ik ooit eens in een boekhandel op een vliegveld had ontmoet. We hadden het over een van de bestsellers toen ze opeens zei: 'Mijn man is pas overleden. Ik heb zijn trui in mijn koffer zitten. Ik neem dat ding overal mee naartoe. En ik slaap ermee.' Ik wist werkelijk niet wat ik daarop moest zeggen, en uiteindelijk volstond ik met: 'Wat moeilijk voor u.' Ze kreeg een kleur en bekende: 'Ik weet werkelijk niet waarom ik u dat allemaal heb verteld.' Ik zei dat het niet gaf, maar toen liepen we elk een andere kant op omdat het ineens onmogelijk was geworden om nog over boeken te praten of om zelfs maar ontspannen naast elkaar te staan. Ik was nog maar pas getrouwd en verwonderde me nog steeds over de ringen aan mijn vingers.

Ik schonk de jongeman een stralende glimlach.'Ach ja, je weet wel... Het is allemaal nog een beetje onwennig, en zo.' Ik voelde me net als zo'n onecht vrolijke presentator van een kinderprogramma. Waarom zei ik niet gewoon dat ik in de rouw was?

'Ja,' zei hij. 'Daar kan ik me wel iets bij voorstellen.' *Nee, dat kun je niet*, dacht ik. *Je hebt geen idee hoe het is. Ik ben generaties ouder dan jij.*

'Espresso!' zei de vrouw achter de toonbank, en hij liep erheen om zijn koffie te halen. Even later kwam hij met uitgestoken hand weer naar me toe. 'Ik ben Matthew. O'Connor.'

Ik noemde mijn naam en gaf hem een hand. Er zat een flinke krab op een van zijn knokkels. 'Kat?' vroeg ik, op de schram wijzend.

Hij keek ernaar alsof hij het nu pas voor het eerst zag. 'Dit? Nee. Mijn huisgenoot had een kippenbotje in de afvalvernietiger gestopt, waardoor de hele boel verstopt was geraakt. Ik denk dat ik mijn hand heb opengehaald bij het lospeuteren van de rommel.'

'Je boft dat je handig bent!'

Hij blies op zijn koffie en nam een slokje. 'Het stelde weinig voor.'

'Voor jou, misschien. Mijn man was ook erg handig, maar zelf ben ik dat helemaal niet. Als ik iets niet met isolatietape kan repareren dan kan ik het wel vergeten. Ik kan nog niet eens behoorlijk een schilderij ophangen.'

'Woont u in de buurt?'

Ik knikte.

Hij trok een servetje uit de houder en schreef er een telefoonnummer op. 'Mocht u ooit hulp nodig hebben, dan belt u me maar – dit is het nummer van mijn mobiel. Ik kan van alles en de hemel weet dat ik op dit moment best wat extra's kan gebruiken. Ik reken vijftien dollar per uur. Als dat niet te veel voor u is.'

'Nee, dat is het zeker niet.' Ik stopte het servetje in mijn zak en keek op mijn horloge. 'Ik moet weg, maar we zien elkaar vast wel weer.'

'Goed.' Hij ging zitten en haalde een boek uit zijn rugzak. Toen ik bijna de deur uit was zei hij: 'Pardon? Nog even dit. U kunt me altijd bellen, ook 's avonds laat. Ik ben altijd op. Dus...' Zijn oren werden rood. De laatste puppy van het nest. Ik had hem bijna ter plekke in dienst genomen om mijn tas te dragen. In plaats daarvan zei ik: 'Ik bel je beslist.'

Op weg naar de fotozaak voelde ik of het servetje nog wel in mijn zak zat. Buren die aardig leken. Een voordelige klusjesman – die bovendien, naar het scheen, vierentwintig uur per etmaal beschikbaar was. Lorraine. Eén voor één legde ik deze geschenken in mijn gapend lege mand. En daar had je de zon die tussen de kale takken door keek, en het ineens een stuk warmer maakte. Ik vroeg me af of Matthew ook kon timmeren. In mijn verbeelding tilde ik de houten panelen die tegen de achterwand van de lege winkel stonden van hun plek, en begon er een parfumbar van te bouwen waar je, met behulp van verschillende soorten essentiële olie, je eigen parfum kon samenstellen.

Hoewel ik had besloten om met het bekijken van de foto's te wachten tot ik thuis was, kon ik me niet beheersen. Ik betaalde, en nog voor ik de winkel uit was, had ik de envelop al opengescheurd om naar de eerste foto te kijken. Het bleek een opname te zijn die ik in Parijs van drogend wasgoed had gemaakt. Dat betekende dat het filmpje ruim twee jaar oud was. Mijn blik ging over lakens, lingerie en kleurige kinderkleren. Ik herinnerde me dat ik, toen ik de foto maakte, tegen John had gezegd dat ik dolgraag een koffietafelboek van aan de lijn drogend wasgoed zou willen hebben. Het was iets waar ik altijd met veel plezier naar keek. Er ging een zekere romantiek, een zekere geruststelling van uit, zei ik. En toen zei ik dat hij een stapje opzij moest doen om niet op de foto te komen.

'Is er iets niet in orde, mevrouw?' vroeg de man achter de toonbank. 'Zijn de foto's niet goed?'

Ik schonk hem een glimlach en zei ja, waarna ik de envelop in mijn tas stopte en snel naar huis terugliep. Ik was ervan overtuigd dat er in het stapeltje ook een foto van John moest zitten, en nam me voor om elke week één foto te bekijken omdat ik er op die manier langer van zou kunnen genieten. Maar in werkelijkheid wilde ik het hele proces zo lang mogelijk rekken omdat ik bang was. Ik was bang dat ik een foto van John zou tegenkomen en dat ik die nog maar zo oppervlakkig geheelde wond daarmee zou openrijten. En ik was even bang om géén foto van hem te vinden, om te moeten erkennen dat de laatste foto die ik van hem had echt de laatste was.

Thuisgekomen controleerde ik of er een boodschap van Lorraine was – niets. Ik nam de telefoon op om naar de kiestoon te luisteren, net als ik vroeger had gedaan wanneer ik met ongeduld op een telefoontje van een vriendje had gewacht. Ik draaide haar nummer en kreeg haar voicemail – niet zijzelf, maar een mechanische vrouwenstem die meldde dat de abonnee die ik probeerde te bereiken niet thuis was. Als ik een bericht wilde inspreken... Ik hing op.

Ik maakte de taart en zette hem in de oven, vulde de wasmachine en streek een paar blouses. Er waren nog steeds dozen die uitgepakt moesten worden, maar in plaats van dat te doen ging ik aan de keukentafel zitten dromen. In gedachten zag ik mijn winkel weer voor me. Ik fantaseerde over stellingen vol zware pastaborden uit Toscane, hanen voor in de keuken uit Parijs, antieke sleutels van de hemel weet waar met lange satijnen linten eraan, schetsblokken met houtskoolpotloden, verbenazeep en antieke knopen. Ik voelde me meer en meer aangetrokken tot het idee, hoewel ik er geen flauw benul van had hoe ik het praktisch aan zou moeten pakken. En eerlijk gezegd ontbrak het me ook wel een beetje aan de nodige moed. Maar uiteindelijk was ik wel hier, in een nieuw huis, en dat alleen maar op basis van een gril. Was het niet mogelijk om al dromend dingen te verwezenlijken? Aan de ene kant had ik een enorme behoefte om het verleden in ere te houden, om alle tijd te nemen die nodig was voor het verwerken van mijn verlies, maar aan de andere kant wilde ik ook weten hoe mijn verdere toekomst eruit zou zien.

Was dat niet wat John voor me gewild had? Ik probeerde me voor te stellen dat hij tegenover me aan tafel zat en wat hij me zou adviseren, maar in plaats daarvan zag ik hem op een terrasje in Parijs waar we ooit eens op een bewolkte namiddag hadden geluncht. Het was koud, en wij waren de enigen die buiten zaten. Maar het was een aantrekkelijke plek – we waren gecharmeerd van het donkerrood van de stoelen dat afstak tegen de roomkleurige marmeren tafelbladen en de wit kanten vitrage voor de ramen van het café. Achter de vitrage zat een jongeman met een sigaret in zijn vingers dromerig naar buiten te kijken. Hij had zo'n tijdloos gezicht als je wel op die eeuwenoude schilderijen ziet. Hij had een gespierde engel op het plafond van de Sixtijnse Kapel kunnen zijn, of een Engelse lord met witte kousen, een blauw fluwelen broek en een overhemd met ruches – hij had een bos ongekamde krullen, volle lippen en een aristocratische neus. De geschulpte hanglamp boven zijn hoofd verspreidde een goudachtig licht waardoor het leek alsof hij op een bepaalde manier gezegend werd. Ik herinnerde me dat John een foto van hem had willen nemen, maar net toen hij de camera had opgepakt, was de jongen opgestaan. '*C'est la vie*,' zeiden we in koor, waarop we hadden moeten lachen.

Nog voor we besteld hadden begon het te regenen – het

soort fijne motregen dat zo weinig voorstelt dat het dwaas voelt om een paraplu op te steken. Maar we bleven buiten zitten en een opgewonden kelner kwam het terras op om onze bestelling op te nemen. Hij droeg een wit schort en had zo'n dikke buik dat hij zwanger leek. Hij gebruikte een afgekloven, klein potloodje dat met een mes was geslepen. Dat beviel ons, en we waren het erover eens dat het voor een zekere authenticiteit zorgde. We bestelden kaas, fruit, brood en wijn – hoe voorspelbaar, leek onze kelner te denken – maar we genoten ervan en zoals altijd verbaasden we ons over het feit dat zelfs het meest simpele voedsel in Frankrijk zo heerlijk smaakte. Op een gegeven moment vroeg ik om boter – ik wilde nog meer brood, maar dan wel met boter – en toen ik verlegen om *du beurre* vroeg, trok de kelner een gezicht en vroeg: '*Pourquoi faire?*' wist ik niet goed wat ik daarop moest antwoorden. John nam het voor me op en zei in nadrukkelijk Engels: 'Omdat ze dat graag op haar brood wil smeren, als dat tenminste niet al te veel gevraagd is.' Het gebeurde uiterst zelden dat John onbeleefd was, en zelfs wanneer het volkomen terecht was, zoals in Parijs meer dan eens het geval was, wist hij zich nog te beheersen.

Na de lunch waren we gaan winkelen. Ik kocht twee ontbijtbordjes voor ons – ze waren rood en geel, en er waren hanen op geschilderd. Vanochtend had ik ze nog in de kast gezet. John had bij een antiekzaakje een oud horloge voor zichzelf gekocht, en voor mij een armband van opalen. Nadat hij hem om had gedaan, draaide hij mijn hand met de binnenkant naar boven en drukte een kus op de binnenkant van mijn pols.

De klok op de schoorsteenmantel sloeg vijf uur, en ik schrok wakker uit mijn dromerijen. Buiten begon het al te schemeren. Ik ging voor het keukenraam staan en keek naar de overtrekkende wolken, en naar het traag omlaag dwarrelende esdoornzaadje. Het deed me denken aan een paar kleine, afgeworpen engelvleugels die van ouderdom bruin waren geworden. Het vallende zaadje draaide en draaide om zijn as, net alsof het op zoek was naar iets om een essentiële vraag aan te stellen. Uiteindelijk landde het geruisloos op de aarde die het na verloop van tijd zou transformeren. Dat was een onderwerp waar John en ik het wel eens over hadden, transformatie – over wat er na zijn dood van hem zou worden. Dat soort treurige en intieme dingen bespraken we met elkaar. Maar het vaakst spraken we zonder iets te zeggen. In de taal van in het donker naast elkaar liggen en je hand, op zoek naar houvast, op de heup van de ander leggen. Die taal spraken we het liefste. Ook daarvoor al.

De zoemer van de oven ging af. Ik haalde de taart eruit, zette hem op het rooster om af te koelen, sloot mijn ogen en snoof de geur diep in me op. Toen ging ik naar boven om te kijken wat ik die avond aan zou trekken. Ik zou een bad nemen, wat rusten, me aankleden en met mijn gave van koek en fruit op zoek gaan naar het gezelschap van anderen. Hoe kwam het dat we dit soort dingen deden? Iedereen had zijn eigen bestaan, maar ik was ervan overtuigd dat we met zijn allen in het diepe waren gegooid zonder dat we van tevoren hadden leren zwemmen. We aten, we sliepen, we sloten vriendschappen en huwelijken en wandelden blindelings voort over onze levensweg. We likten de chocola van onze vingers. We schikten bloemen in vazen. Wanneer we nieuwe kleren aanpasten, bekeken we onszelf van achteren. We genoten van kunst. We kozen bestuurders en dan klaagden we. We kwamen overeind voor doelpunten. We vierden verjaardagen met een mengeling van ongeduld en trots. We gingen op zoek naar een nieuwe liefde wanneer de liefde die we hadden was uitgedoofd, en bekenden daarmee tot hoe weinig we in ons eentje in staat waren, en hoezeer we behoefte hadden aan het gezelschap van een ander. En soms waren er momenten waarop het voelde alsof we bezoekers van een andere planeet waren. Soms vroegen we ons af of het waar was dat iedereen alles maar verzon. Maar dit was een wankel bord, dit waren gedachten die ons angstig en onzeker maakten, en dus haastten we ons om onze eenzaamheid te ontkennen en weigerden we de les dat we alleen werden geboren en net zo alleen weer doodgingen, onder ogen te zien. En we gingen weer rustig verder met liefhebben, eten, slapen en met het blindelings aflopen van onze levensweg.

Ik was de deur bijna uit toen de telefoon ging. *Lorraine,* dacht ik, en ik haastte me om op te nemen. Maar het was niet Lorraine. Het was Ed Selwin. 'Weet u nog wie ik ben?' vroeg hij.

'Ja,' antwoordde ik. 'Ja, hoor.'

Hij lachte. 'Ja, ik ben die man bij wie u dat yoghurtijsje hebt gekocht.'

'Precies.'

'Nou, als u dat nog weet, dan weet u misschien ook nog wel dat ik u vroeg of u in mijn radioprogramma wilde komen?'

'Ja, ja,' zei ik. 'Zeg eens, Ed, hoe ben je aan mijn nummer gekomen?'

'O, ik kwam Delores Henckley tegen. Delores is gek op ons chocolade-vanilleijs en ze komt er regelmatig eentje halen. Dat zegt ze zelf, dat ze gék is op dat ijs van ons. We maakten een praatje en ze vertelde dat ze het huis van Lydia Samuels verkocht had aan een vrouw uit Massachusetts. Dus dan bent u hier toch komen wonen, precies zoals ik voorspeld had, weet u nog?'

'Moet je horen, Ed, je belt op een moeilijk moment. Ik wilde net de deur uit gaan, en ik ben al aan de late kant.'

'Nou, maar zo lang duurt het toch niet om ja of nee te zeggen, wel? Over de details kunnen we het altijd later nog wel hebben.'

'Nou, goed dan,' zei ik, terwijl ik dacht: *ik kan hier altijd nog onderuit.*

'Zo mag ik het horen!' zei hij. 'Ik bel u morgen, en dan spreken we iets af. Echt beloven kan ik het u nog niet, maar misschien kan het volgende week al worden uitgezonden.'

Carol Pacini was een ongehuwde moeder. Nadat Benny naar bed was gegaan, ruimden Carol en ik samen de keuken op. Samen iets doen zorgt er bijna altijd voor dat mensen zich meer met elkaar op hun gemak voelen, en terwijl zij de spullen afwaste die niet in de vaatwasmachine konden en ik ze afdroogde, vertelde ze me haar verhaal. Ze was cheerleader geweest en op haar negentiende getrouwd toen bleek dat ze zwanger was van de sterspeler van het team. Het duurde niet lang voor ze erachter kwam dat de jongen behalve football nauwelijks iets te bieden had. 'Hij was een schatje,' zei ze, 'echt heel knap. Maar ben jij wel eens in volle vaart ergens vanaf gesprongen en toen veel te snel op de bodem beland?' Nog voor Benny's geboorte was ze alweer gescheiden, en nu woonde ze hier. Haar vader had haar de aanbetaling voor dit huis gegeven, en ze deed wat ze kon om het te kunnen houden – ze had een volle baan bij een verzekeringskantoor en verdiende soms wat extra's bij door in een nachtclub in een nabijgelegen stadje in te vallen wanneer ze een serveerster nodig hadden. Ze was erg aardig en ik bewonderde haar praktische instelling. 'Benny heeft me over je man verteld,' zei ze. 'Het is vast erg moeilijk voor je. En als ik iets voor je kan doen... ik bedoel, ik kan me voorstellen dat je je 's nachts wel eens onzeker zou kunnen voelen, helemaal alleen in dat grote huis, en dat je Zeke zou willen lenen.' Daarmee bedoelde ze haar grote zwarte hond die nu in een hoek van de keuken lag te slapen. 'Hij gaat zó met iedereen mee.'

'Nou, misschien doe ik dat wel eens,' zei ik, waarop ik haar vertelde over de nachtmerrie die ik had gehad. Ik voelde me een tikje onzeker – wanneer je iemand nog maar zo kort kent komt alles wat je zegt veel belangrijker over dan het in feite is.

'Wat een afschuwelijke droom,' zei Carol. 'Het zou me niets verbazen als er in dat huis nog iets van energie hangt van die oude heks die er voorheen heeft gewoond.'

Ik lachte.

'Nee, ik meen het!' zei Carol. 'Ze was een kreng, en ik kon haar niet uitstaan, maar ze had een bepaalde uitstraling waar je niet omheen kon. En geloof me, ik ben altijd vriendelijk tegen haar geweest. Je kunt Zeke gerust meenemen, straks. Dan kun je kijken of je zelf een hond zou willen nemen.'

Ik keek naar het dier dat nu zachtjes lag te snurken. 'Ik heb altijd een hond willen hebben,' zei ik. 'Maar mijn man was allergisch.'

'Probeer hem maar rustig uit,' zei Carol. 'En als je hem prettig gezelschap vindt, dan delen we hem.' Ze geeuwde, en verontschuldigde zich.

'Ik moet gaan,' zei ik. 'Dank je voor het eten. En misschien... Meen je het, en kan ik Zeke echt meenemen?' De hond sloeg met zijn staart toen hij zijn naam hoorde noemen, maar hij stond niet op.

'Ja hoor,' zei Carol. 'Hé, Zeke, wil je uit?' Hij sprong overeind alsof hij een stroomstoot had gekregen. Zijn linkeroor zat dubbelgeklapt. Hij kwam naar haar toe, legde zijn kop in haar schoot en keek met een gekwelde blik naar haar op. Ze krabde hem achter zijn oren. 'Wat een lieverd, vind je ook niet?'

Op advies van Carol liet ik Zeke nog even uit voordat ik hem mee naar binnen nam. Bij de stoep deed hij een enorme plas, waarna hij zich omdraaide en weer terugliep in de richting van zijn huis. Halverwege de oprit trok ik hem mee naar het mijne. Binnengekomen maakte ik zijn riem los, waarop hij enthousiast mijn keuken begon af te snuffelen, en vanwege zijn trage maar aanhoudende manier van kwispelen nam ik aan dat hij het prettig bij me vond. Ik vulde een bak met water en zette hem in de hoek. Ik voelde me nú al een heel stuk beter. Hij ging zitten, en ik riep hem bij me en wees hem zijn water. Nadat hij een paar slokken had genomen liep hij de gang op om de rest van het huis te bekijken.

Het lampje van de telefoon knipperde – ik had een boodschap. Lorraine, dacht ik meteen. En dat bleek ook zo te zijn. 'Ik sta op het vliegveld,' zei ze. 'United Airlines, vlucht nummer vijf vierentwintig. Om tien voor elf land ik in Chicago. Waar ben je?... Goed, ik kom wel met een taxi naar je toe.' Ik had kunnen bedenken dat dit zou gebeuren toen ze mijn adres had willen weten.

Ik keek op mijn horloge. Half elf. Lange seconden bleef ik roerloos staan, en toen ging ik naar boven om het bed in de logeerkamer op te maken. Een extra deken – Lorraine klaagde altijd dat ze het koud had. Ze lakte haar teennagels in tien verschillende kleuren. Al haar kleren zaten in elkaar gepropt in één enkele la. Ze at boterhammen met pindakaas en zoetzure augurken, en ze kon urenlang op de rand van haar bed gitaar zitten spelen, en op die momenten was ze onbereikbaar. Naar college ging ze bijna nooit – op alle docenten behalve één had ze van alles aan te merken – maar ze haalde voor alle vakken gemiddeld een achtenhalf. Op afspraakjes of bij andere gelegenheden waarbij ze niet hoefde te betalen dronk ze dubbele whisky's , die ze achteroversloeg alsof het water was. Ze had een prachtig handschrift, heel artistiek, en ze schreef bij voorkeur met vulpen en met koningsblauwe inkt. Ik weet nog dat ik een keer keek hoe ze een cheque uitschreef voor haar deel van de huur, en dat ik daarna, toen ik mijn eigen cheque uit moest schrijven, probeerde haar stijl te imiteren. We betaalden elk tweeëndertig dollar vijftig per maand, en het was altijd weer moeilijk om het geld bij elkaar te krijgen. Op een keer had ik, na het betalen van de huur, nog precies één dollar over om de twee weken tot het eind van de maand mee door te komen. Die gaf ik uit aan een roos die ik vervolgens, als geschenk aan de wereld, op een steen in het park neerlegde, en daarna at ik veertien dagen lang alleen maar Cheerio's. Een andere keer had ik bloed gegeven om aan geld voor eten te komen, en toen ik met mijn zware boodschappentas de keuken in kwam, zakte ik naast het aanrecht in elkaar. Gelukkig kwam ik vrij snel weer bij en was het ijs op dat moment nog niet gesmolten. De ene herinnering na de andere drong zich aan me op. Misschien dat Lorraines bezoek me goed zou doen. Ik zou in elk geval geen last hebben van plotselinge aanvallen van angst of van verdriet. En afgezien van de herinneringen die we zouden ophalen en koesteren, twijfelde ik er niet aan dat Lorraine nog steeds het vermogen had om een hele kamer in beslag te nemen.

Ik draaide haar nummer om me ervan te overtuigen dat ze echt niet meer thuis was. Er werd niet opgenomen. Toen belde ik om na te gaan of haar vlucht op tijd zou zijn. Tien minuten te vroeg. Vol verwachting ging ik voor het raam staan.

Haar haar was even lang en wild als ik me had voorgesteld, maar het was niet grijs. In plaats daarvan had ze het zwart geverfd, hetgeen haar eigen kleur was. De kleur van Archie's Veronica. Na de gebruikelijke, en in ieder geval van mijn kant, nerveuze omhelzing, bleven we elkaar in de kou op de veranda lachend staan aankijken. Zeke stond achter ons op de drempel van de open deur, en alles leek erop te wijzen dat hij zichzelf tot heer des huizes had benoemd.

'Wat is dit ontzettend vreemd,' zei ik ten slotte. 'Maar dan wel in positieve zin.'

'Ben je niet blij dat ik ben gekomen?'

'Ja, natuurlijk wel. Kom binnen.'

Ze zette haar koffer onder aan de trap en trok haar jas uit – hemel, wat een figuur had ze nog! Ze droeg een strakke zwarte broek en een rode trui met V-hals – zo te zien van een goede kwaliteit kasjmier – en een aantal gouden bedelarmbanden. Geen buik. Geen dijen, en voor zover ik kon zien ook geen slappe bovenarmen, maar vroeg of laat zou ik ervoor zorgen dat ik dat te zien kreeg. Het zou me niets verbazen als ze regelmatig naar een sportschool ging – ze was nooit bang geweest voor flinke porties lichaamsbeweging. Meer dan eens was ze zelfs degene die dat soort dingen bedacht. Meer dan eens, als we naar haar idee veel te lang hadden zitten studeren, ging ze in een onmogelijke houding staan of zitten, en dan vroeg ze: 'Hé, jongens, kunnen jullie dit ook?' 'Krijg nou wat,' zei Susanna dan, zonder zelfs maar op te kijken, terwijl Maddy Lorraine in de regel moeiteloos imiteerde. Ikzelf kwam op dat soort momenten meestal tot de conclusie dat dit het ideale ogenblik was om marshmellows op tandenstokers uit te delen. Of pindakaas op soeplepels. Of een in vieren gedeelde Snickers met het grootste stuk voor mijzelf.

Ik schonk een glas wijn voor ons in, en Lorraine en ik gingen elk in een hoek van de bank zitten. Hier, waar meer licht was, zag ik aan haar gezicht dat ze wel degelijk ook ouder was geworden, maar ze was nog even knap als vroeger. Sterker nog, ik vond haar nu zelfs nog mooier dan al die jaren geleden.

'Je ziet er fantastisch uit,' zei ik, hoofdschuddend. 'Hoeveel heb je aan jezelf laten verbouwen?'

'Helemaal niets,' zei ze, en ik was verdrietig en verbaasd tegelijk, totdat ze eraan toevoegde: 'Toe zeg, dat geloof je zelf toch niet? Ik had mijn eerste facelift op mijn vijfendertigste. Susanna en ik hebben het samen gedaan, maar bij mij was het resultaat veel beter dan bij haar.'

Ik glimlachte. 'En Maddy?'

'Hou op. Maddy is Moeder Aarde. Het enige waar zij iets aan laat verbouwen, dat is haar huis. En dan staat ze er met haar neus bovenop om te kijken of alles wel precies zo gedaan wordt als het moet. Ze had een loodgieter om haar afvoer te ontstoppen die zo nijdig werd omdat ze zich overal mee bemoeide, dat hij dreigde haar voor de rechter te slepen.' Ze hield haar hoofd schuin. 'Je ziet er goed uit, Betta.'

'Niet waar.'

'Je bent nog steeds even goed in het accepteren van complimentjes. Je ziet er goed uit, zeg ik!'

Ik rolde met mijn ogen. 'Dank je.'

'Vertel eens, Betta. Hoe kom je hier zo terecht? Ik bedoel, ik had je nooit aangezien voor iemand die in het Midwesten in een klein stadje zou willen wonen.' Ze keek de kamer rond alsof ze hem nu pas zag.

Ik vertelde haar hoe mijn verhuizing in zijn werk was gegaan, en voegde eraan toe: 'Maar ik moet je eerlijk bekennen dat ik in zeker opzicht het gevoel heb dat ik eindelijk de plek heb gevonden waar ik altijd al heb willen wonen. Ik vind het echt prettig hier. En ik mis Boston helemaal niet.'

'Daar hoor ik niet van op.'

'Hoe bedoel je?'

Ze schudde haar haren naar achteren en nam een slok wijn. 'Nou, je hebt ons allemáál in de steek gelaten, en daar had je ook geen moeite mee.'

'Dat is niet helemaal waar. Ik heb jullie nooit echt in de steek gelaten. Maar John en ik waren zo stapel op elkaar dat we... eigenlijk niemand anders meer nodig hadden. En dat was natuurlijk verkeerd.'

'Zeg dat wel! Een meisje heeft vriendinnen nodig, en helemaal op onze leeftijd.'

'En daar zitten we dan.' Ik hief mijn glas.

Lorraine hief het hare, en toen ging ze verzitten – ze strekte haar benen en wiebelde met haar tenen waarvan de nagels nu in een enkele rode kleur waren gelakt. 'En wat ga je hier doen?'

'Dat weet ik nog niet precies. Ik heb een paar ideeën. Ik zou natuurlijk altijd weer kunnen gaan schrijven, maar daar heb ik niet echt zin in. Ik zou graag iets heel anders doen.'

'Je zou les kunnen geven.'

'Ja, dat zou ik kunnen doen.' Ik aarzelde of ik haar over de winkel zou vertellen maar besloot het niet te doen. Ineens leek het een dom plan, een dwaze meisjesdroom. 'Ik heb tijd. Ik wil de eerste tijd helemaal niets. Het is allemaal nog heel recent dat hij... je weet wel, dat dit allemaal is gebeurd.'

Lorraine keek me aan en er lag een warme blik in haar ogen. 'Wil je erover praten?'

'Waarover? Over John?'

'Ja.'

'Och, nou, Lorraine... Hij was... Je zou van hem hebben gehouden. Hij was een zachtmoedige intellectueel, echt een schat, en hij wist bijna alles. Hij – ' Ik slikte en haalde adem. 'Misschien is dit wel geen goed moment. Nog niet.' Mijn keel voelde alsof iemand hem een beetje dichtkneep. Ik streek mijn haren uit mijn gezicht, glimlachte opgewekt en nam een paar grote slokken wijn.

'Stil maar,' zei Lorraine. 'Je zegt zelf maar wanneer je het waarover wilt hebben.' Ze tilde haar haren op en liet ze over de bovenkant van het kussen vallen. 'Wat voor ras is Zeke?'

'Geen idee. Hij is niet van mij, maar van de buren. Ik heb hem geleend.'

'Hoe dat zo?'

Ik besloot haar de details van mijn nachtmerrie te besparen. Ik kende Lorraine als iemand die altijd meteen alle problemen oploste – in dat opzicht leek ze meer op een man dan op een vrouw. Ze zou niet angstvallig met me mee bibberen en haar hand op mijn arm leggen. Nee, ze zou een medium laten komen dat de boze geest moest verdrijven, of ze zou de trap op rennen naar mijn kamer en de boosdoener uitnodigen de strijd met haar aan te binden. Ze was als een collega van John die, toen hij te horen had gekregen dat hij kanker had, naakt voor de spiegel was gaan staan en huilend brulde: 'Vooruit, kom tevoorschijn, zodat ik je kan zíen!' Ik wilde niet dat Lorraine zou proberen mijn nachtmerries voor me op te lossen – want daarmee zouden ze alleen nog maar reëler worden. En daarom zei ik: 'Ik hou van honden.' En toen: 'Hé, weet je nog dat we die jongen te eten hadden gevraagd en dat hij een revólver bij zich bleek te hebben?'

Lorraine knikte. 'En toen wilden we hem niet binnenlaten.'

'Precies. En toen ging hij op de veranda achter het huis zitten en begon hij met luide stem die verschrikkelijke gedichten van hem te reciteren. Er leek geen eind aan te komen. Weet je nog? Hij had ze op een blocnote geschreven. En hij ging en ging maar door.'

'Nou, ik weet nog dat ik dacht dat een deel van zijn werk wel meeviel. Maar wie was dat eigenlijk?'

'We noemden hem bij zijn initialen...'

'H.G.,' zei Lorraine. 'We noemden hem H.G. en Maddy zei dat die letters voor Hartstikke Geschift stonden. En dat was hij denk ik ook wel.'

'Ja, ja. Maddy kon het nooit hebben wanneer jij en ik met volslagen vreemden thuiskwamen, maar voor het merendeel waren het best toffe lui. Weet je nog die jongen die 's avonds de vloer dweilde in de supermarkt? Die ons een lift had gegeven? En dat hij de volgende dag, toen hij kwam eten, gestolen biefstukken meebracht? Biefstuk van de haas! Na het eten is Susanna bij wijze van bedankje met hem naar bed geweest.'

'Ja, en hij bracht ook koffie mee, weet je nog?' zei Lorraine. 'Juist toen de koffieprijs ineens zo was gestegen? En ik weet niet hoeveel pakjes boter. We hadden wekenlang boter in huis.'

Ik liet mijn hoofd tegen de rugleuning van de bank zakken. Ineens was ik duizelig van moeheid. Ik wou op mijn horloge kijken, maar ik wilde niet dat Lorraine het zag. 'Wat doen ze tegenwoordig, Susanna en Maddy?'

'Susanna is advocaat en ze is gescheiden. Ze moet echt niets meer van het huwelijk hebben. Ze heeft een fantastische dochter die ook advocaat is – ze doet iets met het milieu. Maddy is de verpleging in gegaan en ze is met een dokter getrouwd. Ze hebben drie zoons. De jongste is net het huis uit.'

'En dat terwijl we er allemaal zo zeker van waren dat Susanna actrice zou worden! Stel je voor, en dan ga jíj bij het theater! Hoe kwam je daar zo bij?'

'Wanneer acteerde ik niet? Ik kwam tot de conclusie dat ik me er net zo goed voor kon laten betalen. En vervolgens bedacht ik dat regisseren nog veel beter voor me zou zijn, want ik heb er een handje van om de baas te willen spelen.'

Ik geeuwde en hield mijn hand voor mijn mond. 'Neem me niet kwalijk.'

Lorraine wierp een blik op haar horloge. 'Tien over half drie! Wil je naar bed?'

Ik knikte dankbaar en volgde haar de trap op terwijl ik bewonderend naar haar mooie achterste keek. Op de gang wees ik haar de linnenkast en de badkamer. Toen omhelsde ik haar opnieuw. 'Wat fijn dat je er bent. Dank je.'

'Het stelt niets voor. Airmiles, je weet wel.' Maar toen maakte ze zich van me los en glimlachte. 'Ik ben blij dat ik er ben.' Ze gaf me een zoen op mijn voorhoofd en liep door naar haar kamer. Zeke volgde haar. En zo ging het nou altijd. Ik wilde haar nooit aan mijn vriendjes voorstellen – ze waren een en al bewondering voor haar terwijl ze hen niet eens zag, en uiteindelijk draaiden ze zich dan toch maar weer om naar mij, de troostprijs.

Ik deed de lamp op mijn nachtkastje uit en probeerde wijs te worden uit de warboel van emoties in mijn binnenste. Ik wist niet of ik er wel goed aan deed om alleen maar over oppervlakkige dingen te praten, om iemand toe te staan zich te bemoeien met de manier waarop ik mij op een bepaald moment wilde gedragen. Wat als ik eens stil wilde blijven staan bij een bepaalde herinnering, of eens lekker een potje wilde grienen? Daar was ik nog niet overheen – ik was nog steeds op de enige overgebleven manier met hem samen.

Aan de andere kant kon ik me niet voorstellen dat ze lang zou blijven. Hoe lang? Eén dag? Twee dagen? En wat kon het voor kwaad om herinneringen op te halen uit de tijd vóór John, die vrij was van herinneringen aan hem, waardoor ik me ook niet opeens weer heel verdrietig zou hoeven te voelen? Uiteindelijk deed Lorraines gezelschap me goed, en ik had John beloofd dat ik niet zou treuren maar leuke dingen zou doen.

Ik sloot mijn ogen en keerde in gedachten terug naar die kleine etage in dat oude, half vervallen huis dat waarschijnlijk allang gesloopt was. Ik dacht aan de hoge, smalle ramen en de verzakte vloeren. We hadden een enorm, handgevlochten kleed dat iemand bij een garageverkoop voor vijf dollar op de kop had getikt, en dat naar rauwe aardappelen rook. We hadden hoge keukenkastjes waar de verf voor een deel vanaf was gebladderd, en op de verwarming in de keuken stond een glazen pot met rode drop. In een van de keukenladen lagen minstens acht mascararollers, en ik weet niet hoeveel blokjes eyeliner, een paar stel valse wimpers en lippenstiften in elke denkbare kleur met inbegrip van wit. We droegen echt heel korte minirokjes, broeken met wijde pijpen en maxi-jassen. In onze haren droegen we veren en namaakdiamantjes. We hadden een turkooizen telefoon die niet rinkelde maar belde. De badkamer puilde uit van de dozen tampons en doordrukstrips anticonceptiepillen. Ik draaide me op mijn andere zij en trok een kussen tegen mijn buik. *Hou op. Ga slapen.*

Ik werd als eerste wakker en liet Zeke uit alvorens hem terug te brengen. Toen ik weer thuiskwam was Lorraine opgestaan en ze had koffiegezet. We gingen ermee aan tafel zitten. 'Ik ken een vrouw,' begon Lorraine. 'Haar man overleed plotseling toen hij vijfenvijftig was – een hersenbloeding die niemand had zien aankomen – en ze kon zelf niets. Toen ik een paar weken na zijn begrafenis bij haar langsging, zat ze in haar badjas aan de keukentafel te huilen. Ze zei: "Ik weet niet eens waar de postzegels liggen!" Maar zo ben jij toch niet, of wel?'

'Nou, nee,' zei ik. 'Ik heb momenten van intens verdriet, maar over het algemeen sla ik me er aardig doorheen. Ik bedoel, ik ben hier uiteindelijk in mijn eentje naartoe verhuisd. Dat is toch moedig, of niet?'

Lorraine haalde haar schouders op. 'Dat hangt ervanaf. Misschien is het wel omdat je niet in je oude huis durfde te blijven om daar alles onder ogen te zien.'

'Nou, ík vind het wel moedig van mezelf. Maar ik wil best bekennen dat ik niet goed weet hoe ik zelfstandig moet leven. John zorgde altijd voor de belastingaangiften en zo, en hij betaalde de rekeningen en repareerde alles wat kapotging.' Ik zuchtte.

'Je kunt overal mensen voor inhuren, weet je,' zei Lorraine. 'Wees niet bang om dat te doen als je het kunt betalen. Ik betaal iemand om mijn flat schoon te maken, om mijn kleren voor de stomerij op te halen, om mijn belastingformulier in te vullen en om me met de computer te helpen. En voor mijn seksuele bevrediging.'

Ik schoot in de lach.

'Nee, nu nog niet, maar dat gaat weldra gebeuren,' zei ze, met een grimmige grijns.

'Heb je nooit over trouwen gedacht?'

'Nee.'

'Waarom niet?'

'Kijk om je heen. Er is niet veel dat ervoor pleit.'

'Sommigen van ons zijn wel gelukkig in de liefde.'

Ze sloeg haar benen over elkaar en leunde naar achteren. 'Vertel me dan maar hoe het was. Over een normale dag, en hoe die eruitzag.'

'Nou het is... Ik weet niet, alsof je met een net werkt. Toen John en ik nog maar pas getrouwd waren, woonde er in de flat naast ons ook een pasgetrouwd stel. Op een dag ging ze naar de kapper en liet ze haar haren knippen, en het was een ramp. Ik bedoel, ze zag er echt niet uit. Ze vroeg me bij haar te komen om te laten zien wat ze met haar hadden gedaan, en ik sloeg mijn hand voor mijn mond. Ze zat huilend op de bank, en opeens keek ze op en zei: "God, ben ik even blij dat ik getrouwd ben."'

'Nee,' zei Lorraine, 'dat bedoel ik niet. Ik wil weten hoe een normale dag eruitzag. In de trant van: *de wekker liep af, en toen gingen we...* Op die manier.'

Ik boog me naar haar toe. 'Goed. De wekker liep af, en toen gingen we – ' Ik zweeg en schonk haar een bibberig glimlachje, leunde naar achteren en drukte mijn vingertoppen tegen mijn ooghoeken.

Lorraine leunde naar voren en legde haar hand op mijn

hand. 'Het geeft niet. Het spijt me. Dat had ik je niet moeten vragen. Je hoeft het me niet te vertellen. We houden erover op.'

De telefoon ging, en ik sprong dankbaar van de bank om op te nemen. Het was Ed Selwin die zei: 'Goeie mórgen! Ik heb je toch niet wakker gebeld, hè?'

'Nee,' antwoordde ik, 'ik was al op. Ik zit koffie te drinken met mijn beste vriendin van vroeger. Het is een verrassingsbezoek en we hebben een heleboel bij te praten, en ik vrees dat we daar relatief weinig tijd voor hebben.' Ik keek Lorraine aan, wees op de telefoon en rolde met mijn ogen. Ik was er zo goed als zeker van dat ze hem kon verstaan – hij schreeuwde in de telefoon alsof hij op de kade stond en ik me aan boord van een schip bevond.

'Nou, ik hou het kort. Ik bel alleen maar even om je te zeggen dat we morgenochtend om half zeven kunnen opnemen. En nu ik hoor dat je bezoek hebt van je vriendin...' Hij lachte en slaakte een soort van jubelkreet. Ik hield mijn vinger op – *ik vertel het je zo*. Ed ging verder. 'Zo gebeurt me dat wel vaker, weet je? Heel onverwacht.' Wat zachter vervolgde hij: 'Wat vind je ervan als we de aan jou gewijde uitzending de titel meegeven "Oude en nieuwe vriendinnen?" Hoe vind je dat? Dan kun je je vriendin meenemen en haar je "oude" vriendin laten zijn, en dan vraag ik Delores Henckley of ze ook mee wil doen, en dan is zij je "nieuwe" vriendin. Ze is al niet meer in de uitzending geweest sinds ze haar makelaarskantoor geopend heeft. Dat programma heette "Kiene kopers en verstandige verkopers", en die titel is van mij. Zelf bedacht. In alle bescheidenheid. Dus, zeg het maar. Lijkt je dat wat?'

'Nou, Ed, dat is een erg leuk idee en zo, maar – '

'Is je vriendin daar ook?'

'Ja.'

'Nou dan kun je het haar meteen vragen. Ik wacht wel.'

'Goed.' Mooi. Ik wist hoe Lorraine het zou vinden om in alle vroegte op te moeten staan om in een radioprogramma te komen waar alleen de moeder van de presentator maar naar luisterde. Ik legde mijn hand – losjes – op de telefoon. 'Lorraine? Heb je zin om mee te doen aan een radio-uitzending?'

Ik sprak langzaam en duidelijk. 'Dit is de presentator, Ed Selwin, die vraagt of we mee willen werken aan zijn plaatselijke uitzending. Het wordt opgenomen in de studio boven de drogist. Het programma heet *Talk of the Town*, en deze aflevering zou de titel "Oude en nieuwe vriendinnen" mee moeten krijgen.'

Ze glimlachte. Ineens was ik bang dat ze op een onbeschofte manier zou reageren, maar toen zei ze, luid genoeg opdat Ed het zou kunnen horen: 'Dat lijkt me enig!'

'*Lorraine!*' siste ik.

'Echt, énig!' herhaalde ze, nog wat luider.

'Maar dan moeten we wel om half zeven in de studio zijn,' zei ik. 'In de ochtend.' Ik keek haar zo strak aan dat het me niets zou verbazen als mijn ogen gaten in haar hoofd zouden boren.

'O, nou, dat is toch geen probleem?'

Ik haalde mijn hand van de telefoon. 'Ed?'

'Zeg maar niets, ik heb alles gehoord! Dus dan zie ik jullie morgenochtend vroeg. Ik moet je vertellen dat je mensen hebt die zo zenuwachtig zijn dat ze liever pas na de opname ontbijten. En dat vertel ik aan iedereen sinds die keer dat Sally Rethers haar boterham tijdens de uitzending niet binnen kon houden. We moesten een gloednieuwe microfoon kopen, en die dingen zijn duur. Dus nu waarschuw ik altijd maar. Iedereen weet van zichzelf het beste hoe zijn maag reageert, maar denk eraan dat een microfoon in de regel erg zenuwachtig maakt. In de studio hebben we donuts die we van de bakker krijgen – ze zijn een dag oud, maar dat proef je werkelijk niet. En die mag je zowel tijdens als na de opname eten.

Mooi, nou, ik zei dat ik het kort zou houden, en dat doe ik ook. Dan ga ik nu meteen Delores bellen. Reuze bedankt!'

Ik hing op, en draaide me langzaam om naar Lorraine terwijl ik Eds laatste woorden herhaalde. Ze glimlachte en glimlachte nog wat meer, en deed nog meer suiker in haar koffie en roerde met haar pink omhoog en met haar lippen in die voldane grijns die ik me maar al te goed van haar herinnerde.

Lorraine was opmerkelijk vrolijk, om zes uur zondagochtend. Dit in tegenstelling tot mijzelf. Hoewel ik me koud had gedoucht, was ik nog steeds niet helemaal wakker. Ik reed langzaam naar Main Street en was een en al irritatie over wat we gingen doen.

'Ik popel om die man te ontmoeten,' zei Lorraine. 'Kun je niet wat harder rijden? Ik wil niet dat alle donuts al op zijn.'

'Ha, ha,' zei ik.

'Ik meen het! Ik ben dol op donuts van een dag oud. En ik hoop dat ze die met een laagje chocola hebben, vind je die ook niet zalig? Hoe ouder, hoe lekkerder, zou ik bijna willen zeggen. En als we echt boffen, dan zit er al schimmel op, en dan is het net alsof we een donut met roquefort eten, hm, lekker, met van die blauwe schimmel eraan, en – '

'Lorraine, hou je mond,' zei ik.

Afgezien van een zacht 'Mmm!' gehoorzaamde ze. Ik ging er niet op in. Het verleden had me geleerd dat negatieve aandacht in dit soort situaties voor haar juist een teken was om er nog een schepje bovenop te doen. Met een beetje geluk zat het 'interview' er snel op en konden we doorrijden naar Chicago – we zouden een rit door de stad maken alvorens ik haar naar het vliegveld bracht. Eigenlijk hadden we dat de vorige dag al willen doen, maar we waren de hele dag in huis blijven luieren en bijkletsen, en we hadden ons pas aangekleed toen we uit eten gingen. Inmiddels wist ik dat Lorraine net zo genoeg had van regisseren als ik van schrijven. We waren alle twee aan iets nieuws toe. Uiteindelijk vertelde ik haar over mijn idee en ze vond het geweldig. Na het eten liepen we naar de leegstaande winkel en tuurden naar binnen. 'Sjaals en zonnebrillen daar,' zei ze. 'En dan een paar potten crème die echt werken. En dagboeken die goed open blijven liggen. En die Italiaanse olijfolie die in van die prachtige flessen zit. En grote oorbellen die niet te zwaar wegen en je oorlelletje helemaal uitrekken. En ook grote badlakens met een behoorlijk zijden lint eromheen dat je daarna ook nog voor iets anders kunt gebruiken.' Ik vroeg haar of ze iets in die winkel zou willen kopen, en ze antwoordde met een stellig ja.

Ik parkeerde voor de drugstore. Er stond nog een andere auto op de parkeerplaats – Delores' Cadillac. Ineens voelde ik me dankbaar voor haar aanwezigheid – aan de ene kant omdat het interview met haar erbij en stuk draaglijker zou zijn, en aan de andere kant omdat het fijn was om haar terug te zien. Ik had een paar keer op het punt gestaan haar te bellen, maar had dat uiteindelijk niet gedaan.

'Lieve help,' zei Lorraine, terwijl ze haar gordel losmaakte.

'Ja, hou maar op,' zei ik.

'Denk je dat Lydia Samuels er ook zal zijn?' vroeg Lorraine. Ik had haar verteld over mijn ontmoeting met de vrouw in het verpleeghuis. Het verbaasde me niets dat Lorraine nieuwsgierig was naar iemand met een nog grotere mond dan zijzelf.

'Nee, dat kan ik me niet voorstellen.'

'Waarom gaan we haar dan niet halen? Zij valt ook onder de categorie van nieuwe vriendin!'

'Kom op, rustig nou maar,' zei ik. Ik moest lachen, en besefte dat het van de zenuwen was. Ik moest vaak lachen wanneer ik nerveus was. Ik deed mijn gordel los en opende het portier. 'Kom mee. Hoe eerder we dit achter de rug hebben, hoe beter.'

'Wacht.' Lorraine trok het zonneklepje omlaag en bekeek zichzelf in de spiegel. 'Zie ik er wel goed uit? O, en nadat we verliefd op elkaar zijn geworden en we ons huwelijk geconsumeerd hebben, denk je dat hij er dan geen bezwaar tegen zal hebben om bovenop te liggen? Ik bedoel, ik doe dat tegenwoordig liever niet meer, want mijn gezicht gaat zo hangen.'

Ik keek op mijn horloge. We waren tien minuten te vroeg. 'Laten we een eindje gaan lopen,' zei ik. 'Ik wil niet te vroeg zijn.'

'Je gaat me toch niet vertellen dat je zénuwachtig bent, hè?' vroeg Lorraine.

'Nee.'

'Je bent zenuwachtig!' zei ze. Ik pakte haar bij de arm en trok haar mee de stoep af.

'Dit stadje heeft alles wat een mens nodig heeft, zie je wel?' zei ik. 'Ik vind het enig hier, jij niet?'

'Ik kan gewoon niet geloven dat je zenuwachtig bent!' zei Lorraine. 'Toe zeg, Betta, we zijn niet voor de *Today*-show gevraagd.'

Dat was duidelijk. Toen we de deur naast de drogist openduwden, zagen we een piepklein halletje met gedeukte en gebutste brievenbussen en een smalle trap met geel linoleum en brede metalen strips. Aan de muur hing een met plakband bevestigd, met de hand geschreven vel papier waarop WMRZ SUITE 221, en een pijl naar boven stond.

'Het is maar goed dat ze die pijl erbij hebben gezet,' merkte Lorraine op.

Aan het eind van een lange, armoedige gang vonden we de openstaande deur van de studio. We stapten naar binnen, de ontvangstruimte in. Er stonden vier verschillende stoelen tegen de muur, twee aan twee, aan weerszijden van een tafel waarop zich een schemerlamp met een kap vol ruches, en een stapel vermoeid uitziende tijdschriften bevonden. Aan de andere kant van het vertrek stond een met viooltjes van geel papier beplakte commode waarop een koffiezetapparaat prijkte. De beloofde donuts lagen op een kartonnen bordje, met een stapeltje servetten ernaast die waren voorzien van de tekst Het leven begint bij zestig! Twee ingelijste, van uitbundige handtekeningen voorziene zwartwitfoto's van al wat oudere mannen hingen aan de muur – *Lenny en Tiny Shulerman, Shulerman's Auto's.*

Delores zat op een van de tot op de draad versleten stoelen een *Reader's Digest* te lezen. Ze legde het blaadje neer en keek glimlachend naar me op. 'Daar ben je dan. Samen met je *oude* vriendin.' Ze stond op en gaf Lorraine een hand. 'Hallo, ik ben de *nieuwe* vriendin, Delores Henckley,'

Lorraine glimlachte en ik zag dat ze Delores op het eerste gezicht al mocht. Ze begonnen te praten over hoe elk van hen me had leren kennen, en ik liep door naar de wc, die herkenbaar was aan de twee oorspronkelijk goudkleurige, maar vergaand afgebladderde vrouwen- en mannenkop waartussen, met viltstift, een schuine streep was gezet.

Ik maakte mijn gezicht nat en haalde diep adem. Het wilde me maar niet lukken de vlinders in mijn buik de baas te worden. Misschien had ik alleen maar honger.

Terug in de wachtruimte liet ik mijn blik over de donuts gaan, en uiteindelijk koos ik er eentje zonder glazuur. 'Als ik jou was zou ik dat maar niet doen,' waarschuwde Delores.

'Overjarig?' vroeg ik.

'Hou je van hockeypucks?'

Ik legde de donut terug en ging naast haar zitten.

'Hoe bevalt het huis?' vroeg Delores.

'Goed,' antwoordde ik. 'Ik zou het leuk vinden als je een keertje kwam kijken.'

'Wanneer?'

Ik lachte. 'Wat zou je ervan vinden om te komen eten?'

'Wanneer?'

'Woensdag?'

'Ik breng aardappelsoep mee.' Ze keek Lorraine vragend aan. 'Ben jij er dan ook?'

'Nee,' zei ze. 'Ik vlieg vanavond terug naar huis. De volgende keer.'

Ik hoorde Eds stem, en even later keek hij om het hoekje van een nog kleiner vertrek. 'Showtime!' Toen hij Lorraine zag, verdween zijn glimlach. Ik stelde ze aan elkaar voor, en we liepen achter elkaar naar binnen waarbij Lorraine opzettelijk en suggestief langs Eds borst streek. 'O, jee,' zei hij lachend, maar het volgende moment perste hij zijn lippen op elkaar.

Hij ging achter een tafel met een microfoon erop zitten, tikte ertegenaan en fronste zijn voorhoofd. Toen begon hij stralend te glimlachen en zei: 'Hallo, fans en buren! Hier ben ik weer, Ed Selwin, met een nieuwe aflevering van *Talk of the Town*. Vandaag gaan we het hebben over oude en nieuwe vriendinnen, en mijn gast waar de uitzending om draait is mevrouw Betta Nolan. Zeg maar hallo, Betta.'

'... Hallo,' zei ik.

Ed begon te vertellen: 'Betta is nieuw in de stad. Ze heeft het huis van Lydia Samuels gekocht, en daar woont ze nu in haar eentje. Maar ze is niet alleen, want ze is in het gezelschap van twee vriendinnen, eentje van vroeger, en een nieuwe vriendin. En de nieuwe vriendin is niemand minder dan Delores Henckley, de beste makelaar van de stad. Delores, zeg maar goedemorgen en geef de mensen meteen je telefoonnummer maar!'

Met een weids gebaar gaf hij de microfoon aan Delores. 'Hallo,' zei ze. 'Het is zoals Ed zegt. Ik kan jullie helpen bij het verkopen van jullie huis, en bij de aankoop van een ander. Henckley Real Estate, 555-8893. En mocht je het zo snel niet kunnen onthouden, ik sta in de Gouden Gids. En als je net zo bent als ik, dan ben je het nummer nu al vergeten.' Ze gaf de microfoon terug aan Ed.

'Nou, maar er is één ding dat we nooit vergeten, en dat zijn vrienden en vriendinnen van vroeger. Nu maken we even ruimte voor onze sponsor, en daarna komen we terug en vertellen we jullie meer.'

Ed zette de microfoon uit, leunde naar achteren en glimlachte. 'Wees maar niet bang, de reclameboodschap wordt nu niet gedraaid. We moeten er alleen tijd voor vrij laten. Maar met die inleiding is hun nieuwsgierigheid gewekt.' Hij schraapte zijn keel en zette de microfoon weer aan. 'Daar zijn we weer. En hier, zo dicht naast me dat ik haar gemakkelijk zou kunnen knijpen, zit de *oude vriendin* van de vrouw die onlangs bij ons in de stad is komen wonen. Lorraine Keaton! En ik kan u eerlijk vertellen dat Lorraine een prachtvrouw is. Een lust voor het oog!' Hij lachte. 'Ik weet ook wel dat het nergens op slaat, maar jullie kunnen rustig van me aannemen dat ze een vrouw is in de meest ware zin van het woord. En dat bedoel ik als een compliment. Oei, oei, oei, zo kom je als man nog met een mond vol tanden te staan... zelfs ik, en ik ben toch echt wel het een en ander gewend. Maar... goeiemorgen, Lorrraine.' Hij duwde de microfoon onder haar neus.

Lorraine legde haar hand over de zijne, streek haar haren naar achteren, boog zich ver over de microfoon heen en zei met hese stem: 'Goedemorgen, Ed Selwin.'

Ed slikte. 'Nou, daar kan niemand tegenop!'

'Och, dat weet ik niet,' zei Lorraine. Ze leunde naar achteren en sloeg haar benen over elkaar, glimlachte en bevochtigde haar lippen. Nu wist ik ineens waarom ik zenuwachtig was.

'Vertel eens, hoe lang ken je onze nieuwe stadgenoot... eh... Betty Nolan... al?'

'Ik ken jullie nieuwe stadgenoot Betta Nolan al...' Ze keek me aan, en zei toen: 'Vjfendertig jaar!'

'O, o, eh,' zei Ed. 'Nou, dan zie je er toch écht stukken jonger uit dan je bent!'

'Ja, dat weet ik,' zei ze, waarop Delores snoof en in de lach schoot.

'En hoe heb je Betta leren kennen?' vroeg Ed aan Lorraine.

'Tijdens onze studie. We waren flatgenoten. We hadden een kleine etage waar altijd ontzettend veel mensen over de vloer kwamen, en soms sliepen Betta en ik wel eens samen.'

Ed staarde haar lange seconden aan, en toen wendde hij zich tot mij.

'Mooi! Betta, zou je ons misschien kunnen vertellen wat voor werk je doet?'

Enorm opgelucht nam ik de microfoon van hem over. 'Ik heb kinderboeken geschreven, maar nu ben ik... Ik weet niet precies, ik sta op het punt waarop ik me afvraag of ik niet nog iets anders zou kunnen gaan doen.' Ik haalde diep adem, en voegde er toen aan toe: 'Misschien open ik hier wel een winkel. Voor vrouwen.'

'Volgens mij zijn álle winkels voor vrouwen!' zei Ed.

'Ja, maar dit zou een ander soort winkel moeten worden.'

'Een mens moet de kost verdienen, niet?' zei Ed. 'Echt werk is belangrijk.'

'Nou, schrijven is anders ook echt werk, hoor.'

'Ja, maar is het niet zo dat je vrijwel niets verdient met het schrijven van kinderboeken?' Hij keek Lorraine aan en gaf haar een knipoog.

'Ik mag niet klagen,' zei ik.

Ed keek me onderzoekend aan.

'Mijn boeken zijn uitgegeven,' verduidelijkte ik.

'O! Aha!' Hij boog zich naar Lorraine toe. 'Heb je dit ooit zien aankomen? Heeft Betta vroeger blijk gegeven van creatieve neigingen? Lorraine Keaton?' Hij trok veelzeggend zijn wenkbrauwen op, en deed dat toen nog eens, en nog eens.

'O, help,' zei Lorraine. Ze sloeg haar hand voor haar mond en deed alsof ze dat een hele moeilijke vraag vond waar ze eerst diep over na moest denken. Maar ik wist wat er in werkelijkheid gaande was. Ik wist dat ze haar best deed om niet te lachen. Delores, die haar hoofd op haar hand steunde, zat half te dutten.

Ik wierp een heimelijke blik op mijn horloge en slaakte een zuchtje.

Lorraine vloog pas om zeven uur die avond, maar we reden meteen door naar Chicago – we wilden zoveel mogelijk van het daglicht profiteren. Onderweg hadden we het – opnieuw – over Ed Selwin en zijn radioprogramma. 'Weet je,' zei Lorraine, 'wat ik het liefste zou doen met zo'n type als hij? Hem bij zijn magere nekvel grijpen en net zo lang tegen mijn borsten drukken tot hij gestikt is.'

'Ja, en ik geloof dat hij daar ook wel iets van gemerkt heeft.'

Uiteindelijk was Ed als presentator echter veel beter gebleken dan ik verwacht had. Hij stelde echt originele vragen over mijn schrijven. Meestal kreeg ik vragen in de trant van: 'Waar haal je je inspiratie vandaan?' of 'Heb je altijd al schrijfster willen worden?' of 'Hoe lang doe je over het schrijven van een boek?' of 'Waar gaat je boek over?' En dan was er een vraag die tegenwoordig steeds vaker werd gesteld: 'Is er nog iets waarvan je hoopte dat ik het zou vragen, maar wat niet aan de orde is gekomen?'

Nadat we het een poosje over schrijven hadden gehad, vroeg Ed ons of we iets konden vertellen over wat vriendschap voor ons betekende, en hoe het volgens ons kwam dat mensen zich tot elkaar aangetrokken voelden. Goed, hij was waarschijnlijk een wat vreemde en eenzame man die vanuit zijn eigen optiek vragen stelde, maar het uiteindelijke resultaat was een opmerkelijk verfrissend vraaggesprek. Wat hadden we met elkaar gemeen, wilde hij weten. En in welk opzicht verschilden we van elkaar? Wat vonden we leuk om te doen? Hoe kwetsbaar moest je jezelf opstellen om echt met iemand bevriend te kunnen zijn? Hoewel Ed dat niet met die woorden vroeg. Hij keek Lorraine voor de zoveelste keer doordringend aan en vroeg: 'Moet iemand bij jou eerst de wachters aan de poort verslaan om met de welwillende Trojaanse paarden naar binnen te kunnen?'

Na afloop van het gesprek hadden we allemaal het gevoel dat we elkaar op een oprechte en uiterst aangename manier hadden leren kennen. Op een gegeven moment suggereerde Lorraine dat we Lydia Samuels zouden moeten bellen en haar bij het programma moesten betrekken, en Ed was daar serieus op ingegaan om vervolgens te beseffen dat de tijd er bijna op zat.

'Dus je meent het echt met die winkel?' vroeg Lorraine.

'Och, ik weet niet,' zei ik. 'Ik moet er wel steeds aan denken. Maar wat zou ik met die flat erboven moeten doen? Ik had gedacht hem als kantoor- en opslagruimte te gebruiken, maar daar is hij echt te groot voor. En ik heb geen zin om te betalen voor iets waar ik niets mee doe.'

'Ik heb een idee,' zei Lorraine. 'Waarom maak je er geen ontmoetingscentrum voor vrouwen van? Richt het mooi in, je weet wel, een beetje duur en overdadig. Maak er een plek van waar vrouwen elkaar kunnen ontmoeten zonder dat het een hotel is. In een flat zouden ze samen kunnen koken, als ze daar behoefte aan hebben. Het is veel ongedwongener dan in een hotel. Er zouden boeken kunnen zijn, en films die vrouwen aanspreken.'

'Ja, maar zo veel valt hier niet te beleven.'

Ze keek me aan. 'Zijn we gisteren, afgezien van toen we zijn gaan eten, het huis uit gegaan?'

'Goed, ja, je hebt gelijk. Het is een idee.'

Lorraine was even stil, en toen zei ze: 'Een hele stelling vol haarproducten in de badkamers. Grote flessen.'

'Goede kaas, mooie wijn, behoorlijk brood in de keuken om hen mee te verwelkomen. Prachtig serviesgoed.'

'Kostuums.'

Ik lachte. 'Waarvoor?'

'Voor de lol,' antwoordde ze.

'Ik zal erover denken,' zei ik. 'Dat meen ik.'

'Daar! Daar! Dáár!' Lorraine was rechtop gaan zitten en wees op de afrit die we moesten hebben. Lorraine en ik stonden alle twee met recht bekend als wezens zonder ook maar enig gevoel voor richting. Eens waren we de stad uit gegaan voor een ritje, en ik zei: 'We moeten de afrit van Green Street hebben. Nog iets van anderhalve kilometer. Daar gaan we links.'

'Goed,' zei Lorraine, en ze nam de meest rechtse rijstrook.

'Lorraine!' zei ik. 'Línks!' Ze keek me aan. 'Wat doe je?' riep ik, en ik zwaaide met de routebeschrijving. 'Hier staat dat we bij Green Street linksaf moeten!'

'Je kunt op de snelweg niet links afslaan,' zei Lorraine. 'Jezus, je bent nog erger dan ik.'

Met John ging het ongeveer net zo. Wanneer we de weg kwijt waren vroeg hij altijd: 'Welke kant denk je dat we op moeten?' En als ik dan iets had gezegd, nam hij altijd de tegengestelde richting.

Nu reed ik van de snelweg Michigan Avenue op en nam zoveel mogelijk gas terug. 'Moet je zien. Ik wist niet dat Chicago zo mooi was, jij wel?'

Ze deed haar zonnebril af en boog zich naar voren om beter te kunnen zien. En we keken allebei zonder iets te zeggen naar het indrukwekkende meer en de verrassende architectuur op de andere oever – gebouw na gebouw na gebouw. 'De Universiteit van Chicago is hier,' zei Lorraine.

'Waar?'

'Nou, niet híer. In Hyde Park. Volgens mij is dat ten zuiden van hier.' Ze wist meer van de stad dan ik, maar ik voelde me als een kind op tweede kerstdag dat haar vriendinnetje haar cadeautjes toont. 'En wat zijn de straten schoon!' zei Lorraine.

'Ja,' zei ik, alsof ik daar iets mee te maken had.

We namen Michigan Avenue, dan Lake Shore Drive in noordelijke richting en weer naar het zuiden, en vervolgens reden we een poosje door het centrum. Toen we later weer op Michigan Avenue waren, riep Lorraine opeens: 'Het Art Institute!' Nog voor ze gezegd had dat ze erheen wilde, was ik al de ernaast gelegen parkeergarage in gereden. De beelden van de leeuwen die de ingang flankeerden hadden enorme kransen om hun nek, en de mensen die het museum binnengingen maakten een veel meer ontspannen en vriendelijke indruk dan het museumpubliek dat ik uit Boston gewend was. Een kleine vijfenzestig kilometer zuidelijker scheen de zon volop mijn mooie huis binnen. Het stond daar op mij te wachten met zijn mooie glas-in-loodraam, zijn parketvloeren, zijn brede vensterbanken en veranda en zijn wintertuin die talloze beloften inhield. Als een ouder die zich zorgen maakt over zijn afwezige kind, vroeg ik mij af hoe het met mijn huis ging terwijl ik er niet was.

Lorraine en ik besloten elk onze eigen weg te gaan. Ik slenterde door de zalen en lette niet zozeer op de tentoongestelde kunst als wel op het museum zelf. Er waren ochtenden waarop ik onder het lezen van de krant het liefste in snikken uitbarstte en van pure frustratie met mijn vuisten op tafel beukte. En op sommige van die ochtenden deed ik dat ook. Maar musea tonen een ander facet van de mens – zijn liefde voor waarheid en schoonheid.

Toen ik bij de ramen van Chagall kwam ging ik op een van de lange banken zitten om er aandachtig naar te kijken. Ineens herinnerde ik me dat *De ramen van Chagall* op een van de briefjes in de Chinese kast had gestaan. John en ik moesten er ooit iets van hebben gezien, en op een van die briefjes had hij me aangemoedigd om te doen wat ik nu deed: om voor de hoge blauwe ramen op een bankje te gaan zitten om ervan te genieten. De lucht om me heen was koel en stil en ik meende er ook een zekere geur in te bespeuren – een mengeling van steen en papier en nog iets anders wat op wierook leek maar dat niet helemaal was. Het voelde alsof ik in een spontaan ontstane kerk zat die authentieker was omdat hij niet het officiële stempel droeg.

Geruime tijd later keek ik op mijn horloge. Nog vijf minuten tot ik met Lorraine had afgesproken bij de ingang van de museumwinkel. Ik stond met spijt op, maar bedacht toen dat ik terug zou kunnen komen wanneer ik wilde. Ik zou niet eens hoeven rijden, en dat kwam me uiterst vreemd voor. Vrijwel tegelijkertijd besefte ik dat ik nog steeds niet helemaal aan mijn nieuwe leven hier gewend was – voor een deel bevond ik me nog steeds aan Johns zijde. Het was alsof ik met één oog naar de toekomst keek, maar het andere nog steeds op hem gericht hield alsof ik verwachtte dat hij alsnog van gedachten zou veranderen en terug zou komen.

Toen we het museum verlieten was de zon aan het ondergaan en alles was gehuld in een prachtig roze-gouden licht. Lorraine keek om zich heen en slaakte een voldane zucht. 'Ik weet niet goed hoe ik dit onder woorden moet brengen,' zei ze. 'Maar heb jij nooit het idee dat, wanneer je lange tijd naar kunst hebt gekeken en dan weer buiten staat, alles ineens kunst lijkt?'

'Ja,' zei ik. 'Ik weet precies wat je bedoelt.'

Op weg naar het vliegveld zeiden we weinig. Ik vermoedde dat we waren uitgepraat, en op zich zou me dat niets verbazen. Maar vlak voordat Lorraine uitstapte zei ze opeens: 'Kun je je de *Night of the Iguana* nog herinneren?'

'Ja.'

'Dat is precies wat we al die jaren geleden hebben gedaan. Daarom was dit zo gemakkelijk. Nou dan. Ik haat afscheid nemen, en dat doe ik dus ook niet. Bel me.' Ze stapte uit, en voor ze het portier dichtgooide draaide ze zich om en voegde er 'Snel!' aan toe.

Ik reed weg met mijn handen losjes op het stuur. Wat Lorraine bedoelde was een zinnetje uit een film waar we altijd met veel plezier naar hadden gekeken, en die ging over mensen die in elkaars hart nesten bouwden.

Toen ik thuiskwam flitste het lichtje van de telefoon. Twee boodschappen. De eerste was een man. Hij schraapte zijn keel en zei: 'Ja. Mijn naam is Tom Bartlett. Ik bel niet omdat ik u iets zou willen verkopen. U kent me niet, maar ik heb u vanochtend op de radio gehoord en eh... nou, u zei dat u kinderboeken schreef en ik vroeg me af of u, u weet wel, ook cursussen geeft of zo, of dat u...' Hij lachte. 'Ik geloof dat ik hier een beetje op de zaken vooruit begin te lopen. Misschien zou u mij willen bellen. Mijn nummer is 555-7501. Ik hoop dat u het niet vervelend vindt dat ik u heb gebeld. Ik heb uw nummer van Ed Selwin gekregen. Dank u.'

Ik luisterde de boodschap nog eens af en schreef het nummer op. Prettige stem. Diep en vloeiend. De tweede boodschap was van Susanna. 'O, hoe bestáát het!' begon ze, en ik ging zitten om naar de rest te luisteren. Lorraine had haar zojuist gebeld vanaf het vliegveld. Susanna kon het gewoon niet geloven, ze kon het gewoon niet gelóven, ze was vanavond thuis, de hele avond, en of ik haar alsjeblieft wilde bellen, het gaf niet hoe laat het was, ook al was het midden in de nacht, sterker nog, ze vond het juist prettig om midden in de nacht te worden opgebeld. Ik draaide haar nummer.

'Susanna?'

'Já!'

Ik glimlachte. 'Hoe is het met je?'

'Nou, dat kan ik jóu beter vragen. Och, lieverd, ik vind het zo erg voor je. Van je man. Dat hij dood is.'

'Ja.'

'Echt, ik vind het afschuwelijk voor je.'

'Dank je. Je hebt met Lorraine gesproken.'

'Ja, en ik ben zo blij dat we je hebben gevónden! Zo af en toen hebben we je gezocht, wist je dat? Jaren geleden zijn we met zijn allen naar Barcelona gegaan, en we hebben geprobeerd je te vinden omdat we zo graag wilden dat je ook mee zou gaan. Dat was toen we ergens in de dertig waren. Kinderen nog. Goeie god, en dat is intussen al ruim twíntig jaar geleden! Wanneer kunnen we elkaar zien?'

'Eh...' Opeens voelde ik me onzeker. Ik had ruimte nodig, moest aandacht besteden aan die innerlijke plek die ik de afgelopen dagen verwaarloosd had. Het was fijn geweest, een opluchting, om bewust afstand te nemen van de realiteit die me hiernaartoe had gevoerd. Maar op een vreemde manier miste ik mijn verdriet.

Maar toen zei Susanna: 'Er is geen haast. We wachten ermee. Maar zodra je denkt dat je het aankunt, komen we allemaal bij elkaar. Och, lieverd, dat lijkt me enig. Misschien heeft het wel met de leeftijd te maken, of anders met dit griezelige politieke klimaat, maar het lijkt steeds belangrijker te worden om tegen mensen te zeggen dat je van ze houdt, en dat het zo belangrijk is om contact te blijven houden. En jij was zo belangrijk voor ons. Wat pasten we niet geweldig bij elkaar. En wij drieën hebben het in de afgelopen jaren zo gezellig gehad. Heeft Lorraine je over de concerten verteld?'

'Nee.'

'Nou, we gaan minstens één keer per jaar samen naar een concert. We gaan naar alle concerten van de Stones – Mick lijkt wel een lijk, nog veel erger dan op de foto's. We zijn naar

Leonard Cohen geweest van wie we stuk voor stuk depressief zijn geworden, en naar Joni – wat kan die tegenwoordig toch geweldig jazz zingen, vind je ook niet? En zo óud als ze is geworden – maar vond je het niet geweldig wat ze zei over dat geluk de beste facelift is? Een vrouw naar mijn hart. Wat een prachtige, wijze woorden. Al is het natuurlijk niet waar. Nou ja, we zijn intussen allemaal stokoud, behalve Lorraine dan natuurlijk, die er alleen maar mooier op lijkt te worden met haar tweewekelijkse bezoekjes aan de plastisch chirurg. Ik denk dat we met ons volgende uitstapje naar dat kuuroord voor artrose zullen gaan – heb jij daar ook al last van? Van artrose? Ik wel, vooral in mijn vingers, 's ochtends vroeg! Dat spul dat je bij de drogist kunt krijgen, chondroïtine, helpt wel. En het is natuurlijk. O god, moet je mij nou toch horen. Wie had ooit gedacht dat we het over dat soort dingen zouden hebben. Maar echt, Maddy en ik worden tegenwoordig helemaal in beslag genomen door alles wat met gezondheid te maken heeft. Je weet wel, pijn op de borst, geheugenverlies. Maddie belde laatst en zei: "Nou, vandaag is het niet alleen alzheimer, maar ik zit bovendien ónder de uitzaaiingen. Hooguit zes maanden.'" Ze schoot in de lach, hield daar opeens mee op en zei toen: 'O, Betta. Neem me niet kwalijk. Ik bedoelde alleen maar – '

'Ik weet wat je bedoelde. Voor John ziek werd deden wij dat ook. Ik weet nog hoe hij eens... nou ja. Wij deden dat ook.' Ik zuchtte zacht en dacht aan die keer dat John, op een moedervlek op zijn borst wijzend, uit de badkamer was gekomen en zei: 'Ik ben zo terug. Ik ga snel even naar de notaris om mijn testament te maken.' Waarop ik hem gevraagd had: 'Wil je een open kist, of gesloten?'

'Ik geloof dat ik een beetje zenuwachtig ben,' zei Susanna. 'Daarom ratel ik zo.'

'Dat geeft niet.'

Er viel een onhandige stilte en ik zei: 'We vinden wel een

moment om allemaal bij elkaar te komen, Suse. Ik bel je. Ik bel jullie allemaal en dan spreken we wat af.'

'Mooi. Heeft Lorraine je Maddy's nummer gegeven?'

'Nee.'

'Typisch Lorraine. Zij gaat voorop, en alle anderen komen achteraan. Als ik niet zoveel van haar zou houden, zou ik... evenveel van haar houden. Hier heb je het nummer.'

Nadat ik had opgehangen ging ik naar de keuken en bleef een poosje heel stil zitten. Ik vroeg me af of ik Maddy zou bellen. Niet nu. Toen vroeg ik me af of ik de man van die boodschap terug zou bellen, maar besloot dat nu ook niet te doen. Buiten was het gaan sneeuwen – kleine vlokjes waardoor het leek alsof er zout over de aarde werd gestrooid. Morgen zou ik een nieuwe schep moeten kopen – die welke John altijd gebruikt had was te zwaar voor mij. Hij hield van zware lichamelijke arbeid, en zei dat het een welkome afwisseling was voor al dat denkwerk dat hij gewoonlijk moest doen. Ik las graag een goed boek terwijl hij aan het sneeuwruimen was. Zo af en toe keek ik dan naar buiten om te zien hoe hij was opgeschoten. Dat was mijn bijdrage. Maar ik had het ook goedgemaakt, bijvoorbeeld, door hem het avondeten op een dienblad te brengen wanneer hij naar een belangrijke wedstrijd van de Sox zat te kijken. En door zijn knopen voor hem aan te naaien. En door dingen voor hem te vinden waarvan hij beweerde dat ze weg waren, terwijl ze vlak voor zijn neus lagen. Ik wist niet zeker of Lorraine en andere vrouwen zoals zij – vrouwen die wanhopig naar het huwelijk snakten maar die vreesden nooit de ware te zullen kunnen vinden – ooit wel zouden kunnen begrijpen dat het vooral dit soort kleine momenten waren, dit soort momenten van iets voor de ander te kunnen doen, die een relatie hechter maakten. De manier waarop je je slapende partner toedekte, of iets te snoepen voor jezelf klaarmaakte terwijl je ervoor zorgde dat er voldoende was voor twee. Dergelijke momenten zorgden voor het ontstaan van een team, een hechte eenheid waarop je altijd terug kon vallen.

Ik nam een lang, warm bad, sloeg het bed open, spoot er lavendelwater op, schudde mijn kussens op en zette Erik Satie's cd *After the Rain* op. Toen ging ik op de rand van mijn bed zitten en vroeg me af in hoeverre hetgeen ik doen wilde, verstandig was. Ten slotte haalde ik het pakje met foto's uit de la van mijn nachtkastje en nam de bovenste van het stapeltje.

Tot mijn teleurstelling was het geen foto van John, maar was het een foto die door John was genomen – bij het zien ervan keerde mijn herinnering meteen terug naar die heerlijke voorjaarsmiddag die we in dat stadje in Frankrijk hadden doorgebracht. Kort na het verlaten van het hotel was mijn rug pijn gaan doen van het dragen van mijn veel te volle tas. John had hem van mij overgenomen en het hengsel over zijn schouder gehesen. Hij stoorde zich niet aan het bloemmotief – hij was man genoeg om daarboven te staan. En hij deed het natuurlijk zonder een woord te zeggen, ondanks het feit dat hij me ervoor gewaarschuwd had dat ik veel te veel bij me had. We gebruikten een lunch van vis en sla en kleine rode aardappeltjes met boter en peterselie. Zalig. Die avond, voordat we gingen slapen, hadden we de radio op een klassieke zender afgestemd, de geblindeerde deuren naar het balkon van onze hotelkamer opengedaan, en waren we op bed gaan liggen om naar de sterrenhemel te kijken. We hadden het erover gehad hoe, wanneer je in een ander land was, de sterrenhemel ook veranderd leek. Ja, daar had je de Grote Beer, maar het was de Franse Grote Beer. *Le Beer Français*, had John hem genoemd. En nog iets – een andere herinneringsflits: ik herinnerde me hoe ik naakt voor de minibar had gestaan om naar iets van chocola voor het slapengaan te zoeken, en er triomfantelijk een snoepreep uit had gehaald. '*Sneekairs!*' had John geroepen.

Maar die middag had John een foto genomen van twee mannen die zij aan zij voor de reling van een stenen brug stonden. Ze droegen alle twee een bruine broek, een wollen trui, een regenjack en platte hoed met smalle rand. De ene stond met zijn handen voor zijn buik in elkaar geslagen, de andere had een hand op de leuning liggen, terwijl hij met de andere een rode, hartvormige ballon aan een kort touwtje vasthield. Ze waren, schatte ik, midden zestig, en niet bepaald aantrekkelijk. Maar ze stonden daar met die hartvormige ballon, en volgens mij waren ze op zoek naar liefde.

Wat, zo vroeg ik me af, zou ik doen wanneer ik het gevoel had dat ik aan een nieuwe liefde toe was? Zou ik met mijn eigen rode ballon ergens buiten gaan staan? Zou ik op zoek gaan naar een *date* – wat een absurd woord voor iemand van mijn leeftijd – en me door dat martelende proces worstelen van elkaar beter leren kennen? Alleen al de gedachte maakte me doodmoe: *ik ben daar en daar geboren, ik heb geen broers of zussen, ik heb gewerkt als, ik heb gestemd op,* enzovoort, enzovoort, enzovoort. Een vriendin van me, Peggy, die onlangs was gescheiden, had me verteld over een relatiebureau voor beter gesitueerden. Ze had opgebeld en gevraagd naar de werkwijze van dat bureau, en de vrouw die had opgenomen had haar op vrolijke toon laten weten dat hun systeem altijd succesvol was. Nadat je duizend (!) dollar had betaald, zette het bureau je biografie en je foto in een boek, en maakten ze een korte video van je. De mannen kozen de vrouw uit die ze wilden ontmoeten, en de vrouwen zeiden welke man hun interesseerde. Je kon elkaar alleen maar ontmoeten als je elkaar had gekozen. En verder had de vrouw tegen Peggy gezegd: 'Mooi! En nu ik je dat allemaal heb verteld, stel ik voor om het over jou te hebben. Hoe oud ben je?' 'Vijftig,' had Peggy geantwoord, en toen was het stil geworden aan de andere kant van de lijn. Even later nam de vrouw opnieuw het woord en zei: 'Nou, de eerlijkheid gebiedt me je te vertellen dat de meeste van onze cliënten in de dertig zijn. Maar er bellen dagelijks nieuwe mensen, net als jij zelf hebt gedaan!'

Peggy had opgehangen, een poosje naar buiten gestaard, was naar de bibliotheek gegaan waar ze een hele vracht romans had ingeslagen, én een boek voor klusjes in huis. 'Uiteindelijk ben ik in mijn eentje veel beter af,' had ze gezegd. 'Kun je je voorstellen hoe onwaardig het moet zijn om het op deze leeftijd nog met iemand úit te moeten maken?'

Zelf wist ik dat het niet helemaal hopeloos was. Er waren genoeg mensen die op oudere leeftijd nog verliefd werden. Het enige wat ik me niet goed kon voorstellen, was dat ik ooit met iemand anders zou slapen. Toch zou ik het heel naar vinden als die kant van mijn leven voorgoed voorbij was. Het was al erg genoeg dat ik geen kinderen had. Stel dat ik nooit meer een sekspartner zou hebben? John en ik hadden elkaar nog maar pas ontmoet, toen hij tegen me zei: 'Betta, je bent een warmbloedige vrouw.' En toen had ik gezegd. 'Ja, en we boffen, warmbloedige man die je bent.' Stel dat ik dergelijk genot nooit meer zou mogen beleven?

Maar misschien was het wel niet zo verschrikkelijk. Het was niet ondenkbaar dat ik er gewoon aan zou wennen. Er waren genoeg andere dingen die mijn leven kleur en smaak konden geven. Reizen, bijvoorbeeld. John en ik waren nooit in Griekenland geweest. Of China. Of Afrika. Of Alaska. Ik pakte pen en papier uit de la – het was waarschijnlijk een goed idee om een lijstje te maken van dingen die ik zou kunnen doen, zodat ik ze, wanneer ik ze gedaan had, af zou kunnen kruisen. Dat leek me een uitstekende manier om op de toekomst gericht te blijven, en het was vast nog een doeltreffend middel tegen de paniekaanvallen ook. Het zou me, op momenten van wanhoop, goeddoen om een lijst met toekomstplannen te hebben.

Ik leunde in de kussens, legde de blocnote op mijn knieën en tikte met de pen tegen mijn tanden terwijl ik nadacht. En nog meer nadacht. Uiteindelijk legde ik pen en papier weer weg. De dingen waar ik in deze tijd troost uit putte, waren te klein om op te schrijven. Frambozen met slagroom. Een musje dat zijn kopje schuin hield. Het schaduwspel van kale takken op de stoep. Rozen die over hun hoogtepunt heen waren, en waarvan de blaadjes heel los waren gaan zitten. Het roepen van buiten spelende kinderen, een oude film van Ginger Rogers op de televisie. Maar reizen? Nee. Niet zonder John. Voorlopig zou ik het met frambozen en met slagroom moeten doen. En met boeken op het nachtkastje. Het versleten flanel van mijn favoriete pyjama. Al het andere was nog te groot. Ik herinnerde me woorden die ik had gezien op een pagina van een weduwensteungroep op internet – er was geen duidelijk vast schema, stond er, iedereen had zijn eigen behoeften en zijn eigen methode. Er was een vrouw die had geschreven dat ze drie weken na de dood van haar man vrijwel geen verdriet meer had, en ze vroeg zich af of ze abnormaal was. Een ander die schreef dat ze drie jaar later nog steeds verlamd was van verdriet.

Ik deed het licht uit, liet me op mijn rug tussen de lakens zakken en sloot mijn ogen. Het was zondagavond, het moment van de week waarop John zich altijd melancholiek voelde. Voor zover je zijn melancholie melancholie kon noemen. Mensen die hem niet goed kenden merkten niets aan hem, maar ik zag het wel. Het manifesteerde zich als een soort verstrooidheid – hij was met zijn gedachten bij de patiënten die hij de volgende dag op het spreekuur zou krijgen. Nog voor het weekend om was moest hij er al afscheid van nemen, en dat stemde hem altijd een beetje verdrietig. Hij hield zijn handen veel langer in zijn zakken dan anders, en hij liet zijn hoofd ook meer hangen. Hij glimlachte zonder zijn lippen vaneen te doen, en wanneer hij me op dat soort dagen omhelsde dan maakte hij daarbij een lichte, schommelende beweging naar opzij die hij anders niet maakte, een beweging die bedoeld was om ons beiden troost te schenken. Het was afgelopen met het zondagse heerlijke luieren met de krant op bed, met het dienblad vol zelfgebakken scones en koffie die we voor de televisie nuttigden terwijl we naar politieke praatprogramma's zaten te kijken – de gasten met kale hoofden, zwetend en met een zwaar brilmontuur op de neus.

Op zondagavond gingen we altijd uit eten, altijd sushi, en hij bracht altijd een dronk uit op wat hij onze eeuwigdurende wittebroodsweken noemde. Wat een lieve romanticus was hij toch. Zijn aantekeningen op stukjes papier die hij op de keukentafel liet liggen. En zoals hij mijn rug waste wanneer ik in bad zat en me na afloop een zoen op mijn voorhoofd gaf en zei: 'En daarvan heb ik meer in voorraad. Kom eruit, dan droog ik je af.' Een halssnoer bij wijze van verrassing onder het kussen, zijn warme hand die zich over de mijne sloot wanneer we samen naar de film gingen. We waren al zo lang getrouwd, maar nog steeds raakte ik opgewonden van de manier waarop hij mijn haar uit mijn gezicht streek. En hij bracht altijd bloemen voor me mee, soms enorme boeketten van die dure winkel in Boylston Street die ik dan over meerdere vazen verdeelde, maar soms ook een pioenroos die hij in de tuin had geplukt en die hij me dan met een enorme flair overhandigde – een buiging, een weidse zwaai van zijn pianistenhand, en een handkus. 'Mevrouw,' zei hij dan. En dan zei ik: 'O, hou toch op,' hoewel ik in werkelijkheid hoopte dat hij dat zijn leven lang zou blijven doen. En dat deed hij ook. Ik realiseerde me dat mijn idee om de winkel te openen er mogelijk mee te maken had dat ik andere vrouwen wilde geven wat John mij had gegeven.

Even speelde ik met de gedachte de rest van de foto's te bekijken, maar ik besloot het niet te doen. Het wachten schiep hoop. En hoewel ik nog geen foto van John was tegengekomen, had ik wel herinneringen gevonden waar ik van genoot. En hoe langer ik daarvan kon genieten, hoe beter.

Ik deed het licht weer aan en ging naar beneden, naar de Chinese kast. Misschien zou ik daar iets vinden. Een bijna volle maan scheen de kamer in, en in dat melkwitte schijnsel trok ik de la open met het idee dat ik in dat magische moment iets zou vinden waar ik wat aan zou hebben en waardoor ik zijn nabijheid zou kunnen voelen. Ik haalde er een papiertje uit. *Amber*. Ik dacht diep na, maar er wilde me niets te binnen schieten. Bedoelde hij de kleur? Barnsteen? Was het de titel van een schilderij, van een lied, was het iemands naam, of een dorp of een plaatsje waar we ooit eens waren geweest? Ik wist het werkelijk niet. Ik pakte nog een papiertje. *Alleen de dooier*. Alleen de dooier? Wat bedoelde hij dáár nu weer mee? Wat – het feit dat ik meer van de dooier dan van eiwit hield? Had dooier soms nog een heel andere betekenis? Of was het een grap? Of had hij gooier bedoeld? Dat zei me al evenmin iets. Ik probeerde het met een derde briefje. *Pepermolen*. O, John. O, Betta. Zoals ze in haar nachtjapon in haar woonkamer stond, met haar hand in de la van de Chinese kast, in de hoop daar haar man te vinden.

Ik nam het laatste briefje mee naar boven en legde het naast me op het kussen. Ik kon er net zo min iets mee beginnen als met de andere die ik vanavond had bekeken. Maar het was de inkt van zijn zwarte vulpen op dat stukje papier, en hij had het geschreven toen het warme bloed nog door zijn hand had gestroomd, toen hij de beelden uit zijn omgeving nog op zijn netvlies had waargenomen, toen hij nog zuurstof in- en stikstof uitgeademd had, toen hij nog leefde.

Opnieuw deed ik het licht uit. Satie's dwalende en melancholieke klanken vulden de kamer, en ik gaf mezelf over aan de muziek, net zoals ik jaren eerder had gedaan. Helemaal alleen, zonder iemand die mijn plezier kon bederven, en zonder dat ik bang hoefde te zijn dat iemand last had van het volume. Daar viel wat voor te zeggen. Ik mocht Satie zowel om zijn muziek als om zijn charmante excentrieke gedrag. Zoals het feit dat hij, in zijn studio, twee piano's op elkaar had staan. En dat hij paraplu's verzamelde, en dat hij in één keer twaalf dezelfde grijze fluwelen kostuums had gekocht. De bizarre aanwijzingen op zijn partituren: 'Licht als een ei.' 'Hier komt de lantaarn.' En eentje die op dit moment wel bijzonder toepasselijk leek: 'Zoek dat zelf maar uit.'

In de achtste klas had ik een juf gehad waar ik bijzonder dol op was geweest. Ze was een beeldschone, roekeloze blondine met enorme ringen in haar oren die altijd veel te luid lachte. Ze wist ons allemaal enthousiast voor kunst te maken omdat we er – begrijpelijk maar ten onrechte – van uitgingen dat, als we van kunst zouden houden, we net zo zouden worden als zij. Op een keer, toen ik iets probeerde te tekenen, kwam ze bij me staan om me te helpen. Ze legde haar hand op de mijne, en samen maakten we iets moois. Toen zei ze: 'Zo, en nu maak jij het af.' Maar het lukte me niet om dat waar we samen aan waren begonnen, te voltooien – ik kon het niet. In plaats daarvan tekende ik ten slotte iets heel anders. 'Och lieve help,' zei ze, bij het zien van de uiteindelijke tekening. 'Je hebt iets anders gemaakt. Prachtig!' Maar ik was teleurgesteld. Ik wist dat als haar hand op de mijne was blijven liggen, we samen iets gecreëerd zouden hebben dat we onmogelijk alleen zouden kunnen maken. En dat het stukken beter zou zijn geweest dan wat ik alleen tot stand had gebracht. Maar ik had geen keus. Het was nog veertig minuten te gaan tot de bel. En ik moest iets doen in die tijd.

Ik ging op mijn zij liggen, slaakte een diepe zucht en trok de dekens wat hoger op. Het bleef altijd even koud in deze kamer, hoewel de rest van het huis heerlijk warm was. Terwijl ik mijn kussen opnieuw in het juiste model drukte, streek ik met mijn vingers langs mijn lippen, die er heerlijk van begonnen te tintelen. Een knagend verlangen naar het simpele genot van een aanraking, en de wanhoop die het gevolg was van het uitblijven daarvan. Morgen zou ik de man van die ingesproken boodschap terugbellen. Misschien was hij wel iemand die ik graag beter zou willen leren kennen. Ik slikte bij de gedachte aan wat er allemaal zou kunnen gebeuren, en besloot dat een nadere kennismaking voor mij was uitgesloten.

De volgende ochtend keek ik naar buiten, knipperde met mijn ogen tegen het schelle licht en kreunde. Het sneeuwde – grote vlokken die eruitzagen als schilfers ijs. De schoonheid ervan raakte me niet. Wat me trof, was dat er al een laag van meerdere centimeters lag. Ik voelde me niet in staat de sneeuw te ruimen. Eigenlijk voelde ik me zo goed als nergens toe in staat. Ik had die nacht opnieuw de meest afschuwelijke nachtmerries gehad, en toen ik er deze keer wakker van was geschrokken had ik een zachte, dreigende mannenstem gehoord die vanuit een hoek van de kamer leek te komen. Ik ging doodsbang recht overeind zitten, maar toen ik het licht aandeed was er natuurlijk niets te zien. Weer inslapen was er echter niet bij.

Ik haalde Matthews nummer uit mijn tas en draaide het. Ik wilde hem vragen of hij sneeuw voor me wilde ruimen, en verder of hij bereid was me zijn kamer te verhuren opdat ik daar zou kunnen slapen 's nachts. De telefoon ging meerdere keren over, en toen kreeg ik zijn hoopvol klinkende voicemail. Ik vermoedde dat hij goede hoop had dat zijn vriendin zou inzien dat ze zich vergist had. Het leek me beter om geen boodschap in te spreken, want wie wist wanneer hij terug zou bellen? Ik moest de veranda, het tuinpad en de stoep zo snel mogelijk sneeuwvrij hebben. Ik zou vlug ontbijten en dan naar de ijzerhandel gaan om daar de breedste en lichtste sneeuwschuiver te kopen die er te krijgen was.

In de winkel nam ik de tijd. Er ging iets troostends van uit om tussen schappen door te slenteren waarop van alles te koop werd aangeboden om mee te repareren, te herstellen of weer op te bouwen. In de zaak rook het naar koffie die in het kantoortje erachter werd gebrouwen, en bij de kassa stonden twee mannen in overalls vol verfspetters met elkaar te praten en te lachen terwijl er kopieën van hun sleutels werden gemaakt. Ik keek naar de plastic bakken vol spijkers en schroeven en leertjes en scharnieren, de enorme hoeveelheid verschillende lampen van halogeen tot en met rozegetint, en liep toen door naar de huishoudelijke afdeling om de eenvoudige potten en pannen, de blauw-wit gespikkelde koffiepercolator, en de reusachtige verpakkingen allesreiniger te bekijken. Als een chique modezaak een zingende zeemeermin was, dan was een ijzerwinkel je handige Ome Kees die je, in zijn overall en met een hamer in zijn hand, vroeg wat er gebeuren moest. Toen ik genoeg van de verschillende boren, tangen, sleutels en vijlen had gezien, en nog ontelbaar veel ander gereedschap waarvan ik werkelijk niet zou weten wat ik ermee zou moeten doen, koos ik een plastic sneeuwschuif die, naar ik hoopte, licht genoeg was om hem naar huis te kunnen dragen, en zwaar genoeg om de sneeuw ermee van zijn plek te krijgen.

Uiteindelijk was ik een uur bezig met het sneeuwvrij maken van de veranda en de stoep. De sneeuw was zwaar en ik moest het twee keer doen omdat er, toen ik de eerste keer klaar was, intussen alweer bijna twee centimeter was gevallen. Ik keek op naar de nog steeds loodgrijze hemel en naar de schijnbaar steeds sneller neerdwarrelende vlokken. Het zou geen slecht idee zijn, dacht ik, om ook wat extra levensmiddelen in te slaan. Ik zette de schuif tegen de veranda en haastte me terug, de stad weer in. Ik zou de krant moeten lezen, of naar de radio moeten luisteren – wat stond ons voor weer te wachten?

Erg gunstig konden de voorspellingen niet zijn, want voor de kassa van de supermarkt stonden lange rijen. Mensen sloegen wc-papier in, melk, brood, eieren, blikken soep en pakken pasta. Ik zag ook mensen met een kalkoen in hun wagentje. 'Wordt er heel slecht weer voorspeld?' vroeg ik aan de caissière. Ze rolde met haar ogen. 'Dat valt reuze mee. Ze hoeven maar een centimeter sneeuw te voorspellen, en de mensen beginnen meteen als gekken te hamsteren. Echt, het is elke herfst weer hetzelfde. Maar als ze over een paar maanden een meter voorspellen maakt niemand zich er nog druk om.'

Ik keek naar alle volle wagentjes, en toen naar mijn eigen mandje. 'Misschien zou ik wat meer moeten kopen.'

'Moet u ver rijden om hier te komen?'

Ik schoot in de lach. 'Ik kan het lopen.'

De vrouw lachte ook. Ze had een aardig gezicht, en bruine krullen met hier en daar een beetje grijs. Een open glimlach. Ze droeg een aantal spelden op haar schort – de meeste hadden een grappige boodschap, maar eentje was groter dan de rest, en er stond een foto van twee jonge kinderen op, met daaronder de woorden: *Doe me een plezier, en vraag me naar mijn kleinkinderen.*

'Dit is de gebruikelijke massahysterie,' zei ze. 'Mensen die elkaar bang maken.' Ze keek op haar horloge. 'Mooi zo. Mijn tijd zit erop.' Ze zette het bordje met GESLOTEN achter mijn boodschappen en verontschuldigde zich bij de woedende klant die op zoek moest naar een andere kassa. Toen ze met mij had afgerekend, trok ze haar schort uit en zei: 'Ik denk dat ik maar naar huis ga, met mijn man onder de dekens kruip, en in plaats van avondeten te koken met een bak popcorn naar een film ga kijken.'

'Mijn idee,' zei ik, terwijl ik aandachtig en voorzichtig de citroenen als laatste in mijn boodschappentas legde. Ik wilde niet naar haar gezicht kijken om te moeten zien hoe gelukkig ze was. Ik gunde haar haar simpele genot. Op weg naar huis dacht ik aan de laatste sneeuwstorm die John en ik samen hadden meegemaakt. Het was een onverwachte noordooster storm geweest die voor een halve meter sneeuw had gezorgd. Bij het horen van het weerbericht belde ik John op zijn werk en vroeg hem te komen, maar uiteindelijk stapte hij pas twee uur later in de auto. Tegen die tijd was het verkeer één chaos met talloze ongelukken en aanrijdingen. Alles bij elkaar duurde het drie uur voor hij thuis was. In het begin belde ik hem om de twintig minuten om me ervan te verzekeren dat alles goed met hem was. Uiteindelijk zei hij dat ik moest ophouden met steeds maar te bellen en dat ik hem wel zou zien wanneer hij thuiskwam. Zijn woorden maakten me woedend – de verkeersberichten waren echt verschrikkelijk, en ik dacht dat ik me, door hem regelmatig te bellen, ervan kon verzekeren dat hij ongedeerd thuis zou komen. Toen hij met een laag sneeuw in zijn haar en op zijn schouders – alleen al van die paar meter van de auto naar de deur – binnenkwam, voelde ik me week van opluchting, maar negeerde hem tot de volgende ochtend. Ik wilde hem straffen voor het feit dat hij zo koel gereageerd had terwijl ik alleen maar bezorgd was geweest. Ik had met hem onder de dekens moeten kruipen en een film moeten kijken. En in plaats van te koken, had ik een bak popcorn moeten maken. Ik had de duurste fles champagne die we in huis hadden moeten ontkurken, en John om de hals moeten vliegen. Ik kon alleen maar hopen dat we ons niet alle gemiste kansen in het leven hoefden te herinneren.

Thuis wreef ik de binnenzijde van de kip in met een van knoflook en zout gemaakte pasta, en vulde de holte vervolgens met citroenen waarbij ik gaten in de schil had geprikt.

Ik legde de kip in de braadslee, schikte er in vieren gesneden, rode aardappelen omheen, besprenkelde ze met olijfolie, rozemarijn, en royaal zout en peper en schoof het geheel in de oven. Vervolgens ging ik weer naar buiten om nog wat sneeuw te ruimen, en toen ik opnieuw binnenkwam rook het heerlijk in huis. Uitgeput, met brandende spieren, ging ik met mijn kookboek van recepten uit het Midden-Oosten, in de woonkamer op de bank zitten. Dat deed ik graag: recepten lezen wanneer ik iets aan het koken was dat lekker rook. Ik genoot, en was dankbaar dat ik van dit moment kon genieten. Ik deed het licht aan tegen de toenemende duisternis, ging languit liggen en begon met de dankbetuigingen.

'Afgezien van jou ken ik niemand die kookboeken echt léést,' had John ooit eens tegen me gezegd. Op dat moment had ik diep weggedoken gezeten in *Beat This!*, mijn lievelingskookboek dat ik, in alle eerlijkheid, al eerder van de eerste tot en met de laatste letter had doorgelezen. 'Er zijn een heleboel mensen die kookboeken lezen,' had ik geïrriteerd geantwoord – ik zat midden in een spannend recept en wilde niet onderbroken worden. Hij had willen weten waarom. Ik had nadrukkelijk naar zíjn boek – iets over de noordpool – gekeken en gevraagd: 'En waarom lees jij dat?' 'Voor mijn plezier,' had hij geantwoord. 'Bij wijze van ontspanning. Om iets op te steken. Omdat ik het spannend vind.' Ik had mijn kookboek omhooggehouden en mijn wenkbrauwen opgetrokken. 'Goed,' had hij toen gezegd.

Maar het was meer dan dat. Het was alleen moeilijk onder woorden te brengen. Hoe doen dichters dat, zichtbaar maken wat ze om zich heen waarnemen, en van een doodnormale gebeurtenis de essentie eruit lichten? Hoe komt het, dat je, wanneer je een gedicht over een peer leest, je veel meer ziet dan de vrucht alleen? Er zijn omstandigheden waaronder voedsel veel meer is dan alleen maar voedsel. Jane Hirshfield schreef een gedicht over een dubbele boterham met provolone, dat ze de titel 'Pillow' – hoofdkussen – heeft meegegeven. Dit alles geldt voor voedsel, maar het geldt net zo goed voor duizenden aspecten uit het dagelijks leven. We zijn alleen meestal niet in staat om door de dingen heen te kijken, omdat daar doorgaans geen tijd voor is en we al genoeg aan ons hoofd hebben. Maar gelukkig hebben we dichters die dit voor ons doen. Dichters, en de dood. Vroeger vond ik kookboeken boeiend en troostend. Nu vormden ze het bewijs van mijn eigen soort geloof.

In de inleiding van dit boek werd verteld hoe de schrijfster, onder het koken, de stem hoorde van degene die haar het recept had gegeven dat ze op dat moment aan het bereiden was. Dat kon ik me helemaal voorstellen. Telkens wanneer ik mijn oma's pistachecake bakte, hoorde ik haar al wat onvaste, maar nog steeds autoritaire stem. Ik zag haar ook aan mijn moeders keukentafel zitten, haar nog altijd prachtige dikke haren in een Franse vlecht, haar lichtblauwe ogen doordringend en intelligent. In dergelijke visioenen droeg ze een gebloemd jasschort waarvan ze de kraag – uit kuisheid – tot boven aan toe met veiligheidsspelden had dichtgedaan, terwijl ze wel altijd met haar benen wijd uit elkaar zat. Ik zag hoe haar nylonkousen zich plooiden bij de knieën en haar bruine, ribfluwelen sloffen waarvan de hakken ernstig versleten waren – maar je moest niet proberen haar een nieuw paar te geven!

Ik bekeek de lijst met recepten. Gehaktballen met auberginesaus. Flapjes van filodeeg met een vulling van spinazie en kaas. Zoete couscous. Met room gevulde abrikozen. Ik keek naar de foto's van blauwe borden met rode, gevulde tomaten erop, van bruine aardewerken kommen met een dikke soep van ei en citroen, en van een grote schaal waarop een hele vis lag te zwemmen in een saus van saffraan, gember en tomaat. Net toen ik hoofdpijn begon te krijgen van de honger, liep de kookwekker af en ging ik naar de keuken om voor mezelf een bord op te scheppen.

Het sneeuwde nog steeds. Ik ging dichter voor het raam staan om naar de inmiddels traag vallende vlokken te kijken. Wat een tegenstelling – hun delicate vorm en de enorme schade die ze konden aanrichten. Ik zag Benny die met twee vriendjes in zijn achtertuin een sneeuwballengevecht hield. 'Je bent morsdood!' hoorde ik een van de vriendjes roepen. Ik trok mijn vest wat strakker om me heen en liep bij het raam vandaan.

Alles bij elkaar had ik vijf minuten nodig om mijn bord leeg te eten. En nog eens een minuut voor de afwas. Ik ging met mijn armen over elkaar geslagen tegen het aanrecht staan en vroeg ik me af wat ik nu zou doen. Ik kon de man van die ingesproken boodschap bellen, maar zag ertegenop om met een onbekend iemand te moeten praten die mogelijk iets van me wilde wat ik op dit moment niet op kon brengen. Of ik kon naar bed gaan, maar dat betekende waarschijnlijk weer een nachtmerrie.

Uiteindelijk besloot ik Matthew nog maar eens te proberen. En behalve dat ik hem zou vragen of hij, met ingang van heden, voor de rest van de winter mijn stoep sneeuwvrij wilde houden, zou ik hem zeggen dat hij mijn slaapkamer in kalmerend zacht blauw kon komen schilderen. Misschien hielp dat wel. Ik draaide zijn nummer, en deze keer werd er vrijwel meteen opgenomen.

'Ja?' Het was een mannenstem met een ongeduldig ondertoontje.

'Matthew?'

'Nee.'

'Is hij daar?'

'Ja, hij is hier.'

'Zou ik hem dan misschien kunnen spreken?' *Jezus.*

Het geluid van iemand die opstond. En toen: 'Matthew! Telefoon!' Een accent. Spaans?

Een antwoord in de verte, en toen de man die zei: 'Ja, dat weet ik, maar niet zij. Er is een andere vrouw aan de lijn!' Even was het stil, en toen: 'Hoe moet ik dat nu weten? Ik ben je receptie niet.'

'Maak je niet meteen zo druk, Jovani,' hoorde ik, en toen: 'Ja, hallo?'

'Hoi!' zei ik. 'Je spreekt met Betta Nolan. Van de Cuppa Java.'

'O! Ja!'

'Bel ik ongelegen?'

'Nee, nee, helemaal niet. Jovani is alleen... Niks aan de hand.'

'Ik vroeg me af of je een paar klussen voor me zou willen doen. Sneeuwruimen? Gedurende de wintermaanden?'

'Ja, hoor.'

'En dan nog een klus. Schilderen. Eén kamer maar.'

'Dat is best.'

'Heb je ervaring met schilderen?'

'Wat dacht je!'

'Mooi. Wanneer denk je dat je die kamer zou kunnen doen?'

'Dat hangt ervanaf hoe groot hij is. Hoe snel wil je het gedaan hebben?'

'Zo snel mogelijk.'

'Waar woon je? Als je wilt kom ik vanavond even langs om te kijken hoeveel verf je nodig hebt.'

'Vanavond?' Ik keek naar buiten. Het sneeuwde nog steeds.

'Ja,' antwoordde Matthew. 'Het zou goed zijn als ik vanavond even zou kunnen komen kijken.'

'Maar ligt er niet ontzettend veel sneeuw?'

'Dat valt wel mee. De sneeuwschuiver is langs geweest. En bovendien, je woont toch vlakbij, niet?'

Ik gaf hem mijn adres en hij zei: 'Goed. Over hooguit een kwartier ben ik bij je.'

Het zal een reflex zijn geweest dat ik in de spiegel keek en lippenstift opdeed. Ik vroeg me af hoe lang die reflex nog zou blijven. Ik heb ooit eens een oud vrouwtje bij een bushalte zien staan dat zó zwaar was opgemaakt dat ze er letterlijk uitzag als een clown – haar wenkbrauwen waren twee rechte, zwarte strepen, en de blusher twee vurige cirkels op haar wangen. Ik zei tegen John: 'Als mijn make-up er ooit zo uit mocht zien, dan moet je het me zeggen.' 'Dat zal ik doen,' beloofde hij.

De telefoon ging. Het was Matthew die zei: 'Mijn auto wil niet starten. Ouwe rammelkast. Maar als je me zou willen komen halen...'

'Wacht even.' Ik liep naar het raam en keek naar buiten. Mathhew had gelijk, de sneeuwploeg was langs geweest. 'Goed,' zei ik, nadat ik de telefoon weer had opgenomen, 'ik kom eraan. Zeg me hoe ik moet rijden.'

Hij woonde vlakbij, en vertelde me hoe ik bij zijn huis moest komen. Ik wilde de kip in de koelkast zetten, maar bedacht me. Hij had geldzorgen en misschien had hij wel zin in een gratis maal. Even vanzelfsprekend als mijn reflex om me mooi te maken voor een man, was mijn behoefte een man te eten te geven. Een broodje kip, dacht ik, en iets van sla erbij. Ik had die middag chips en chocoladekoekjes gekocht.

Voor ik het huis uit ging dekte ik de tafel, en de gedachte dat ik weer iets voor iemand zou kunnen doen bezorgde me een blij gevoel. Ik had ooit eens wat bij een vrouw moeten bezorgen en ze was bezig geweest met het maken van de lunch voor haar man. De tafel was gedekt, en op het papieren servet van haar man had ze een hart met een pijltje getekend. Toen ze me ernaar zag kijken werd ze verlegen. Maar ik zei dat ik het juist een enig gebaar vond. En dat meende ik. Ik vond het ook moedig. De wereld was zo vol van cynisme en vooroordelen, en sentimentaliteit werd beschouwd als een teken van zwakte. Hoe kwam het toch dat we blijken van liefde zo mal vonden, en genoten van alles wat op vervreemding en haat wees? Geef mij maar servetten met een hart erop getekend, mannen die op de stoep aan de kant van de straat liepen, de vrouw die me vertelde dat ze altijd Johnny Mathis opzette wanneer ze haar badkamer schoonmaakte. Geef mij de verpleegster maar die zegt: ‘Mensen vinden me zo goed omdat ik dit werk doe. Maar ze snappen niet dat ik veel meer terugkrijg dan ik geef. Het geeft me echt een fijn gevoel om voor iemand te kunnen zorgen. Dat geeft me een kick. Wanneer ik naar mijn werk ga, is het alsof ik naar de kerk ga.’

Ik fantaseerde regelmatig over de zoon die John en ik nooit hebben kunnen krijgen. *Ma*, zei hij altijd, en dan lachte hij. Zo had ik ons altijd gezien – hij als een al wat oudere tiener die bij me in de keuken zat. Hij had enorme voeten. Een knappe jongen die grapjes met me maakte. *Ma!* En een liefdevolle mep met de theedoek.

Bij dit soort fantasieën scheen altijd de zon. Heldere voorjaarszonneschijn. De zon scheen en we zaten in de keuken. Op de vloer lagen zwarte en witte tegels – zo’n vloer heb ik nog nooit gehad – en voor de ramen hing een dunne vitrage die ik nooit zou kiezen. De keuken leek spontaan te ontstaan, en datzelfde gold voor deze fantasiezoon van mij: een jongen met blonde krullen en brede schouders die een grijze trainingsbroek, een T-shirt en gympen met loshangende veters droeg. Hij had een hese lach en een moedervlek naast zijn mond. Maar weldra zou ik in de keuken zitten met een jongen van vlees en bloed die er heel anders uitzag en die beslist mijn zoon niet was. Maar toch.

Ik trok mijn jas en handschoenen aan, ging naar buiten naar mijn auto, startte de motor en wreef mijn handen om ze te warmen. Toen ik in de achteruit schakelde, zag ik dat ik bijna geen benzine meer had. En dat leek ineens een onoverkomelijke moeilijkheid. Ik was me ervan bewust dat de uitputting die ik probeerde te verdoezelen rechtstreeks van invloed was op mijn oordeelsvermogen. En al wist ik waarom het huilen me opeens nader stond dan het lachen, veel schoot ik er niet mee op. Ik stond op de oprit en sloeg mijn handen voor mijn gezicht. Het volgende moment werd er zachtjes op het raam getikt. Benny stond met een sneeuwbal in zijn handen en zei iets wat ik door het dichte raampje heen niet kon verstaan. Ik deed het raampje open en forceerde een glimlach. 'Hoi,' zei ik. 'Zijn jullie lekker sneeuwballen aan het gooien?' Ik keek met een weinig overtuigend glimlachje naar de twee andere jongens die achter hem waren komen staan.

Ze wisselden een blik en zwaaiden terug.

'Is alles goed?' vroeg Benny. Hij boog zich naar voren, stak zijn hoofd naar binnen en keek als een minipolitieman de auto rond.

'Ja hoor. Ik moet alleen even weg.'

'Nou, want het leek nét alsof je huilde.'

'Nou, daar had ik ook even behoefte aan, maar nu gaat het alweer. Echt.'

'Mooi.' Hij nam me onderzoekend op.

'Wat doe je na school, Benny?'

Hij haalde zijn schouders op. 'Ik weet niet. Huiswerk maken.'

'Waarom kom je niet langs? Dan kunnen we koekjes bakken, of zo. Vind je bakken leuk?'

'Nou, meestal vind ik koekjes eten leuker.'

'Ik ook. Als je komt, kunnen we koekjes bakken en ze dan opeten. Wat voor soort vind je lekker?'

'Kaneelkoekjes. Bij mij thuis ben ik de énige die dat lekker vindt.'

'Dan bakken we die. Goed dan, doe een stapje opzij, want ik ga weg.'

'Goed.' Hij deed een paar stappen terug.

Voor ik de hoek om ging keek ik nog even in de achteruitkijkspiegel. Hij stond er nog steeds. Voor zijn oplettendheid en aandacht zou ik Vietnamese kaneel nemen voor die koekjes van hem.

'Kom erin, kom erin,' zei Matthew, toen ik aanbelde. 'Let vooral nergens op... Kijk vooral nergens naar. Het is nog een beetje een rommel hier.' Hij droeg een ruimvallende rode trui, een spijkerbroek, een petje en dikke grijze sokken. Achter hem, languit op een oude, roodbruine bank, zag ik zijn huisgenoot – een magere, donkerharige man in een nette broek met een wit overhemd er los overheen, die me even glimlachend aankeek en zijn aandacht toen weer op het spelprogramma op de televisie richtte dat keihard aanstond. Afgezien van de bank, stonden er nog twee verschillende stoelen in de kamer, en een van planken en bakstenen vervaardigde boekenkast. Geen kleed. Geen gordijnen of jaloezieën. Aan de muur een gescheurde poster van Avril Lavigne. Geen staande lamp, geen schemerlamp.

'Ik moet even mijn laarzen nog aantrekken,' zei Matthew. 'Als je wilt kun je hier in de woonkamer bij Jovani blijven wachten.' Hij keek naar zijn huisgenoot die zijn voorhoofd fronste en strak naar de televisie bleef kijken. 'Of,' ging Matthew verder, 'ik kan je de vrije kamer laten zien. Misschien lijkt hij je wel wat.' Haastig voegde hij eraan toe. 'Dat was maar een geintje.'

'Ja, ik wil die kamer wel eens zien,' zei ik. Trouwens, alles zou beter zijn dan hier in de woonkamer te moeten blijven met die blèrende televisie. Ik heb ooit eens, in een restaurant, twee vrouwen over televisie horen praten. De ene hield ervan, de ander had er een bloedhekel aan. De eerste zei dat ze hem altijd aan had staan als achtergrondgeluid, omdat het haar anders te stil was in huis. Daarop zei nummer twee: 'Dan koop je toch een parkiet.'

De beschikbare kamer bleek een plezierige ruimte te zijn – de dakvensters gaven het geheel iets gezelligs en deden de kamer ook groter lijken dan hij was. Er stonden een commode, een tweepersoonsbed en een oude houten keukentafel die als bureautje dienstdeed, met een lamp erop. Het behang had een simpel blauw met wit streepmotief, en het eiken parket op de vloer was, zo te zien, onlangs opnieuw in de lak gezet. 'Vreemd dat je nog geen huurder hebt gevonden,' zei ik tegen Matthew. 'Het is echt een mooie kamer.'

'Het ligt aan de tijd van het jaar,' zei hij. Hij was op de drempel blijven staan en keek rond alsof hij zelf met de gedachte speelde de kamer te huren. 'Als het augustus, of begin september was geweest, dan zou het geen probleem zijn.'

Ik knikte en stelde me voor hoe ik het in zou richten. Ik zou het bed tussen de twee dakvensters in zetten, er een chenille sprei op leggen, een gebloemd kleed nemen, en een nachtkastje met een lamp erop. 'Wil je mijn kamer ook zien?' vroeg Matthew. 'Het is echt een geweldige kamer.'

Nou, gróót was zijn kamer wel. Er lag een kale matras tegen de muur met een deken erop. Geen kussen. Er waren een aantal plastic kratten op elkaar gestapeld die als een soort van ladekast dienstdeden, en waarin netjes opgevouwen kleren lagen. Naast een draagbare cd-speler bevond zich een hoge stapel cd's. Aan de muur hingen meerdere, met plakband opgeplakte foto's, met inbegrip van eentje van Matthew en de jonge vrouw waarmee ik hem in de koffiebar had gezien. Ik liep naar de foto om hem wat beter te bekijken, en vanuit mijn ooghoeken zag ik Matthew verstijven. 'Die zou ik weg moeten gooien.'

Ik draaide me glimlachend naar hem om. 'Nee, dat meen je niet.'

'Ik vergeet het alleen steeds. Ik wil hem echt niet meer hebben.'

'Misschien dat je hem na een poosje wel weer wilt hebben. Waarom ruim je hem niet ergens weg? Als je oud bent kun je je kleinkinderen laten zien wat voor mooie vriendinnen je hebt gehad.'

Hij liet zijn hoofd zakken en lachte. 'Ze waren niet allemaal even mooi. Er zat zelfs een heel lelijk meisje bij. Annie Dupres, van allemaal mocht ik haar eigenlijk het meest. Fantastische vrouw. Ze was marathonloopster en ze studeerde medicijnen. Ze zat bij het Vredeskorps. Ze is naar Afrika gegaan en ze gaf Engelse les. Echt iemand die alles met hart deed. En koken dat ze kon! Ik heb er nog steeds spijt van dat ik niet meer mijn best voor haar heb gedaan.'

'Waarom is het uit geraakt?'

Hij wees op de foto. 'Door haar. Melanie.' Hij zei haar naam alsof hij een stukje aluminiumfolie uitspoog dat hij in zijn dubbele boterham had gevonden. 'Ik heb haar op een feest leren kennen waar Annie en ik naartoe waren gegaan. En ik... Ik weet niet, ik zag haar, en het enige wat ik nog wist, was dat ik haar wilde hebben.'

'Ja, ik weet wat je bedoelt,' zei ik, en ik kreeg een kleur.

'Neem me niet kwalijk,' zei hij. 'Misschien had ik dat niet zo moeten zeggen.'

'Nee, nee, het geeft niet,' haastte ik me te zeggen. 'Ik weet niet waarom ik moet blozen.'

Hij keek nog even naar de foto, en toen trok hij hem van de muur en mikte hem in een van zijn kratten. 'Hoe dan ook.' Hij bleef met zijn handen in zijn zakken naar Melanie's ontwapenende lach staan kijken. Ik verbeeldde me dat ik wist wat hij voelde. Zijn gemis. Zijn verscheurde hart.

'Zullen we gaan?' vroeg ik vriendelijk.

Op weg naar buiten trok hij een dun jack uit de gangkast die uitpuilde van de jassen, dassen, handschoenen, sportuitrusting, boeken en papieren en rugzakken. Het lag op het puntje van mijn tong om te zeggen dat hij iets warmers aan moest trekken, maar ik beheerste me. Niemand wil zo graag moederen als een vrouw die geen kinderen heeft en ze verschrikkelijk graag wil hebben.

'Oei, wat is het hier koud!' zei Matthew, toen hij mijn slaapkamer binnenging.

'Ja, vind je ook niet?'

'Misschien spookt het hier wel.'

Hoewel ik even in de verleiding kwam mijn hart te luchten, beheerste ik me. En dat was maar goed ook, want hij liep naar een hoek, keek omlaag en zei: 'Hier heb je het probleem. Je moet de convector opendraaien!' Hij trok aan een hendel. 'Ziezo, nu zul je het niet koud meer hebben.'

Ik liep naar een roostertje dat me niet eerder was opgevallen, hield mijn hand erbij en voelde een warme luchtstroom. 'Nou, dat was behoorlijk simpel. Ik voel me een idioot.'

'Het is alleen maar simpel als iemand je zegt waar je moet kijken,' zei hij. Hij keek de kamer rond en streek met zijn hand over een van de muren. 'De muren zijn in goede conditie, en waarschijnlijk komt het behang er ook zonder al te veel moeite vanaf. Ik zou met een vriend kunnen komen, en dan denk ik dat we een uurtje of acht nodig zullen hebben voor het aanbrengen van een laag grondverf en twee deklagen. Alles bij elkaar gaat je dat zestien werkuren plus materiaal kosten.'

'In orde,' zei ik. En toen: 'Zou je... heb je honger?'

Hij legde zijn hand op zijn buik en tuurde even voor zich uit. 'Ja. Ik heb nog niets gegeten vanavond.'

'Kom mee dan,' zei ik, en ik ging hem voor naar beneden. 'Ik heb restjes. Hou je van kip op je brood?'

'Ja, hoor.'

'En van chocoladekoekjes?'

'Wat dacht je!'

'En wil je er sla bij?'

'Best.'

In de keuken deed ik het grote licht aan. 'Vind je van jezelf dat je al met weinig tevreden bent?'

Hij ging aan tafel zitten en wipte zijn stoel op de achterpoten. 'Ik weet niet. Misschien wel, ja.'

Ik maakte een halve dubbele boterham voor mezelf klaar om te voorkomen dat hij, wanneer hij alleen moest eten, zich slecht op zijn gemak zou voelen. Ik at een koek, twee koeken, drie. En likte genietend de restjes chocoladevulling van mijn vingers. John zei altijd dat alleen eten onbeschaafd was. Dat vond ik altijd overdreven, maar inmiddels realiseerde ik me wat hij daarmee bedoeld had. Wie alleen at, nam het op den duur niet meer zo nauw met zijn manieren. Het begon ermee dat je het niet meer nodig vond om aan tafel te gaan zitten. En dan vroeg je je af waarom je nog een bord vuil zou maken. Of bestek. En uiteindelijk vond je het zelfs niet meer nodig om nog iets voor jezelf te koken.

Matthew slikte de laatste chip door en zei: 'Ik hoop dat je me niet onbeleefd vindt, maar...'

'Je wilt nog een boterham?'

Hij grijnsde.

Tegen de tijd dat ik Matthew naar huis bracht, waren de weersomstandigheden aanmerkelijk verslechterd. Mijn ruitenwissers konden amper nog op tegen de sneeuw, en nadat ik een auto een gevaarlijke slip had zien maken, lette ik erop dat ik ruimschoots afstand bewaarde tussen mijzelf en degene die voor me reed. Toen we ten slotte bij zijn huis arriveerden, was er nauwelijks nog een hand voor ogen te zien, en ik reed alleen zijn oprit maar in omdat hij gezegd had: 'Hier moet het ongeveer zijn.' Ik zette de motor af en bleef even zitten om bij te komen.

'Het lijkt me geen goed idee dat je terugrijdt,' zei Matthew.

'Ik red het wel, denk ik,' zei ik.

'Het is echt noodweer. Je kunt gerust hier blijven. Ik bedoel, je hebt de kamer gezien. Als je wilt kun je blijven slapen.'

'Dank je, maar dat is echt niet nodig.'

Hij haalde zijn schouders op. 'Zoals je wilt. Zoek intussen de kleur uit die je hebben wilt, en zeg me wat ik moet kopen.

Ik haal de verf bij een zaak waar ik korting krijg. Is eind volgende week goed?' Hij wilde het portier opendoen, maar deed het onmiddellijk weer dicht toen de sneeuw volop naar binnen waaide. 'Weet je echt heel zeker dat je terug wilt rijden?'

Nee. 'Ja, hoor.'

'Ik vind eigenlijk dat ik zou moeten zeggen: "Nou, eigenlijk vind ik..."'

'Dat je daar nog te klein voor bent?' maakte ik zijn zin lachend voor hem af.

'Nou nee. Ik wilde zeggen dat ik het onverantwoordelijk vind, maar dat leek me onbeleefd.' Hij trok zijn jack wat strakker om zich heen en rilde. 'Misschien zou je... ik weet niet. Misschien zou je me willen bellen zodra je thuis bent?'

Ik keek hem met grote ogen aan en glimlachte.

'Ik bedoel, je hebt geen... Als je iets overkwam, dan is er niemand...'

Mijn gezicht betrok en ik sloeg mijn ogen neer. *Ja, hoor.*

'O help, neem me niet kwalijk. Ik bedoelde alleen maar – '

'Het geeft niet. Ik bel je, als je dat prettig vindt. Het was lief van je om eraan te denken.'

'Goed. Je hebt mijn nummer. Wees voorzichtig!' Hij stapte uit, gooide het portier dicht en zwaaide. Ik zwaaide terug, pakte het stuur met beide handen stevig beet en begon de oprit af te rijden. Het viel niet mee om, afgezien van de sneeuw, nog iets te zien. Nou ja, ik kon me niet voorstellen dat iemand anders zo gek zou zijn om de weg op te gaan, dus er zou niemand zijn om een aanrijding mee te krijgen. Maar natuurlijk zou ik ook tegen iets anders op kunnen knallen – lantaarnpalen, bijvoorbeeld. En als er iemand wilde oversteken en ik diegene niet tijdig zag? Ik bleef even na zitten denken, zette de radio aan en hoorde nog net de nieuwslezer zeggen dat iedereen die niet per se de straat op moest, binnen moest blijven. Ik zette de radio weer uit, reed nog een paar meter achteruit en zette de auto in de parkeerstand. Ik keek op naar Matthews huis. Waarom zou ik het risico nemen? Wat wilde ik bewijzen?

Ik reed de oprit weer op, zette met een enorm gevoel van opluchting de motor af en rende naar zijn voordeur. Nog voor ik had aangebeld deed hij al open. 'Mooi zo,' zei hij. 'Wil je een biertje?'

De volgende ochtend had het licht dat door het raam naar binnen viel de warme gloed van oude Nederlandse meesters. De houten tafel en stoelen leken verguld, het blauw van het behang had een diepere, stralendere kwaliteit. Ik hoorde het gedempte geluid van buiten spelende kinderen, en het geruststellende schrapen van een sneeuwschuiver. Ik keek op mijn horloge. Half negen! Voor het eerst sinds Johns dood had ik de hele nacht doorgeslapen. Ik ging op de rand van het bed zitten en rekte me uit. Ik had in mijn blouse geslapen en hij was zwaar gekreukeld, maar dat gaf niet want met mijn trui erover was het niet te zien. Matthew had me een pyjama te leen aangeboden, waarop Jovani, die niet achter wilde blijven, me zijn exemplaar – van zijde en uit Milaan! – had aangeboden. Ik wees hun aanbod van de hand en verzekerde hun dat het niet nodig was. Ik had ze een blik zien wisselen, en had me afgevraagd wat ze dachten. Ze slaapt toch niet naakt, hè? Getver.

We bleven laat op, bekeken films en liepen om de beurt naar het raam om aan te kondigen dat het nog steeds sneeuwde. Matthew had de *Godfather*-trilogie, waar we er twee van bekeken onder het genot van de door Matthew – die ineens een ontzettende trek in Spaanse pepers had – beschikbaar gestelde nacho's. 'Waarom doe je altijd zo veel?' vroeg Jovani, en Matthew had gezegd:'O, krijgen we dat weer. Dan haal je ze er toch uit!'

'En wat dan?' had Jovani gevraagd. 'Een lelijk hoopje, maakt me ziek. Wat ik niet wil eten, wil ik niet zien.'

'Je zoekt het maar uit,' had Matthew gezegd.

Tussen de films door had Jovani erover geklaagd hoe moeilijk het was om werk te vinden – hij was aan het begin van het voorjaar uit Brazilië naar de Verenigde Staten gekomen, en had sindsdien alleen nog maar slecht betaald en tijdelijk werk kunnen krijgen. Matthew suggereerde dat zijn sollicitaties mogelijk op niets uitliepen omdat hij altijd op gympen ging. 'Hoe vaak heb ik je al niet gezegd dat je je een beetje behoorlijk aan moet kleden,' had hij gezegd. 'Je kunt niet op gympen solliciteren!'

'Moet je horen. Matthew,' had Jovani gezegd, 'ik heb negenentwintig jaar, en ik weet precies hoe ik mijn voeten aan moet trekken.'

Daar had ik om moeten lachen, en toen Jovani het merkte, had ik met een nacho op het televisiescherm gewezen, waar Diane Keaton het uitkrijste nadat er in haar slaapkamer en die van Al Pacino was geschoten. 'Wat?' had Jovani gezegd. 'Jij vindt dit om te lachen? Dit is niet om te lachen.'

'Dat weet ik,' had ik gezegd.

'Bij Amerikanen is er altijd één ding met geweld,' had hij minachtend gezegd. 'Ik heb er genoeg van.'

Ik stond op en liep naar het slaapkamerraam om naar buiten te kijken. De hemel was strakblauw en de zon scheen. De straat was voor het grootste gedeelte sneeuwvrij. Maar de oprit was geblokkeerd door wat de sneeuwschuiver naar de kant had gedrukt – een dikke halve meter sneeuw.

Er werd op mijn deur geklopt en Matthew riep: 'De koffie is klaar.'

'Dank je!' Ik kleedde me snel aan en ging achter de deur

staan om te luisteren – ik vond het onplezierig om gezien te worden voordat ik me had gewassen. Toen ik geen geluid hoorde, deed ik de deur op een kiertje open, keek de gang af en haastte me naar de badkamer. Overdag zag het er nog erger uit – de handdoeken slingerden overal in het rond, de tube tandpasta waar de dop niet op was geschroefd, het waterglas dat onder de witte vlekken zat, en de wc-bril die omhoog stond terwijl bovendien de pot zelf dringend aan een flinke schrobbeurt toe was. Ik deed een beetje tandpasta op mijn vinger en poetste zo goed en zo kwaad als het ging, waarna ik mijn gezicht met water waste en afdroogde met de slippen van mijn blouse. Ik kamde mijn haren met mijn vingers, veegde de resten eyeliner onder mijn ogen weg en deed een stapje naar achteren om het resultaat te bekijken. Volgens mij had elke vrouw die een bepaalde leeftijd gepasseerd was, en die zichzelf in de spiegel zag, dezelfde reactie: *nou ja.*

Eens, in een supermarkt, had ik een vrouw die zo te zien ergens in de tachtig was, tegen haar vriendin horen zeggen: 'Elke ochtend, wanneer ik wakker word, voel ik me als toen ik dertig was, maar dan sta ik op en kijk ik in de spiegel.' Haar vriendin, die zo te zien geen dag jonger was, boog zich naar haar toe, pakte haar bij de pols en bekende, met de onvaste stem van een parkinsonpatiënt: 'Weet je wat ik altijd zeg? Vanbinnen voel ik me nog net een jong meisje.' Mijn blik ging over hun kromme ruggen, hun stijve permanentjes, en het een-portieblik bonen in tomatensaus in hun wagentje. *Ik ook.* Het was onvoorstelbaar dat het al zo langgeleden was dat ik voor mijn kast had gestaan, er een witte katoenen onderbroek en een T-shirt uit had gehaald, me razendsnel had aangekleed en met alleen maar een sleutel in mijn zak het huis uit was gerend.

Terug in de slaapkamer vouwde ik de dekens op, legde ze netjes op het voeteneinde van het bed en ging naar beneden, naar de keuken. Matthew zat in een trainingsbroek en een flanellen overhemd aan het metalen tafeltje een studieboek te lezen. Hij had blote voeten, zijn haren waren ongekamd en hij was ongeschoren.

Rond de tafel stonden drie tuinstoelen van het opklapbare soort, en van allemaal miste er een of meerdere plastic strips van de zitting. Op het aanrecht stonden een koffiezetapparaat en een broodrooster, en verder niets. Voor de gootsteen lag een tot op de draad versleten kleed met het motief van een slapende kat. Maar de zon scheen door het raam naar binnen en in de keuken hing een koppige vrolijke sfeer.

'Nog reuze bedankt dat ik mocht blijven, gisteravond,' zei ik.

'Niets te danken. En ik vond het ook leuk.' Hij sloeg zijn handen achter zijn hoofd in elkaar en glimlachte.

'Heb je college vandaag?'

'Veel later pas. Ga zitten. Het is mijn beurt om je iets voor te schotelen.'

Voorzichtig ging ik op een van de stoelen zitten. We hadden ooit eens een collega van John thuis te eten gehad. Hij ging op een van de keukenstoelen zitten – het waren prachtige antieke stoelen – en hij zakte erdoorheen. Nadat hij razendsnel overeind was gekrabbeld, begon hij te huilen. 'Het spijt me verschrikkelijk,' zei hij, op hetzelfde moment dat ik vroeg of hij zich bezeerd had. Toen moest hij lachen en zei: 'Het is duidelijk dat ik dringend af moet vallen.' Ik heb die man altijd gemogen, want voor mij was hij net zo iemand als John, die niet bang was om eerlijk te zeggen wat hij voelde. Misschien kwam het wel door het stoelincident dat hij iets zei wat hij anders niet gezegd zou hebben. Als dat zo was, dan was het goed dat hij erdoorheen was gezakt. Maar zelf wilde ik niet door deze tuinstoel zakken, dus ik zat roerloos een probeerde een deel van mijn gewicht op mijn benen te laten rusten.

Matthew ging naar de kast, haalde er een mok uit met de

afbeelding van een kop van een Ierse setter, vulde hem met koffie en zette hem voor me neer.

'Hou je van setters?' vroeg ik.

'Hoe bedoel je?'

Ik wees op de hond op de mok.

'O. Nee.'

'Heb je misschien ook een beetje room?' vroeg ik.

Hij schudde zijn hoofd. 'Het spijt me. En we hebben ook geen suiker. Neem je suiker?'

'Nee, maar melk? Heb je toevallig iets van melk?'

'Nee.'

'Poedermelk?'

Hij krabde zijn nek en fronste zijn voorhoofd.

'Laat maar,' zei ik toen. 'Zo gaat het ook.' Ik nam een slokje.

'Ik hoop dat je van sterke koffie houdt.' Matthew schonk zichzelf een tweede kop in.

'Ja, dat doe ik,' zei ik, hoewel het niet zozeer naar sterke koffie, als wel naar afwaswater smaakte.

'Dus, eh... wil je je cakeje nu?'

'O! Een cakeje.'

'Iets anders hebben we niet. Tenzij... als je liever nacho's wilt?'

'Een cakeje lijkt me heerlijk, dank je.'

Hij haalde een doos uit de verder lege kast, en keek erin. 'O, o. Leeg. Jezus, dat spijt me.'

'Het geeft niet,' zei ik. 'Ik heb toch geen honger. Zeg eens, heb je het weerbericht voor vandaag al gehoord?'

'Ja.' Hij ging tegenover me zitten. 'De temperatuur gaat ik weer niet hoeveel graden omhoog, en ze zeggen dat alle sneeuw in de loop van de dag zal smelten.'

'Waar is Jovani?'

'Ergens solliciteren. Op zijn gympen, natuurlijk.'

Ik nam nog een slokje koffie en keek op mijn horloge. 'O,

jee, is het al zo laat? Ik moet weg!' Ik mikte de koffie onopvallend door de gootsteen en zette de mok op een hoge stapel vuile borden. Toen ik studeerde, werd ik een keer opgehaald door een van de jongens die met zijn vieren in de flat naast de onze woonden. 'Het is mijn beurt om af te wassen,' had hij gezegd. 'En ik weet niet hoe je dat doet. Zou je me willen helpen?'

'Je weet best hoe je afwast!' had ik gezegd, en hij had grote ogen opgezet en stak zijn hand omhoog – *stel je voor.*

'Nou goed, dan help ik je wel,' had ik gezegd, terwijl ik in gedachten de een of andere scène uit een romantische komedie voor me zag. Zeepschuim op het puntje van de neus van het meisje, de jongen die het wegveegt en het meisje een kusje geeft. Niet dat ik per se verlangde naar een kus van Jerry Kessler, voor wie het toppunt van cultuur een wedstrijdje boeren was, waarbij iedereen dat om de beurt deed.

Jerry's gootsteen en aanrecht stonden vol met borden die waren aangekoekt met wat eruitzag als kant-en-klaarmaaltijden – voornamelijk pizza. Alles zat onder de schimmel. Als het niet om van te kotsen was, zou het een uiterst boeiend schouwspel zijn geweest.

'Vergeet het maar,' had ik gezegd, terwijl ik me omdraaide en weer weg wilde gaan.

'Ik zal Lorraines auto repareren,' had hij op een hoog, wanhopig toontje gezegd. 'Hij start niet goed.'

Ik draaide me ijzig naar hem om en zei: 'Ach, wat aardig. En waarom vraag je Lorraine dan niet om je te helpen?'

'Alsof ze dat zou doen!' zei hij. 'Je krijgt een doos koekjes van me, en *Sgt. Pepper*. Ik heb hem net gekocht, en nog niet één keer gedraaid. Echt niet.'

'Waar staat je afwasmiddel?' had ik gevraagd, terwijl ik mijn mouwen opstroopte.

'Geen idee,' bekende hij. 'Wat zou er een normale plaats voor zijn?'

Nu stond Matthew op en schoof zijn gammele tuinstoel onder tafel. Iets aan het misplaatste beschaafde gebaar deed me glimlachen – in gedachten zag ik hem met een witte linnen theedoek over zijn arm. 'Ik trek mijn laarzen aan en dan maak ik de oprit sneeuwvrij zodat je eruit kunt,' zei hij.

'Dat doe ik zelf wel,' zei ik. 'Je hebt al genoeg gedaan.'

'Wat dan? Echt, bedoel ik. Ik heb je alleen maar laten slapen. Alsof dat zo geweldig zou zijn. Het is net als koffie, weet je wel? Als je ergens bent uitgenodigd om te eten en de gastvrouw vraagt: "Wil iemand koffie?" en dan zeggen de gasten, "Ja, lekker, maar alleen als je toch zet." Alsof het zoveel moeite is om koffie te zetten.'

'Je hebt gelijk,' zei ik. 'Dat is waar.'

'Was het vroeger soms erg ingewikkeld om koffie te zetten?'

'Je bedoelt... in de goeie ouwe tijd? Toen ik nog tussen de dinosaurussen zwierf?'

'Nee. Ik bedoelde... je weet wel.'

'Koffiezetapparaten bestaan al zo lang als ik mij kan herinneren,' zei ik. 'Ik bedoel, vroeger had je percolators, maar – '

'Dat had ik niet moeten zeggen. Het spijt me.'

'Het geeft niet. Zoals ik zei... koffiezetapparaten bestaan al ik weet niet hoe lang. Misschien dat het vroeger gedoe was. Je moest de koffiebonen malen, het water laten koken... Nou ja. Wanneer je maar wilt. Ik moet naar huis om mijn vitaminepillen te nemen.'

Hij keek me verbaasd aan.

'Laat maar zitten,' zei ik.

Buiten was er heel schel licht van de zon die op de verse sneeuw weerkaatste. Ik zocht in mijn tas naar mijn zonnebril en keek naar Matthew die de sneeuw aan het wegscheppen was. Op een gegeven moment zei ik dat het nu mijn beurt was, maar hij schudde zijn hoofd. 'Ik ben zo klaar en dan kun je gaan,' zei hij.

Toen hij klaar was, trok hij met een weids gebaar het portier voor me open, en gebaarde me dat ik in moest stappen. Ik startte de motor en keek naar hem op. 'Dank je.'

'Graag gedaan.'

'Je bent echt een aardige jongen. Van wie heb je die voortreffelijke manieren geleerd?'

'Van mijn moeder. Hoewel ze altijd mopperde op de manier waarop ik at.'

'Ja?'

'Te snel. Je moest van haar rechtop zitten en schrokken mocht niet. Ze – ' Hij keek lange seconden weg. 'Ze is gestorven toen ik veertien was,' zei hij even later, mij weer aankijkend.

'Dat moet moeilijk voor je zijn geweest.'

'Ja. Ik mis haar nog steeds. En op sommige momenten meer dan normaal.'

'Ja, ik weet het.' Ik deed mijn gordel om en draaide de spiegel goed.

'Ik heb een vriend die zegt dat hij, toen zijn moeder stierf, een gevoel had alsof hij in een wereld vol spiegels terecht was gekomen. Alles kwam hem vertrouwd voor, maar het leek omgekeerd. Hij zei dat hij zich helemaal niet meer kon oriënteren.'

'Dat kan ik goed begrijpen.'

'Dat gevoel van die spiegels en zo, dat had ik niet. Mijn wereld was nog net zo als voorheen, alleen was het er veel eenzamer. Alsof er een groot stuk uit het beste deel ervan was gesneden.'

'Ja.'

Matthew keek me peinzend aan, en toen zei hij: 'Hé, Betta? Wat voor plannen heb je voor vanavond?'

Ik wees op mezelf – een oude gewoonte die ik maar niet kwijt lijk te kunnen raken. 'Ik?'

'Ja.'

Ik dacht even na, en toen zei ik: 'Dat weet ik nog niet.'

'Heb je zin om mee te gaan naar een te gek restaurantje dat niemand kent?'

Ik schoot in de lach.

'Ik wil niet thuis blijven zitten. En ik ben er nog niet aan toe om... Ik weet niet, een nieuwe vriendin te zoeken.' Hij stak zijn handen in zijn zakken en haalde zijn schouders op.

'Ik snap wat je bedoelt,' zei ik. 'Goed, maar alleen als ik mag betalen.'

'Nee, we doen fifty-fifty.'

'Afgesproken. Is zeven uur een goede tijd?'

'Uitstekend. Ik kom je halen.'

'In die oude rammelkast van jou?'

'Tegen die tijd heb ik hem wel weer aan de praat. Vanmiddag repareer ik hem.'

'Is er iets wat je niet kunt repareren?'

Hij grinnikte. 'Nee.'

Ik begon achteruit de oprit af te rijden, en toen zag ik zijn mond bewegen. Ik draaide mijn raampje open.

'Vergeet niet om de verfkleur uit te zoeken,' zei hij. 'En kijk of je een paar lekkere kwasten of rollers vindt die je prettig lijken. Misschien laat ik je wel helpen.'

'Goed, Tom.'

Hij keek me niet-begrijpend aan.

'Tom Sawyer?'

Er gleed een bezorgde uitdrukking over zijn gezicht. 'Nee, ik heet Matthew O'Connor.'

'Ik bedoelde Tom Sawyer uit het gelijknamige boek.'

'Het boek.'

'*De avonturen van Tom Sawyer.*'

'Ja, maar hoe heette het boek?'

Toen ik thuiskwam stond er een boodschap op het antwoordapparaat. Het was Lorraine, die zei: 'Moet je horen, Betta, ik heb een aantal dingen bedacht die je zou kunnen doen. Om je wat op te vrolijken. Je hebt tijd, en geld is geen probleem, nee toch? Volgens mij zijn er vijftig manieren om over je geliefde te rouwen, ha ha. Je kent dat nummer toch wel? *Fifty Ways to Leave Your Lover?*

Wacht even. Was dat wel leuk? Het was in ieder geval leuk bedoeld. Maar bij nader inzien was het helemaal niet leuk.

Ik haat het, wanneer ik iets zeg zonder erbij na te denken. Doe maar alsof ik het niet gezegd heb. Ik heb echt spijt dat ik dat heb gezegd. Het is... net als wanneer iemand in het ziekenhuis ligt en je weet dat hij iets heel ernstigs heeft, en dat je dan, bij het zien van al die treurige gezichten, bedenkt dat het misschien leuk is om iets grappigs te doen. Met de bedoeling dat er een beetje gelachen kan worden. Is jou dat nooit overkomen?

Betta? Je staat toch niet naar me te luisteren, hè? Diepgeschokt, bedoel ik? Betta? O, Jezus, wissen, wissen, wissen. Ik heb me nou eenmaal nooit leren beheersen. Het was echt niet mijn bedoeling om je te kwetsen. Het spijt me.

Goeie god, hoe lang kun je praten op dat antwoordapparaat van jou? Goed, ik hang op. Bel me. Of ik bel jou. Hoewel, je kunt er zeker van zijn dat, als je echt niet thuis bent, ik – '

Het apparaat piepte en het bandje sloeg af.

Lorraine had gelijk – ze had de gewoonte om de dingen eruit te flappen. Bij haar was het eerst doen, en dan pas denken – als ze al dacht. Maar mensen zoals zij leken zich dit soort onbezonnenheid, dit soort egoïsme te kunnen veroorloven. De echt knappe, goed uitziende mensen die ik kende maakten vrijwel zonder uitzondering op enigerlei wijze gebruik van het feit dat ze mooi waren. Aan de andere kant was het misschien ook wel zo dat dit gedrag van hen het gevolg was van de manier waarop ze behandeld werden door mensen die bij hen in het gevlei probeerden te komen. Voor Lorraine gold dat, hoewel ze haar boekje vaak te buiten ging, de meeste mensen haar mochten. Ikzelf was van begin af aan gevoelig geweest voor haar eerlijkheid en het feit dat ze altijd precies zei wat ze dacht. Ik draaide haar nummer en kreeg het antwoordapparaat. 'Hallo,' zei ik. 'Ik bel namens de Acme Charm School om u te vertellen dat we bij u in de buurt een speciale actie gaan voeren. Als u daar meer over wilt weten, belt u mij dan terug.'

Ik nam een douche, zocht in de Gele Gids naar een verfhandel, en belde die toen op om te vragen waar ze precies zaten. 'Ik woon hier nog maar pas,' zei ik, bij wijze van uitleg. Daarop zei de man die ik aan de lijn had op zo'n hartelijke manier 'welkom' dat ik er tranen van in de ogen kreeg. Toen ik de deur weer opendeed om weg te gaan, lag er een pakketje op de stoep. Ik zag dat het van Maddy was, en ik ging er weer mee naar binnen om te kijken wat erin zat. Bovenop lag een brief.

Och lieverd, het spijt me zo van je man. Ik wou dat ik hem had gekend, maar ik ken je – ik heb nog steeds het gevoel dat ik je ken – dus hij moet een geweldig iemand zijn geweest. Ik kan me voorstellen dat je door een hel bent gegaan, en dat je je zo persoonlijke verdriet nog niet verwerkt heb. Ik popel om je te zien, maar Lorraine zegt dat je tijd nodig hebt, en die gun ik je met alle liefde. Haast je niet, en neem zo lang als nodig is. Doe alle goede en slechte dingen waar je behoefte aan hebt. Maar ik wilde je toch op zijn minst een briefje, en een paar kleine presentjes sturen. Gewoon, voor de grap. En uit liefde. Je kunt me altijd bellen als je daar zin in hebt. En zo niet, dan wacht ik op onze reünie.

Ik vraag me af hoe je eruitziet. Ik ben ontzettend dik nu. Sinds drie maanden kan me dat niet meer schelen – het is echt heerlijk om bij een bakker naar binnen te kunnen stappen zonder je meteen ontzettend schuldig te voelen. Bel me gerust wanneer je wilt. En je kunt ook altijd komen logeren. Ik stuur je een ticket, of ik kom naar jou, je zegt het maar. We schikken ons allemaal naar je wensen.

Dat we elkaar weer hebben gevonden is voor mij een van de allermooiste geschenken. Mogelijk heeft Lorraine het je al verteld, maar we zijn tegenwoordig nog meer van elkaar afhankelijk dan we vroeger al waren. Welkom terug in ons groepje. We hebben altijd een plaatsje voor je vrijgehouden.

Liefs,

Maddy

P.S. Susanna is ook dik. Alleen Lorraine is dat niet. En jij? Ben jij nog steeds mager? Weet je nog toen we in ons ondergoed op het dak van ons huis lagen, en we allemaal een PLATTE BUIK hadden? Ik kan het me niet echt meer herinneren. Volgens mij heb ik het verzonnen.

XXXXXXOOOOOO

Onder de brief lagen vier ingepakte pakjes. Ik pakte het eerste, het kleinste, en maakte het open. Het was een stuk heerlijk geurende zeep op een dik wit washandje. Het tweede pakje was een lange zijden onderbroek. Het derde een blik koffie, die zo heerlijk rook dat ik bijna van mijn stoel kwam. En in het vierde, een groot pak, zat een jaren-dertigkamerjas in een schitterende abrikooskleurige tint en met struisvogelveren langs de manchetten. Terwijl ik er glimlachend naar keek, bedacht ik dat alleen de dansschoenen er maar aan ontbraken. En toen ik de kamerjas uit de doos tilde, waren daar ook de schoenen – hakken met een open hiel in exact dezelfde kleur. Als ik ooit mijn winkel voor vrouwen zou openen, mocht Maddy de inkoop van de verwenafdeling voor haar rekening nemen.

Ik las de brief nog eens door, leunde naar achteren in de stoel en rook opnieuw aan de koffie. En dat was het moment waarop ik hem miste. Het deed geen pijn. Het enige wat ik voelde was hoop, een innerlijke zonsopgang. Het beeld van Johns gezicht trok aan me voorbij, en ik was alleen maar dankbaar dat ik hem zo lang had mogen hebben. Ik wist voldoende van rouwen om te weten dat het niet lang meer zou duren voor andere gevoelens terug zouden komen. Zo leefden wij mensen nu eenmaal – het ene moment voelde je je intens gelukkig en dankbaar, het volgende liep alles op de klippen te pletter. De kunst was het vinden en het bewaren van het evenwicht.

Op weg naar de verfhandel ging ik bij de lege, te huur staande winkel langs. Ik was het telefoonnummer kwijt, en ik had me voorgenomen dat ik vandaag nu eindelijk eens zou bellen. Ik zou een afspraak maken en de ruimte goed bekijken. Maar deze stond niet langer te huur. Het bord was weggehaald, en de etalageruiten waren dichtgeplakt met bruin papier zodat je niet meer naar binnen kon kijken. Ik bleef lange minuten met draaiende motor voor de winkel staan en probeerde de teleurstelling te verwerken. Hoewel het alleen maar een bedrijfsruimte was geweest die te huur had gestaan, en ik met de gedachte had gespeeld er een winkel in te beginnen wat nu niet meer ging omdat een ander me voor was geweest, voelde het alsof ik opnieuw met een sterfgeval geconfronteerd werd. Ik probeerde mezelf voor te houden dat ik dankbaar moest zijn omdat ik helemaal niet hóefde te werken. Dat ik het mijzelf kon veroorloven om, alvorens een definitieve beslissing te nemen, eerst eens diep over alle consequenties na te denken. Maar ik voelde me helemaal niet fortuinlijk. Wat ik voelde was verbittering. En ik had er ontzettende spijt van dat ik niet adequater gereageerd had op een impuls waarvan ik van begin af aan had geweten dat het een geweldig idee was.

De middag liep al op zijn einde toen ik weer thuiskwam. Toen ik de voordeur opendeed hoorde ik de telefoon overgaan, en ik liet mijn boodschappen vallen om op te kunnen nemen. Het was een man die zei: 'O, hallo! Mevrouw Nolan, u spreekt met Tom Bartlett. Ik probeer het alleen maar nog een keer. Ik heb al eerder gebeld, maar ik weet niet of u de boodschap wel heeft gehoord.'

'Jawel,' zei ik, 'maar... ik heb alleen nog geen geschikt moment gevonden om u terug te bellen.' Ik keek ineens verlangend naar alle boodschappen die weggeruimd moesten worden. En ik wilde iets koken dat klaar zou moeten zijn wanneer Matthew kwam, zodat hij het mee kon nemen en de jongens iets te eten in huis zouden hebben. 'En eerlijk gezegd is dit ook geen goed moment.'

'Goed. Nou, het spijt me dat ik u gestoord heb. In ieder geval bedankt.'

Hij klonk zo vriendelijk dat ik me schaamde. 'Nee, wacht,' zei ik. 'Ik heb wel eventjes. Misschien dat we even... U wilde wat weten over schrijven, ja toch?'

'Ik moet u eerlijk bekennen dat ik in een opwelling heb gebeld. Ik hoorde u op de radio en dacht, nou, waarom ook niet? Ik heb altijd willen schrijven, maar het nooit geprobeerd. Maar nu ik gepensioneerd ben, wil ik het er eindelijk op wagen. En ik had gedacht dat een gesprekje met u mij op gang zou kunnen helpen.'

'Er zijn een heleboel boeken met tips en aanwijzingen in de handel.'

'Echt?'

Hij wist het werkelijk niet! Ik had verwacht dat hij iets zou zeggen in de trant van: 'Ja, en ik heb er heel wat van gelezen, maar er zijn een paar dingen waar ik het graag met ú over zou willen hebben.'

Zo erg kon het toch niet zijn? Een oudere man die eindelijk tijd had voor iets wat hij al jaren had willen doen. In gedachten zag ik hem voor me – een opa-achtig mannetje met blauwe ogen, een dikke dos grijs haar en een gebreid vest met leren knopen. Ik kon best even naar hem luisteren, en hem vertellen hoe waardevol het was om je gedachten op papier te zetten, al was het maar om je eigen biografie te schrijven zodat je kleinkinderen zouden weten wat voor iemand hun opa was geweest. 'Weet u wat?' zei ik. 'Wat zou u ervan vinden als we afspraken in de Cuppa Java op Main Street?'

'Dat lijkt me een geweldig plan. Welke tijd schikt u het best?'

'Zondagochtend? Een uur of elf?'

'Uitstekend. En dan breng ik... Hoeveel gaat me dit kosten?'

Ik lachte. 'Niets.'

'O. Nou, dat is erg vriendelijk van u. Ik verheug me op onze ontmoeting. Ik ben lang en... ik zal een rode trui aantrekken.'

'Ik ook,' zei ik, met een glimlach. De oude schattebout. Ik had altijd al een zwak gehad voor oude mannen. Hun galante manieren. Hun geurtje van Old Spice. Hun bretels en veterschoenen. De manier waarop uit alles wat ze zeiden een grote ervaring sprak, en het feit dat ze diep over de dingen hadden nagedacht. En hun handen die altijd nog sterk leken. Ik hing op en begon de boodschappen weg te ruimen. Ik zou een spinazielasagne voor Matthew en Jovani maken. En een chocoladecake waarmee ik ze voor altijd tot mijn slaaf zou maken. Karnemelk en góede koffie in het beslag, een laagje witte glazuur en schijfjes aardbei bovenop.

Toen Matthew me na het eten thuis had afgezet, ging ik naar binnen, hing mijn jas op in het halletje, liep de woonkamer in en ging zitten. Ik staarde in het niets voor me uit en voelde me ellendig. Dat kwam voor een deel doordat Matthew zo lief en zo kwetsbaar was, en door de manier waarop hij zich nog steeds door Melanie op de huid liet zitten. Ze had gebeld toen we op weg waren naar het restaurant, en toen ze gevraagd had of hij in haar nieuwe flat een boekenkast voor haar wilde bouwen, had hij ja gezegd. En dat was geweest nádat ze hem had verteld dat ze een nieuwe vriend had. Hij vroeg of hij het schilderen van mijn slaapkamer een paar dagen uit zou mogen stellen.

'Natuurlijk,' had ik gezegd, 'maar weet je heel zeker dat je dit wel wilt doen?' Hij had strak voor zich uit gestaard en geknikt. 'Ja. Ze kan ontzettend gemeen zijn. Maar ik wil het doen omdat ik haar weer wil zien. Ik weet wel dat het stom is, maar...' Hij had gezucht. 'Ik hou nog steeds van haar. Ik kan het niet uitstaan van mezelf, maar ik moet voortdurend aan haar denken. Andere meisjes interesseren me niet. En zo slecht is ze nu ook weer niet – ik bedoel, ik weet dat ik ook fouten heb gemaakt. Ik hoop dat ze me nog een kans wil geven. Ik zou sommige dingen anders moeten doen. En dat kan ik ook.'

Maar ik had vooral met mezelf te doen. Om te beginnen had ik het heel vreemd gevonden om in een restaurant tegenover een man te zitten die niet mijn eigen man was. Ik zag maar steeds voor me hoe John zijn leesbrilletje opzette om de kaart te bekijken, en de beschaafde manier waarop hij gebaarde dat hij de rekening wilde hebben, zoals hij me in en uit mijn jas hielp, en zoals zijn liefde voor mij altijd uit alles bleek. Wanneer we thuis waren hield hij van me. Wanneer we uit eten waren hield hij van me. Wanneer ik sliep, wanneer ik werkte, zelfs wanneer we ruzie hadden hield hij van me. Het was als een tweede hartslag die op zijn manier even krachtig was als de eerste. En nu moest ik het doen met een kleverig formicatafeltje en, in het schelle licht, een jongeman tegenover me die op zijn knie zat te tikken en me vroeg wie Huey Newton was nadat ik die naam had laten vallen. (En nadat ik zijn vraag beantwoord had, wilde hij van me weten wie de Black Panthers waren.)

Voor het eerst van mijn leven had ik me oud gevoeld. Dat lag niet alleen aan Matthews vragen over oudere films die hem niets zeiden, en ook niet aan het feit dat, in het restaurantje met voornamelijk jeugdige gasten, het moest lijken alsof ik zijn moeder was. Het lag ook niet aan de achtergrondmuziek die Matthew meeneuriede en die ik nog nooit van mijn leven gehoord had. Het kwam doordat het was alsof een innerlijke steunmuur die me tot nu toe overeind had gehouden en me beschermd had, ineens was ingestort. Nu begreep ik dat die muur door mijn man was gebouwd en in stand gehouden werd. Niemand zou ooit voor mij kunnen zijn wat John was geweest, omdat hij me al zo lang had gekend, waardoor ik me nooit echt had gerealiseerd hoe oud ik in werkelijkheid was. Ik had grapjes gemaakt over leesbrillen, over geheugenverlies en over het verliezen van de strijd met de zwaartekracht. Maar pas vanavond had ik me ineens echt oud gevoeld. Was ik toe aan de schommelstoel? Nee. En was ik dan zo jong als ik dacht? Ook niet.

Terwijl ik daar vals glimlachend aan tafel had gezeten, had ik een droge mond gekregen. Ik had beseft dat me nog vele onaangename ontdekkingen – psychologische landmijnen – te wachten stonden. Toen ik John had leren kennen had ik me gerealiseerd dat hij op honderden manieren op een unieke manier bij me paste. Maar er waren dingen die ik tijdens zijn leven had geweten, en er waren dingen die ik na zijn dood was gaan beseffen, en nog zou gaan beseffen.

Het restaurant, dat de optimistische naam *Lucky's* had meegekregen en was ondergebracht in een winkelpand, was het eigendom van de een of andere Oost-Europeaan die bijna geen Engels sprak. Matthew was er vaste klant – het eten was goedkoop, de porties waren groot en de inrichting was niet onplezierig. De zwart-witte familiefoto's aan de muur zorgden voor een persoonlijke noot. Bij de kassa stond een absurde verzameling porseleinen honden en katten. Maar het vlees was taai, de groenten waterig, en de geplastificeerde menu's hadden onder de vette vingers gezeten, hetgeen niet zozeer funky, als wel ronduit smerig was geweest. Je hoopt altijd dat dit soort restaurantjes een ontdekking blijkt te zijn – charmante kelners met esprit, en heerlijk eten voor een spotprijs. Geen van beide was het geval. Het eten was smerig geweest, en het personeel zwijgzaam en treurig onder een vernisje van vriendelijkheid.

Of misschien lag het wel aan mij.

Kort na zijn diagnose had John gesproken over een gevoel van er niet meer helemaal bij horen – iemand die wist dat hij kanker had zag alles door een kankergekleurde bril die geen zuiver beeld opleverde. Hij voelde zich duidelijk en onherroepelijk anders dan de rest, zei hij. Voor altijd van ons gescheiden.

En zo voelde ik me nu ook, terwijl ik de wereld door mijn weduwebril bezag. De klok op de schoorsteenmantel sloeg tien uur. Ik stond op en ging voor het raam staan, sloeg mijn armen om mijn middel en stelde prompt vast dat ik nog meer was afgevallen. Ik dacht: *Het is waar dat, wanneer er iemand sterft die je dierbaar is, er ook een deel van jou sterft. Een deel dat vervolgens opnieuw geboren moet worden.* En veel mensen werden herboren – ze gingen door een hel van verdriet om als overwinnaar uit de strijd te komen. Hun liefde voor de overledene was niet vergeten, maar bevond zich nu op de achtergrond waardoor er in hun leven plaats was ontstaan voor iets nieuws. Maar je had ook anderen die altijd in het gat bleven steken. Ik had John vele keren beloofd dat ik tot die eerste groep zou behoren – niet alleen maar tot diegenen die het verdriet overleefden, maar tot de groep die stralend uit de strijd tevoorschijn kwam.

Ik deed op mijn manier mijn best. Ik was naar een andere stad verhuisd, had vriendschap gesloten met het buurjongetje, ging uit eten met een jongeman die nagenoeg volledig in beslag werd genomen door de emotionele deining die typerend was voor zijn leven. Daarnaast had ik plannen om een winkel te openen. En had ik contact gezocht met mijn vriendinnen van vroeger.

Wat een bof dat ik ze had teruggevonden. Ik had erover gedacht ze het komende weekend alle drie uit te nodigen. In gedachten zag ik ons in de woonkamer ontspannen met elkaar zitten praten, praten en praten, zonder het gevoel te hebben dat er bepaalde dingen waren die niet gezegd konden worden, of dat we niet openlijk mochten laten blijken waar we behoefte aan hadden.

Ik liep naar de Chinese kast en haalde er een papiertje uit. *IJzeren haardrooster. Traliewerk. Haard.* Het zei me niets. Snel pakte ik een tweede: *Japanse theeceremonie.* Ook dit zei me niets.

Met een zucht ging ik naar boven, naar mijn slaapkamer, waar ik het envelopje met foto's uit mijn nachtkastje haalde en er eentje uit nam. Hij was van een binnenplaats in Portugal waar een standbeeld stond van een man met een snor die elk moment van zijn gezicht leek te kunnen waaien. Ik herinnerde me dat John die foto nam, en ook dat we net ergens geluncht hadden en dat hij soep op zijn trui had gemorst, wat reuze zeldzaam was voor zo'n pietluttig iemand als hij. Op de foto stonden ook twee in het zwart geklede oude vrouwen met hoofddoeken om, die samen op een bankje zaten te praten. De ene, die met haar benen ver uit elkaar zat, keek recht in de camera, en de andere zat en profil met haar handen in elkaar geslagen op haar schoot en haar knieën tegen elkaar. Ik herinnerde me dat de vrouwen pas geglimlacht hadden toen de foto was genomen, en dat een van hen geen tanden had gehad. Achter de vrouwen waren huizen met gekleurde gevels – gebrande siena, olijfgroen en zalmroze. Op een van de verdiepingen hing vitrage voor de ramen, en aan de smeedijzeren reling van een van de balkons hingen overhemden in de zon te drogen. Daarboven was van raam naar raam een volle waslijn gespannen – dat was waarschijnlijk waarom John de foto had genomen, bij wijze van presentje voor mij en mijn malle voorkeuren.

Ik wist ook nog dat, toen de foto was genomen, de vrouwen aan John vroegen of hij wou dat ze ook een foto van ons maakten. O, nee, hadden we alle twee gezegd, waarop we hadden uitgelegd dat we het geen van tweeën prettig vonden om gefotografeerd te worden. O, nee. Waar hadden we foto's voor nodig – we hadden immers elkaar?

Ik liet de rest van de foto's op bed vallen. Kerken, een stel duiven rond de voeten van een glimlachende oude man, een indrukwekkende zonsondergang. Niet één foto van John. Maar daar zag ik een foto die in Venetië was genomen, en de herinnering eraan was nog glashelder. Het leek me een goed idee om er wat langer bij stil te staan.

De foto was van een gondel waar we een eindje mee hadden gevaren. John had niet met de gondel gewild. Hij zei dat hij zich belachelijk zou voelen. Ik zei, John, we zijn in Venetië. Iedereen die Venetië bezoekt gaat een keertje met een gondel. Precies, zei hij. Ik keek hem aan en knipperde met mijn ogen. Ten slotte vroeg ik: nou en? Waarom kun jij iets niet doen omdat andere mensen dat doen? Sinds wanneer? Zit je in het theater soms alleen in de zaal? Heb jij vissen uitgevonden? Dit is anders, zei John. Het is veel te zichtbaar, allemaal. En het is burgerlijk, echt. We kunnen vast wel iets leukers vinden om te doen. Ja, kom op, zei ik, laten we iets doen dat geen van al die idiote toerísten doet. En zo gingen we nog een poosje door – ik was veel bozer dan John – hij vond het zowaar amusant – en volgens mij was het die superieure air van hem die me zo woedend maakte. Toen de gondelier aanlegde bij de steiger waar we stonden te gebaren alsof we een eindje wilden varen, en hij vroeg of we in wilden stappen, zei John: 'Hemel ja, dat hadden we juist besloten!' Hij sprong in de boot en stak zijn hand uit om me aan boord te helpen. Wat kon ik doen? Ik wist werkelijk niet waar ik was, ik sprak geen woord Italiaans en John had de sleutel van de kamer met de naam en het adres van het hotel erop. Ik nam me heilig voor om in het vervolg nooit zonder eigen sleutel op stap te gaan.

Ik wist nog precies hoe ik ziedend, en met mijn armen stijf over elkaar in die gondel had gezeten. Aan de ene kant wilde ik niets liever dan genieten, en alle mooie dingen aanwijzen die we passeerden, om John te vertellen wat mijn vriendin Marianne van Venetië had gezegd – dat het een beeldschone oudere vrouw was die dringend iets aan haar gebit moest laten doen. In plaats daarvan keek ik met een zuur gezicht om me heen, en na een poosje ging John zó zitten dat hij me niet hoefde te zien. En ondertussen probeerde die arme gondelier, die niets snapte van wat er met ons aan de hand was, alleen maar om ons van zijn povere tenor en zijn vaarkunsten te laten genieten. Ik was er totaal ongevoelig voor. Na afloop van het tochtje gaven we hem – elk – een royale fooi, want kennelijk was er één ding waar we het alle twee over eens waren: iemand die zo schandalig behandeld was verdiende een extraatje na afloop van de beproeving. Uiteindelijk had John meer van het tochtje genoten dan ik. Toen we waren uitgestapt, maakte hij de foto bij wijze van een sentimenteel soort ironie, waarmee hij me alleen maar nóg bozer had gemaakt. De rood pluchen kussens en de plastic gouden bloemen! Het was geen plezierige avond geweest. We waren nijdig naar bed gegaan en hadden zo ver mogelijk van elkaar af geslapen.

Ik bleef roerloos zitten met de foto in mijn hand. De herinnering had het er niet beter op gemaakt. Het had me niet doen beseffen dat het leven met John ook wel eens wat minder volmaakt was geweest. In plaats daarvan had het een intens en specifiek verlangen naar hem bij me opgeroepen – een gevoel dat vanaf mijn heupen omhoog kroop naar mijn keel. Ik zou altijd naar hem blijven verlangen. Zonder hem zou ik nooit gelukkig kunnen zijn. Ik was het soort mens dat, om zelf ergens optimaal van te kunnen genieten, mijn ervaring met een ander moest delen. Maar mijn partner was overleden en ik zou nooit meer iemand vinden met wie ik een gelijksoortige relatie zou kunnen hebben. Wat had het voor zin om me de rest van mijn leven door te worstelen?

Ik liet me van het bed op de grond zakken en sloeg mijn handen voor mijn gezicht. ‘Alsjeblieft,’ zei ik. ‘O, alsjeblíeft.’

Ineens was het alsof ik niet langer alleen was, en ik durfde amper nog adem te halen. Ik keek naar de stoel in de hoek van de kamer, en daar was hij.

‘John?’ Ik legde mijn hand op mijn borst en greep me vast aan mijn trui. ‘Ben je daar echt?’

Hij glimlachte. Hij zat me, met zijn benen over elkaar geslagen, ontspannen aan te kijken.

Ik moest huilen. Hij haalde zijn benen van elkaar, boog zich naar me toe en steunde zijn armen op zijn knieën. Er lag zo’n intens liefdevolle uitdrukking op zijn gezicht dat mijn verdriet vanzelf verdween. Ik voelde me op uiterst aangename wijze gehypnotiseerd, en het was alsof ik tussen twee werelden zweefde. 'Heb je honger?' vroeg ik. 'Je rammelt vast van de honger.'

Hij bleef me aankijken en zei niets.

'Ik weet niet waarom ik dat zei.'

Hij maakte aanstalten om op te staan, en schudde zijn hoofd. Ik sloeg op de vloer naast me. 'Kun je bij me komen zitten?' Hij bewoog zich niet. 'Nou, dan kom ik bij jou.'

Toen was hij verdwenen.

Ik keek strak naar de stoel en luisterde naar mijn ademhaling. Toen pakte ik de telefoon en belde Lorraine. Toen ze opnam moest ik ineens verschrikkelijk huilen.

'Betta?'

'Lorraine, ik geloof dat ik bezig ben mijn verstand te verliezen.' Nog meer gejank.

'Toe, huil maar lekker,' zei ze. 'Dat mag best.' Ik huilde en huilde, en na een poosje zei ze: 'Oké, wacht even, ik pak een sigaret.'

Toen ze terugkwam vertelde ik haar wat ik had gezien. 'Vertel dit nooit verder,' zei ik, tussen twee heftige snikken door. 'Maar ik weet niet wat ik moet dóen.'

'Nou, Betta, ik vind het helemaal niet zo vreemd, hoor. Je bent op dit moment heel erg kwetsbaar en alles is nog zo nieuw voor je. En daarbij, dit soort dingen zijn toch helemaal niet zo bijzonder – ik heb ook hallucinaties gehad!'

Ik veegde mijn tranen weg. 'Ja, maar jij nam altijd drugs. Dit was geen hallucinatie. Hij was hier echt!'

'Nee, lieverd, dat was hij niet.'

Ik bleef roerloos zitten en staarde naar de stoel waar hij op had gezeten. Toen vroeg ik: 'Zou je weer hier kunnen komen? Maar dan met Maddy en Susanna? Zou je samen met hen willen komen?'

'Nou, daar hadden we het juist over.'

'Lorraine, ik ben... ik ben bang.'

'Dat weet ik. Praat maar tegen me. Ik ben hier.'

'Misschien... had ik niet moeten verhuizen. Misschien had ik ook moeten sterven – ik geloof niet dat ik sterk genoeg ben om dit vol te kunnen houden.' Opnieuw kwamen de tranen. 'Ik heb er geen zin meer in, en ik ben nog lang niet klaar met het verwerken van mijn verdriet! O, had ik hem maar nooit ontmoet. Of had ik maar nooit zoveel van hem gehouden. Of was ik maar nooit zo afhankelijk van hem geweest. Weet je, Lorraine, je kunt je niet voorstellen hoe het was. Ik snap niet hoe ik erbij kwam dat ik hier zo snel weer overheen zou zijn. "*Wat een enig stadje! Wat fijn om hier te kunnen zijn. Ik ben ontzettend sterk, kijk maar, ik heb een heel nieuw leven en alles lijkt vanzelf te gaan!*" Helemaal niet! Ik heb dit huis in een blinde opwelling gekocht, en nu lijkt het wel alsof ik me niet... En die winkel, Lorraine? Iemand is me voor geweest. Hij is verhuurd.'

'Nou, er is heus wel een ander pand te huur. Ik kom terug en dan gaan we samen op zoek. Wacht maar tot ik er weer ben, en dan gaan we er samen achteraan.'

'John en ik zouden samen een winkel zijn begonnen, niet ik alleen! Niet ik in mijn eentje! Ik kan hier niet blijven. Ik moet terug naar Boston, maar ik heb mijn huis verkocht!'

Ik hield de telefoon zo stevig vast dat hij diep in mijn vel drukte. Ik snikte heftige snikken – geluiden die los van mij leken te staan en zo oprecht waren dat ik me erover verbaasde. Toen ik na vele minuten was uitgehuild zei ik verdrietig: 'Ik weet niet. Misschien meende ik het wel niet wat ik allemaal heb gezegd. Ik wéét niet eens meer wat ik allemaal heb gezegd.'

Ik hoorde Lorraine een lange rookwolk uitblazen. Toen zei ze: 'Ik schat dat we vrijdagavond allemaal bij je kunnen zijn, en dat we het weekend kunnen blijven logeren.'

'Mooi,' zei ik. 'Fijn.'

'We komen zelf naar je toe, maar jij moet voor voldoende eten en zo zorgen. Goed?'

'Goed.' Ik hing op, haalde diep adem en wierp nog een blik op de stoel die bijna defensief terug leek te kijken.

Ach ja. Er ging niets boven een flinke huilbui om het leven weer rooskleuriger in te kunnen zien. Ik ging naar beneden, zette water op voor de thee, en koos de cd van *Lyle Lovett and His Large Band.* Ik dacht aan John die ik schijnbaar levensecht op die stoel in de hoek van mijn slaapkamer had zien zitten. Lorraine mocht dat soort dingen dan niet bijzonder vinden, ik deed dat wel. Ik draaide het gas onder de fluitketel uit en ging weer naar boven. Ik aarzelde even alvorens mijn slaapkamer weer binnen te gaan, en ging toen op de rand van het bed zitten. Strak voor me uit kijkend liet ik me er opnieuw vanaf afglijden en op de vloer zakken. Ik sloeg mijn handen voor mijn gezicht. 'Alsjeblieft,' zei ik, waarop ik een heimelijke blik op de stoel wierp. Niets. 'Alsjeblíeft!' Ik kneep mijn ogen stijf dicht en luisterde. Niets.

Toen er werd aangebeld keek ik hoopvol op. *John?* dacht ik. Maar het was Benny.

'Mag ik bij jou slapen?' vroeg hij. 'Mijn moeder zou om negen uur thuis zijn, maar ze is er nog niet.'

'Natuurlijk,' zei ik. 'Waar is ze dan?'

'Op haar werk,' zei hij, terwijl hij zijn jack uittrok. 'Soms werkt ze tot laat.'

Hij zat nog maar net voor de televisie in de logeerkamer, toen er opnieuw werd aangebeld. Het was Carol, die zich uitputte in verontschuldigingen en me het briefje liet zien dat Benny voor haar had neergelegd. 'Het spijt me,' zei ze. 'Is hij hier?'

'Boven,' zei ik. 'Kom binnen.'

Ze stapte het halletje in en bleef staan. 'Ik was...' Ze haalde diep adem en vervolgde fluisterend: 'Nou goed. Ik ben met een collega van me naar een motel geweest. Ik had mijn mobiel uitgezet terwijl we... Hoe dan ook, we zijn in slaap gevallen en ik... god, ik schaam me wild! Wat moet je wel niet van me denken?'

'Mam?' riep Benny van boven. Toen kwam hij stampend de trap af gerend. 'Hoi mam, waar was je?'

'Lieverd, het spijt me dat ik zo laat ben. Het zal niet nog eens gebeuren. Ga maar vast naar huis. Ik kom eraan. Ik wil nog even met Betta praten.'

Benny bedankte me en ging weg. Carol tuurde strak naar de vloer.

'Je hoeft je niet te schamen,' zei ik.

Ze keek me aan – haar ogen glommen van de tranen. 'Het is alleen dat ik... Ik heb zo af en toe behoefte aan een man, en ik wil ze niet mee naar huis nemen. En een oppas is tegenwoordig onbetaalbaar. Dit is me nog nooit eerder overkomen.'

'Weet je wat?' zei ik. 'Laat Benny een avond per week hier logeren. Is dat een idee?'

'Ik kan je er niet voor betalen. Op het moment is het allemaal reuze – '

'Je hoeft me niet te betalen. Echt niet. Ik doe het met plezier.'

'Ik weet niet wat ik moet zeggen.'

'Op woensdag?'

Ze haalde haar schouders op en gaf me een vluchtige zoen op de wang. 'Goed. Bedankt.'

Ik keek haar na terwijl ze op een holletje terugliep naar haar eigen huis, dat niet zo heel veel verschilde van het mijne. Twee eenzame vrouwen die deden wat ze moesten doen om zich erdoorheen te slaan.

Toen ik het licht op de veranda uitdeed, schoot het me opeens te binnen. *Japanse theeceremonie:* een manier om jezelf te eren door eerst aan de ander te denken. De vreugde die je kon beleven aan het op intieme wijze dienen van de ander.

Een gesprek dat we ooit eens hadden gevoerd toen we van de film op weg waren naar huis. Ik weet nog hoe hij die avond eerst tandpasta op mijn tandenborstel had gedaan, en een buiging voor me had gemaakt. Ik had geglimlacht, maar tegelijkertijd beseft dat dit soort kleine geschenken beschouwd konden worden als één zaadje dat in twee harten tot bloei kwam.

Zondagochtend sliep ik uit, waarna ik mezelf trakteerde op ontbijt bij Sutton's Pancake House, twee straten voorbij Cuppa Java. Het restaurantje zag er goed uit en ik was al een paar dagen van plan geweest het uit te proberen. Ik genoot van pannenkoekjes met aardbeien in het luidruchtige, naar uitgebakken spek ruikende restaurant en bekeek de mensen om me heen – een slaperig jong stel in trainingsbroek en flanellen shirt dat de krant zat te lezen, een gezin van vier dat keurig netjes gekleed was voor de kerk, een jong meisje dat op haar knieën zat en aan een stuk door 'Ik eet Micky Mouse, ik eet Micky Mouse, ik eet Mickey Mouse!' riep, en een groepje van zes oudere dametjes met allemaal een hoed op, die veel te vaak en veel te luid lachten. In de hoek, een verwaarloosd uitziende man die boos voor zich uit zat te mompelen en papier in snippertjes scheurde die hij uitstrooide over zijn onaangeroerde eieren met spek. En bij het raam, een man van ongeveer mijn eigen leeftijd in een goed leren jack die een kop koffie dronk en voortdurend op zijn horloge keek. Ik vroeg me af op wie hij wachtte. Mijn blik zakte naar zijn vinger. Geen ring. Ik durfde er iets om te verwedden dat, als hij op een vrouw zat te wachten, ze vijfendertig of jonger zou zijn. Ik popelde om het te weten te komen.

Toen ik opstond om af te rekenen, deed hij dat ook. We glimlachten naar elkaar, en ik betaalde en liep snel naar het café waar ik had afgesproken. Toen ik me, alvorens naar binnen te gaan, omdraaide, zag ik de man opnieuw. Hij kwam op enige afstand van mij de stoep af gelopen. Ik herinnerde me een vrouw die vertelde dat ze haar man op die manier had leren kennen. 'Ik dacht dat hij me volgde,' had ze gezegd. 'Ik zag hem aan voor psychopaat.'

Ik glimlachte aarzelend en bleef de deur openhouden. En ja, hij wilde hier ook naar binnen. We knikten elkaar toe, gingen elk aan een tafeltje zitten, en toen hij zijn jack uittrok zag ik dat hij een rode trui aanhad. Ik slikte, trok mijn eigen jas uit en keek nadrukkelijk de andere kant op.

De man stond op en kwam naar mijn tafeltje. 'Betta Nolan?'

Ik keek op. 'Tom Bartlett.'

'Dit is de tweede keer dat we elkaar zien,' zei hij. 'Hallo.'

Ik schraapte mijn keel. 'Hallo,' zei ik.

Hij wees op de stoel. 'Mag ik?'

'Natuurlijk. Maar zouden we... Wil je niet eerst iets bestellen?'

'Heb je zin in een Mickey Mouse-pannenkoek?'

'Bijvoorbeeld,' zei ik, en ik glimlachte.

'Waar heb je zin in?' vroeg hij.

'Thee, graag. Iets van kruiden.' Ik pakte mijn portemonnee.

'Ik betaal. Ik ben zo terug.'

Ik keek naar het jack dat hij over de rugleuning van de stoel had gehangen en liet wat van de ingehouden adem uit mijn longen ontsnappen. Hij was al een beetje kaal, maar toch.

Uren later haalde ik een cake uit de oven en zei tegen Tom dat het nog even zou duren voor hij was afgekoeld. 'Waarom gaan we niet naar de woonkamer?' stelde ik voor.

Hij volgde me naar de bank en kwam naast me zitten. 'Ik

had nooit verwacht dat een ontmoeting van tien minuten zou kunnen uitgroeien tot' – hij keek op zijn horloge – 'maar liefst zeven uur!'

'Ik ook niet.' Ik had me niet gerealiseerd hoezeer ik het gemist had om met een man te praten. Ik had het over van alles en nog wat gehad, maar hij scheen het niet erg te vinden. Ik ratelde echt aan een stuk door, maar hij kon goed luisteren en was een ideale gesprekspartner. Hij was veertien jaar getrouwd geweest, zijn vrouw was zeven jaar geleden overleden en er waren geen kinderen. Een echte nieuwe relatie had hij niet gehad – hij was nog niemand tegengekomen die hem echt kon boeien. Hij was onlangs vervroegd met pensioen gegaan – hij werkte als computerconsulent – en was nu eindelijk zover dan hij aan nieuwe dingen kon denken. Zijn telefoontje over schrijven was als startschot bedoeld geweest, hoewel ik eerlijk moest bekennen dat we het nauwelijks over schrijven hadden gehad. We hadden door het dorp gewandeld, waren naar de film geweest, hadden ergens – in een bar die deel uitmaakte van een Italiaans restaurant – wat gedronken, en toen had ik aangeboden om thuis voor ons te koken. Ik had kipfilet in wijnsaus met champignons gemaakt, en daarbij pasta en een enorme salade geserveerd. Daarna hadden we besloten dat we bosvruchtencake wilden.

'Weet je, Betta,' zei hij, 'het was ontzettend moedig van je, dat je hiernaartoe bent verhuisd. En ik ben blij dat je die stap hebt genomen.'

'Mooi. Ik bedoel, ik ook.' Ik lachte. 'Volgens mij heb ik veel te veel wijn gedronken bij het eten!'

Hij glimlachte. 'Dat geeft niet.' Bij nader inzien was hij echt een knappe man. Hij was fit en had blauwe ogen. Ik zat zo dicht bij hem dat ik de sterretjes in zijn irissen kon zien. 'Nee toch? Of wel?'

Lange seconden zei ik niets, en toen boog ik me naar hem toe en sloot mijn ogen. Hij kuste me en mijn maag maakte een sprongetje. Terwijl ik me van hem losmaakte lukte het me mijn verlangen om te zetten in irritatie. 'Ik moet je wat zeggen,' zei ik.

Tom knikte. 'Ik begrijp het. Echt.' Hij keek op zijn horloge. 'Moet je horen, een toetje lijkt me heerlijk, maar eigenlijk zit ik propvol.'

'Een ander keertje,' zei ik, en ik liep met hem mee naar de deur.

'Tot kijk,' zei hij, en ik glimlachte zonder iets te zeggen. Ik keek hem na terwijl hij met vastberaden stap de stoep af liep. De opgaande wolkjes van zijn adem. Ik wou dat hij iemand kon zijn die ik naar believen van de bovenste plank in de kast kon halen om wat mee te spelen. Maar hij was een gecompliceerd levend wezen. Hij kwam met zijn eigen verhaal en zijn eigen behoeften. Ik kende hem niet. Hij was een vreemde die te veel lucht in mijn huis had ingeademd. Eigenlijk kon ik hem niet uitstaan.

Ik ging met mijn rug tegen de voordeur staan en sloot mijn ogen. Wat ik voelde was een mengeling van verwarring en spijt. Het speet me echt. Ik was kleingeestig en gemeen. Ik wou dat hij terugkwam. Wou dat ik hem nooit ontmoet had. Ik wilde niet naar iemand verlangen. Ik wilde alleen maar naar John verlangen, en ik wou dat een dergelijk verlangen reëel haalbaar zou zijn.

Ik sloeg met mijn vuist tegen de deur – niet één, maar twee, drie keer. Toen deed ik het licht uit en kroop zonder me te wassen, zonder mijn tanden te poetsen, zonder mijn pyjama aan te trekken in bed. Ik lag naakt onder de dekens en staarde op naar het plafond, en liet mijn hand langzaam naar beneden kruipen. Mijn emoties hielden het midden tussen begeerte en diepe schaamte en vernedering. Ik voelde me leeg vanbinnen. Ik dacht aan strippers met hun doffe ogen, hoertjes die tegen auto's stonden geleund. Seks dat het bij lange na niet haalde bij de bevrediging van echt verlangen.

Drie uur 's nachts. Een mannenstem. Diezelfde stem weer. Ik ging rechtop in bed zitten en trok de dekens strak om me heen. 'Kom tevoorschijn!' zei ik. 'Ik kan je zien!' Dat was natuurlijk niet waar. En natuurlijk zou ik, als er zich een man in mijn slaapkamer schuilhield en ik hem kon zien, niet willen dat hij tevoorschijn kwam. Ik deed het licht aan, pakte de telefoon en draaide Matthews nummer. Hij nam meteen op.

'Je spreekt met Betta,' zei ik. 'Ben je nog wakker?'

'Ja. Ja, ja... wat is er?'

'Je sliep. Het spijt me dat ik je gewekt heb, maar zou ik naar je toe kunnen komen? Mag ik je kamer huren? Alleen om 's nachts te slapen?'

'Nou... ja. Maar ik zou het moeilijk vinden om je daarvoor te laten betalen.'

'Ik wil graag betalen. Het is alleen dat ik een tijdje ergens anders wil slapen omdat het me hier niet goed lukt. Misschien dat ik de kamer alleen maar voor een maand zou kunnen huren, of zo.'

'Dat is best, Betta.'

'Goed, dus... Dan kom ik naar je toe.'

'Nu... bedoel je?'

'Ja. Is dat goed?'

'Ja hoor. Ja. Ik bedoel... ja!' Hij geeuwde. 'Dat lijkt me leuk.'

'Mij ook.' Ik hing op, bleef even heel stil zitten en dwong mijn verstijfde spieren in beweging te komen. Toen kleedde ik me aan en begon ik dekens, kussens, handdoeken, washandjes en een stel schone kleren bij elkaar te zoeken.

Er was geen verkeer op straat. Ik reed door een rood licht en hoopte bijna dat ik door de politie zou worden aangehouden. Ik had op dat moment best een agent willen zien. Ik was nog steeds bang, en ik streek de paar tranen van frustratie van mijn wangen. Hoe lang zou ik die stem nog blijven horen?

Toen ik bij Matthew was en hij de deur voor me opendeed, vloog ik hem om de hals. 'Ho, ho,' zei hij. 'Wat is er aan de hand?'

'Ik hoor maar steeds stemmen,' zei ik. 'In mijn slaapkamer. Ik kan er niet blijven, want ik kan niet slapen.'

Op de gang boven ging het licht aan en Jovani keek over de leuning van de trap. Hij had een versleten rode deken om zich heen gewikkeld en zijn haar stond in pieken overeind. 'Hallo,' zei hij.

'Ik kom jullie kamer huren,' zei ik.

'O, mooi. Welterusten.'

'Welterusten.' Ik wendde me weer tot Matthew. 'Het spijt me dat ik je gewekt heb. Je zult wel bekaf zijn. Dat ben ik ook. Dus dan ga ik maar gewoon – '

'Wacht heel eventjes, wil je?' zei hij. 'Ik heb... er is iemand hier.'

'O!' Zachtjes vroeg ik: 'Melanie?' Hij weigerde me aan te kijken. 'Dat geeft niet,' zei ik, en ik begon de trap op te lopen. 'Ik zal heel stil zijn.'

'Nou... wacht. Ze... ze slaapt in jouw kamer.'

Ik bleef staan en draaide me naar hem om. 'O, Matthew. Waarom heb je dat niet meteen gezegd?'

'Nou, ze... ik bedoel, ze slaapt bij míj, maar... Ik weet niet, ze gaat altijd weg. Hoe dan ook, ik zal zeggen dat ze weer bij mij in bed moet komen.'

'Nee, ik ga wel naar huis.' Ik zou in de logeerkamer slapen, of op de bank. Ik had helemaal niet hier moeten komen.

'Ga niet weg,' zei Matthew. 'Ik wil de kamer dolgraag aan je verhuren, we kunnen het geld goed gebruiken en het is gezellig. Ik heb het alleen nog niet aan Melanie verteld. Het spijt me. Ik ben meteen weer in slaap gevallen nadat je belde. Maar het is echt geen probleem. Laat me haar even halen. Het is absoluut geen probleem.'

Ik bleef op de trap staan wachten en hij liep naar boven. Hij klopte zachtjes op de deur en riep haar naam. Toen zei hij nog iets wat ik niet kon verstaan, en het volgende moment krijste ze: *'Nee! Geen sprake van!!!'*

'Melanie,' zei hij.

'Nee! En donder op, ik slaap!'

'Hou je bek, Melanie,' zei Jovani.

'Krijg de kolere, Jovani! Loser! En jij, Matthew, maak dat je mijn kamer uit komt!'

Ik draaide me om en begon naar de voordeur te lopen. Matthew haastte zich de trap af en zei: 'Betta? Blijf. Ik ga wel op de bank liggen. Je kunt mijn bed krijgen.'

'Het geeft niet.' Ik ging naar buiten, gooide mijn koffer weer op de achterbank en reed naar huis. Toen ik thuis was ging in naar mijn slaapkamer en bleef staan luisteren. Niets. Ik liet het licht aan, sloeg de dekens open en klom erin. Ik sloot mijn ogen en luisterde aandachtig: niets. Toen deed ik het licht uit en luisterde opnieuw. Een langsrijdende auto, het tikken van mijn wekker. Ik trok mijn jas en laarzen uit en ging weer liggen. Er waren nachten waar geen eind aan leek te komen.

Delores had onze eerste lunchafspraak af moeten zeggen. 'Ik heb kort ervoor een afspraak bij de dokter,' had ze gezegd. 'En ik hoef je niet te vertellen dat ze ons soms zo lang laten wachten dat we, tegen de tijd dat we aan de beurt zijn, onze leeftijd in hun kaartsysteem moeten aanpassen. Maar o wee als wij ook maar vijf minuten te laat zijn, dan aarzelen ze niet om ons onmiddellijk voor de rechter te slepen.'

Maar nu zaten we dan op deze zonnige vrijdagmiddag bij de Italiaan in de buurt van haar kantoor. Ik had haar verteld dat mijn vriendinnen laat in de middag zouden komen en dat ze het weekend bleven logeren.

'Ik wou dat mijn beste vriendinnen bij me konden komen logeren,' zei ze. 'Helaas zouden we twee van hen daarvoor op moeten graven.'

'Och hemel,' zei ik.

'Ach ja. De dood, de grootste spelbederver ooit. Maar wat kun je ertegen doen?'

Ik pakte een suikerzakje op en staarde ernaar. 'Delores? Hoe lang heb jij na de dood van je man gewacht met het zoeken naar een nieuwe partner?'

'O, iets van een jaar.' Ze haastte zich eraan toe te voegen: 'Als jij dat maar niet doet! Het was echt zonde van de tijd. Ik dacht alleen maar dat ik een jaar moest wachten. In werkelijkheid was ik er al veel eerder aan toe. Maar dat durfde ik toen aan niemand te bekennen.'

'En wanneer was je eraan toe?'

Ze zette haar kopje neer en boog zich naar me toe. 'Dit heb ik nog nooit aan iemand verteld. Op de begrafenis van mijn man zag ik iemand...'

'Nee.'

Ze hield haar hand op. 'Ik heb niets gedaan. Ik heb alleen maar met de gedachte gespeeld. Zal ik je eens wat zeggen? Ik wou dat iemand een goed relatiebureau begon voor mensen van boven de vijftig. Het is een pure hel wanneer je eenmaal boven de vijftig bent. Een poosje geleden ben ik met iemand uit eten gegaan. Een duur restaurant. Toen we klaar waren haalde hij zijn bovengebit eruit en legde het naast zijn bord. Hij had er last van. En toen vroeg hij of ik het erg vond. Ik moest me beheersen om niet mijn nieuwe beha, die me nauwelijks liet ademhalen, van mijn tors te rukken en in het broodmandje te deponeren. Als ik niet zo bang was geweest dat de oude rakker hem op zou willen eten – want hij was zo goed als stekeblind – zou ik het waarschijnlijk nog gedaan hebben ook!' Ze haalde haar poederdoos uit haar tas en poederde haar wangen. Het was een heerlijk, ouderwets gezicht en ik vond het prettig om haar dat te zien doen. 'Zullen we gaan?' vroeg ze.

'Ik had je nog iets willen vragen,' zei ik, en toen aarzelde ik. Ik keek naar haar vriendelijke gezicht en de belangstellende manier waarop ze me aankeek.

'Ga je gang,' zei ze.

'Goed, dit is... Je hebt geen idee hoe dwaas ik het van mezelf vind dat ik je dit vraag. Maar heb jij, na de dood van je man, ook nachten gehad waarop je niet kon slapen en paniekaanvallen had?'

Ze lachte. 'Wat dacht je! Ik ben een maand bij Marion

O'Donahue ingetrokken, en zelfs daar sliep ik met het licht aan. Ken je haar? Glamour Daze, de kapsalon? Hoe dan ook, ze woonde alleen en ze had een logeerkamer. Ik probeerde alleen thuis te blijven, maar langer dan drie dagen hield ik het niet uit. Ik was doodsbang in mijn eentje.'

'Nou, ik... ik hoor dingen,' zei ik.

'O, o. Wat voor dingen?'

'Stemmen. Een mannenstem. Niet aldoor, maar van tijd tot tijd. 's Nachts.'

Ze leunde naar achteren in haar stoel en zuchtte. 'Nou, dat moet vervelend zijn. Lydia zei dat ze op zolder een radio had laten staan, maar ik heb haar gezegd dat ik niets heb gevonden. In werkelijkheid ben ik nooit helemaal boven geweest – niet op zolder en niet in de kelder, zoals ik je verteld heb. Ik weet bijna zeker dat er ergens iets aanstaat en dat je het overdag, door alle andere geluiden, niet hoort.'

'Dat hoop ik maar. En als dat zo mocht zijn dan voel ik me niet alleen nog dwazer, maar vooral ook waanzinnig opgelucht!'

Delores keek op haar horloge. 'Laten we samen gaan kijken. Ik ga met je mee. Als het de radio is, dan breng ik hem naar haar toe. Maar ik moet opschieten want ik heb twee klanten vanmiddag. Door dat programma van Ed Selwin heb ik ineens veel meer te doen – meer zelfs dan ik aankan. En dat bevalt me helemaal niet.'

Ik trok de zoldertrap omlaag en klom naar boven. Eigenlijk had ik al veel eerder boven een kijkje moeten nemen, maar dat was tot op dat moment nergens voor nodig geweest. De kelder was groot genoeg om er spullen inop te slaan, en ik hield nu eenmaal niet van zoldertrappen beklimmen. Naar boven was één ding, maar naar beneden was lastig. Stel dat ik viel? Ik was alleen, en dan moest je met dat soort dingen rekening houden.

De zolder rook muf en bedompt, en zelfs met het licht aan was het er nog donker. En toen zag ik het – in de hoek achteraan stond een oude bruine radio. Hij stond boven op een doos, naast een stoel die voor het raam was gezet. Ik liep erheen en kon hem steeds duidelijker horen. Hij stond zachtjes aan, en op dit moment kraakte hij alleen maar. Wat had Lydia hierboven gedaan? Waarom sloot ze zich hierboven op, terwijl ze toch het hele huis voor zich alleen had gehad? Ik zette de radio uit, trok de stekker uit het stopcontact en bracht hem naar beneden waar Delores op me stond te wachten. 'Dus je brengt hem nu naar haar toe?' vroeg ik.

Delores keek op haar horloge en zuchtte.

'Ik doe het wel,' zei ik, de radio weer van haar overnemend.

'Dat hoef je niet te doen!'

'Het is geen moeite,' zei ik. Ik zou kijken of er misschien ook nog iets in de doos zat waar de radio op had gestaan – misschien wilde ze dat ook wel hebben.

Ik liep met Delores terug naar haar auto en zwaaide haar na. Het mysterie was opgelost – ik zou die stem niet meer horen. Toch wilde ik die kamer bij Matthew huren – dat had ik besloten op het moment dat ik de radio had zien staan. Ik had echt zin om zo nu en dan daar te slapen. Ik zou mijn Sneeuwwitje-fantasie kunnen uitleven, en zij zouden wat extra inkomen krijgen.

Ik klauterde de ladder weer op en maakte de doos open waar de radio op had gestaan. Brieven. Twee dikke stapels brieven. Ik maakte de bovenste open – hij was van 2 december 1942, en was geschreven op dun luchtpostpapier.

Mijn allerliefste Lydia,

Je had de jongens moeten zien, zoals ze zich op al die verrassingen stortten die je had gestuurd! Ik heb een deel van het snoep en de toffee met ze gedeeld, en zodra ik de pockets uit heb, geef ik ze verder. Maar de salami is voor mij alleen, en de das die je gebreid hebt natuurlijk ook. Dank je, liefste, maar je had niet zoveel geld moeten uitgeven – ik weet toch hoe hard je ervoor moet werken.

Je kunt je niet voorstellen hoe het hier is – het leven met jou, en New York lijkt ongelooflijk ver weg. Verder dan in kilometers te meten valt. Het is inderdaad een soort hel, vol rook en met veel rood, en vol van dingen die ik je nooit zou kunnen beschrijven, of je ook maar zou wíllen beschrijven. Uiteindelijk heb ik gezworen dat ik altijd van je zal houden en je zal beschermen, en dat meen ik ook. Vreemd genoeg zijn hier ook momenten waarop we ons een hoedje vervelen, en op dat soort momenten ben ik in gedachten bij jou en probeer ik me voor te stellen wat je elke dag doet en ziet. Ik zie je voor me zoals je voor de klas staat, jij, met je scherpe verstand, en dan weet ik dat je echt een geweldige lerares zult zijn. (En wat moet het een voorrecht zijn geweest om jou les te geven!) Ik denk aan die trotse onafhankelijke geest van jou, zoals die ook tot uitdrukking komt in je manier van lopen, en ik denk aan je hoeden en handschoenen en de zoete klank van je stem. Ik mis onze gesprekken verschrikkelijk – hier zijn geen vrouwenstemmen om naar te luisteren.

Lieveling, ik moet je vertellen dat het erop lijkt dat ik zeker dertig tot veertig procent van mijn gehoor kwijt ben – door de kanonnen, zegt de dokter. Ik hoop dat je dat niet heel erg zult vinden. Wat veel erger is, is dat ik inmiddels alle vijf de vrienden kwijt ben met wie ik hiernaartoe ben gekomen – Lester is gisteren omgekomen, op nog geen tien meter van me vandaan. Het positieve aan zijn gruwelijke dood was dat hij op slag overleden is. Ik zal hem missen, dat kleine kereltje met zijn enorme verhalen. En je weet dat hij een speciaal zwak voor jou had – regelmatig hoorde ik hem zijn bewondering uitspreken voor jouw vastberadenheid. Koppigheid, zul je bedoelen, corrigeerde ik hem ooit eens, en toen werd hij heel ernstig en zei dat het heel bijzonder was om een partner te hebben die je te allen tijde kon vertrouwen.

Wanneer ik terug ben in New York wil ik meteen trouwen. Ik weet wel dat we hadden afgesproken om er nog een poosje mee te wachten, maar, Lydia, het heeft zo lang geduurd voor we elkaar hadden gevonden, en net als jij ben ik ervan overtuigd dat we voor elkaar bestemd zijn. Hoe dan ook, als er iets is wat ik van de oorlog heb geleerd, dan is het wel dat je goede dingen niet onnodig moet uitstellen.

Vaak denk ik aan de dag voor mijn vertrek, onze kleren op een slordige hoop onder de appelboom, het gouden licht op je lichaam en hoe jij ook naar appels proefde. En zal ik je nog iets vertellen? Ja, dat doe ik, maar je moet me beloven dat je het nooit ter sprake zult brengen, hooguit pas nadat we alweer heel lang verenigd zijn. Ik zou me diep schamen als je er eerder over zou beginnen. Maar hier, waar elke dag nacht is, heb ik de behoefte om alles tegen je te zeggen. Dat is de enige troost die ik op dit moment heb, en het enige waar ik plezier aan beleef. Laat me je dus vertellen, Lydia, dat ik elke avond voor ik ga slapen, mijn hand op een bepaalde manier tot een vuist bal en dat ik me dan verbeeld dat twee van mijn vingers jouw mond zijn. En dan, in mijn verbeelding, kus ik die mond van je.

Ik had tranen in de ogen gekregen en moest met lezen stoppen. *Net als jij ben ik ervan overtuigd dat we voor elkaar bestemd zijn.* Ik wist precies hoe dat voelde. Ik stak de brief terug in de envelop, en bekeek de poststempels van de brieven die eronder op de stapel lagen. Ze lagen op volgorde, en dit was de laatste. Mijn vingers streelden het fijne handschrift op de envelop. *Miss Lydia Samuels.* De vrouw die ze was geweest.

Nadat ik de brief terug had gelegd op de stapel, deed ik de

doos weer dicht. Ik keek op mijn horloge en haalde diep adem. Volgende week, wanneer ik alle tijd van de wereld had, zou ik haar de doos brengen. Nu moest ik me klaarmaken voor de komst van mijn vriendinnen. Ik keek naar buiten, naar de straat, en zag spelende kinderen, een vrouw die de hond uitliet, langsrijdende auto's en witte wolken tegen een blauwe hemel. Ik zag mijn ware leeftijd en omstandigheden, en besefte dat ik verschrikkelijk had geboft.

Thuisgekomen van boodschappen doen, vulde ik het huis met rozen – in elke kamer een boeket. Ik zette dure wijnen klaar, witte, rode, Merlot en Syrah. Verder had ik ook vleeswaren ingeslagen, kazen, patés en dipsauzen, vijf pond bonbons, heerlijk brood, en had ik voor elk van ons een armband van Patricia Locke gekocht – Locke was een ontwerpster uit Chicago die prachtige, fonkelende en feestelijke sieraden maakte – omdat ik me niets treffenders kon voorstellen.

Toen er werd aangebeld bleef ik heel even roerloos staan, en toen trok ik de deur wagenwijd open. Daar waren ze. Eigenlijk was het verbazingwekkend hoe weinig ervoor nodig was geweest om dit prachtige moment werkelijkheid te laten worden. Op de veranda vlogen we elkaar onder het slaken van hoge uitroepen om de hals, en toen kwamen ze binnen. Een mix van parfums. Chique jassen en tassen die op de bank werden gemikt, midden in de woonkamer een berg koffers en tassen. We spraken allemaal tegelijk, en we begaven ons met zijn allen als één geheel naar de keuken waar we aan tafel gingen zitten alsof we daar de vorige avond van waren opgestaan. Ik had me voorgesteld hoe ik ze elk hun kamer zou wijzen, en daarna de rest van het huis en het stadje, en dat we dan met zijn allen naar Chicago zouden gaan om te eten en een theatervoorstelling te zien. Nu vroeg ik me af hoe ik op dat waanzinnige idee was gekomen.

Drie uur later zaten we nog steeds aan tafel en hadden we onze derde fles wijn opengetrokken. Lorraine was helemaal in het zwart – een nauwsluitende broek, een kasjmieren coltrui, haar haren boven op haar hoofd in een knotje dat met een zilveren gesp op de plaats werd gehouden. Susanna, haar steile, dikke haren tot op kinlengte geknipt en geverfd in een schitterende kastanjebruine tint, droeg een spijkerbroek, een laag uitgesneden turkooizen trui en drie kettingen – een enkel parelsnoer, een snoer koraal en een lang snoer van kristallen kralen. Verder droeg ze twee zilveren bedelarmbanden en een grote, ovale ring met een turkoois. Maddy was in een lange bruine rok en een flanellen blouse waarop ze een brede, bruine ceintuur droeg. Ze had haar lange haren nog niet geverfd – het was, net als het mijne, hier en daar al een beetje grijs – maar ze had een permanent.

We spraken over de werkelijke betekenis van falen, want ik had ze verteld over mijn idee voor de winkel, en daarna over mijn angsten – dat ik bang was om een verkeerde beslissing te nemen, dat ik mijn kapitaaltje zou verkwisten en daarna geen geld meer zou hebben om rond te komen. Als ik niets deed zou ik voldoende hebben om tot aan mijn dood royaal te kunnen leven.

'Ja, maar stel je voor hoe saai dat zou zijn!' zei Lorraine. 'Wie geen risico's durft te nemen gaat vanbinnen langzaam dood!'

'Nou, je kunt op een heleboel verschillende manieren risico's nemen,' zei Maddy. 'Het openen van een winkel is daar maar één van.'

'Ja, maar moet je horen wat ze wil,' zei Lorraine. 'Het is niet zómaar een winkel wat ze in gedachten heeft.' Ze keek me aan. 'Vertel het ze maar.'

Ik haalde mijn schouders op. 'Nou, het is alleen... Ik denk aan een winkel met verschillende dingen waar vrouwen van dromen. Alleen echt heel mooie dingen die tegelijkertijd ook bijzonder zijn. Zoals antieke vogelkooien waar orchideeën in groeien. Designersieraden, dagboeken van handgeschept papier. Linnen lakens...'

'Schorten?' vroeg Maddy. 'Ik ben dol op schorten. Wat vind je van schorten met een lijfje en stroken?'

Toen ik me realiseerde dat mijn vriendinnen allemaal oprecht enthousiast waren, liep ik weer helemaal warm voor het idee. 'Ja, schorten met een lijfje en stroken,' zei ik, 'en dan naai ik er een talisman in zodat alles wat je met dat schort voor kookt, gegarandeerd verrukkelijk is. Maar eigenlijk wil ik meer dan alleen maar spulletjes. Ik wil een plek waar vrouwen zich kunnen ontspannen. Misschien dat er iemand zou zijn die kaarten leest.'

'Tarotkaarten,' zei Susanna. 'Maar ook recitals en kleine toneelstukjes. Door kinderen, bijvoorbeeld. Het "tussen de schuifdeuren"-idee, waarbij ook de hond een rol heeft. Mijn hond, Pepsi, speelde altijd een gewonde soldaat. We spoten ketchup op zijn kop en verbonden hem met wc-papier. Ik doe met je mee, Betta, we worden partners. Ik vind het echt een geweldig idee!'

'En ik doe ook mee,' zei Maddy. 'Ik wil helpen inkopen. Ik wil verantwoordelijk zijn voor de stofjes met stippen. Ik bel dol op stippen. Borden met stippen. En sokken. En hondenmanden. Goed?'

'Ik heb al gezegd dat ik ook mee wil doen,' zei Lorraine.

'Goed, goed,' zei ik lachend.

'Het kan niet mislukken,' zei Susanna. 'Je moet alleen bereid zijn er voldoende tijd in te steken.'

Ik leunde naar achteren in mijn stoel en knikte. 'Ik zal erover denken.'

'Als je besluit het te doen,' zei Susanna, 'dan zul je mij in één opzicht mijn zin moeten geven. Wat ik wil, zijn officiële contractjes die de klant moet tekenen, en waarin ze verklaart dat ze hetgeen ze voor zichzelf gekocht heeft ook daadwerkelijk zal gebruiken, in plaats van het weg te leggen omdat het te mooi is.'

'Wie heeft er honger?' vroeg ik, omdat ik zelf trek had gekregen. En ook omdat ik nog niet zover was om iedereen plannen te horen maken over iets wat voor mij nog niet helemaal vaststond.

Maddy keek op haar horloge. 'Wie heeft er zin in kreeft?'

'Ik zou niet weten waar je dat hier kunt krijgen,' zei ik.

Susanna liep naar de telefoon. 'Dan bestellen we toch iets. Hebben jullie pizza hier?'

'Natuurlijk!' zei ik.

'Nou, ik bedoel, het is maar een stadje hier,' zei Susanna. 'En ik wou dat je niet over kreeft was begonnen, Maddy. Want nou heb ik daar opeens een ontzettende zin in. Dit soort stadjes zijn heel leuk, maar...'

Ineens kreeg ik een brok in mijn keel. John en ik bij Bay State Lobster waar we de kaart bekeken. Later, terwijl hij het vlees uit de kleine kreeftenpootjes zoog, en lachte omdat hij beweerde dat ik dom was om dat niet te doen. Een servet in de boord van zijn overhemd.

'O, god,' zei Susanna, 'heb ik je beledigd? Dat was niet de bedoeling. Wacht, ben je beledigd?'

'Nee, het is alleen... ik sta nog niet zo heel stevig in mijn schoenen.'

Maddy kwam van haar stoel, knielde naast me op de grond en nam mijn handen in de hare. Ik keek strak voor me uit, en toen in haar warme bruine ogen. Lorraine en Susanna zeiden niets. Na een poosje glimlachte ik en zei: 'Vooruit. Pizza.'

Lorraine zei: 'Laten we, terwijl we wachten tot hij bezorgd wordt, een film kijken. Ik heb er eentje meegenomen, *Strangers in Good Company*. Hij is door een vrouw gemaakt en er spelen alleen maar vrouwen in. Het is echt een geweldige film. Je zou hem in je winkel moeten verkopen, Betta.'

Ik zette de televisie uit en allemaal slaakten we een zucht van waardering. '"Ik ga niet dood. Ik ga vissen vangen!"' zei Susanna, in een perfecte imitatie van een van de vrouwen uit de film. Dat had ze altijd al gekund, imiteren. Ze was in staat om bijna iedereen niet alleen op exact dezelfde toon na te spreken, maar ze kon ook iemands emoties nadoen door zich helemaal in de ander in te leven. Talloze keren had ze iets voor ons nagespeeld dat ze in een winkel of op straat had beleefd. Ze was zo lenig als een klein kind en ik kende niemand met zo'n expressief gezicht als zij. Ik had haar in de theatergroep van de universiteit talloze hoofdrollen zien spelen, en mensen horen fluisteren: 'Wie ís dat! Wat speelt ze goed!' En toch was ze uiteindelijk advocaat geworden. Nu vroeg ik: 'Susanna, waarom ben je niet naar de toneelschool gegaan? Je kon altijd zo geweldig acteren!'

'Ja, dat kon ik, hè?'

'Ik meen het!'

Ze haalde haar schouders op. 'Wil je een eerlijk antwoord? Omdat ik het te moeilijk vond.'

'Alsof advocaat zijn zo makkelijk is.'

Ze lachte. 'In vergelijking met acteren wel, ja! Maar wie kiest uiteindelijk de loopbaan waarvan hij altijd dacht dat hij die zou kiezen? Dat vraag ik me voortdurend af. Hoewel, ik was ooit eens ergens voor een manicure, en ik zat te kijken hoe die vrouw mijn nagels deed. Ze was iets van vijfenveertig, en ik had met haar te doen, in haar armoedige polyester bloesje. En toen vroeg ik: "Hé, Denise, wat wilde jij vroeger worden?" Ze keek met een dromerige blik op van het vijlen van mijn nagels, en zei: "Ik wilde manicure worden. Mijn tante Chichi kwam elke vrijdag op ons passen, en dan had ze altijd een etui bij zich dat uitpuilde van de verschillende kleuren nagellak, en dan mocht ik haar nagels doen. Rood, roze, zilver met glitter. Ik heb het altijd heerlijk gevonden om nagels te doen. Ik deed het al bij mijn vriendinnetjes op de lagere school, en later, op de middelbare school, bij mijn klasgenootjes. Het is heel vreedzaam werk en je maakt er mensen blij mee. Ik werk per maand een dag als vrijwilliger in een opvanghuis voor vrouwen, en ook een dag in een verpleeghuis, en ze staan met open armen op me te wachten! En wanneer ik hier op het eind van de dag de deur achter me dichttrek, dan ben ik ook echt klaar met mijn werk, als je snapt wat ik bedoel. Dan kan ik lekker ontspannen tv-kijken, of een boek lezen of van mijn kinderen genieten." Toen vroeg ze: "Waarom vraag je dat?" En toen antwoordde ik iets in de geest van: "O, ik vroeg het me alleen maar af," want ik kon haar natuurlijk moeilijk zeggen dat ik zo'n elitaire kakker ben die zich niet kan voorstellen dat iemand dat werk van haar zou willen doen. En toen zei ze: "En wat had jij vroeger willen worden?" en ik zei: "Actrice," en toen gleed er een ontzettend verdrietige uitdrukking over haar gezicht en zei ze heel zacht en heel eerlijk: "Wat jammer." "Het geeft niet," zei ik, en vanaf dat moment keek ik alleen nog maar naar het kiekje van haar stralende kinderen dat ze in haar hokje heeft hangen, en schaamde ik me. En ik dacht: deze vrouw is iemand waar elke beroemdheid alles voor overheeft. Snap je wat ik bedoel?'

'Ik wilde priester worden,' zei Lorraine, waarop ze, bijna respectvol, heel zachtjes een boertje liet.

'Ga weg!' riep Susanna. En Maddy zei: 'Dat meen je niet. Je was niet eens katholiek!'

'Dat weet ik, maar toch wilde ik priester worden.'

'Waarom?' vroeg Maddy.

'Omdat ze de enigen waren die aan de hostie mochten zitten. Weet je nog, dat niemand aan de hostie mocht komen behalve de priester? En ik wilde er ook aan mogen komen.'

'Wat wilde jij worden, Maddy?' vroeg ik.

'Wat ik ben,' antwoordde Maddy.

'Zelfs toen je nog heel klein was, wilde je toen ook al verpleegster worden?'

'Ja. Ik liep voortdurend door de buurt om van alles en nog wat te redden. Je weet wel, vogeltjes die uit het nest waren gevallen, een kind dat zijn knie had opengehaald. En ik vind het ook nog steeds leuk om verpleegster te zijn.'

Ik moest ontzettend gapen, en Lorraine zei: 'Betta wil naar bed. Maar wat wilde jij later doen?'

'Ik wilde getrouwd zijn,' antwoordde ik.

Lorraine snoof.

'Echt,' zei ik. 'En ik wilde een slaapkamer hebben die alleen maar bed was. Je doet de deur open en de hele vloer wordt in beslag genomen door één groot bed.' Toen dacht ik even na, en voegde eraan toe: 'En ik had nooit verwacht dat ik híer terecht zou komen.'

Later, toen we allemaal naar bed waren gegaan, hoorde ik de deur van mijn slaapkamer opengaan, en Maddy die zachtjes mijn naam riep.

'Ik ben wakker,' zei ik, waarop ze naar me toe kwam en bij me in bed kroop. Het bed bewoog terwijl ze lekker probeerde te gaan liggen, en haar bewegingen waren overdreven. Ik moest erom lachen.

'Hoi,' zei ze, met haar neus vlak voor de mijne.

Ik glimlachte naar haar in het licht van de maan.

'Gaat het? Je moest zo ontzettend huilen onder de film.'

'Susanna moest nog veel erger huilen,' zei ik.

'Ja, nou, wat had je dan verwacht. Bij haar is alles altijd een drama. Ik vind haar geweldig gezelschap, want bij haar kun je je echt helemaal laten gaan. Hoe erg het ook is, bij haar is het altijd erger. Alles wat ze doet is een enorm spektakel. Weet je nog wanneer ze haar vriendjes mee naar huis bracht? Weet je nog de hérrie die ze maakte?' Ze begon ritmische gromgeluiden te maken.

'Ja, dat weet ik nog.' We moesten er zachtjes om giechelen.

'Lorraine huilde ook,' zei ik. 'Daar keek ik van op.'

'Ze heeft het helemaal niet makkelijk,' zei Maddy. 'Ze krijgt nauwelijks nog werk, en ze heeft ook andere problemen... nou daar zal ze je zelf wel over vertellen. Dat heeft ze tot nu toe waarschijnlijk niet gedaan omdat je al voldoende op je bordje hebt. Hoe is het nu met je, Betta? Echt?'

Ik zuchtte. 'Ik weet niet. Het hangt een beetje van de dag af. Van het uur van de dag. Ik heb een gevoel alsof ik rondloop met een enorme kom vol water, echt helemaal vol, tot aan de rand. En als ik er even niet naar kijk, dan klotst het over de rand.'

Ze deed de lamp op het nachtkastje aan. 'Vind je dat goed? Het licht?'

Ik knikte.

Ze ging weer op haar zij liggen met haar gezicht vlak bij het mijne. 'Wat ik je wilde zeggen is... Ik geloof niet dat het goed voor je is om te veel vrije tijd te hebben.'

'Ik heb tijd nodig, Maddy. Het is heel ingrijpend, wat er is gebeurd. Ik heb tijd nodig om alle implicaties ervan te begrijpen.'

'Ja, maar je hebt ook structuur nodig, vind je zelf ook niet? Dat winkelidee van je is geweldig. We willen allemaal met je meedoen. Waarom begin je niet met – '

'O, ik weet niet of ik dat echt wel wil. Het ene moment lijkt het me geweldig, maar het volgende twijfel ik weer. De gedachte dat ik het echt zou moeten doen maakt me zenuwachtig. Op dit moment voelen veel dingen... onwerkelijk aan. Onberekenbaar. Volgens mij moet ik gewoon de tijd nemen om te rouwen. Volgens de etiquette heb ik recht op een jaar lang rouwen.'

'Maar wat zou je, in plaats daarvan, zeggen van een jaar lang leuke dingen doen?'

'Ja, hoor,' zei ik.

'Ik meen het. Veel mensen die een dierbaar iemand hebben verloren, denken dat ze zich op een bepaalde manier te gedragen hebben. Natuurlijk heb je verdriet! Maar hoe zou het zijn als je je voornam om elke dag één ding te doen dat – '

'Ik weet wat je bedoelt. Dat je dankbaar moet zijn voor de goede dingen die je op een dag zijn overkomen.'

'Nee. Ik heb het niet over de dingen die je overkomen. Ik heb het over de dingen die je laat gebeuren. Ik heb het over opzettelijk en heel bewust een ding doen waar je blij van wordt. Daar word je sterk van, Betta. Het laat de weegschaal doorslaan naar de andere kant.'

'En dat een héél jaar lang,' zei ik. 'En dat terwijl ik al moeite heb om me aan de lunchafspraak van de volgende dag te houden!'

'Je moet het niet zo letterlijk opvatten,' zei Maddy. 'Beschouw het niet als iets op je agenda dat je af moet vinken, of als een strenge opdracht met een duidelijk begin en een duidelijk eind. Je moet het vloeiend zien – als een persoonlijke instelling waar je elke dag aan werkt. En dan gaan de dagen vanzelf over in jaren. En de jaren worden een heel leven.'

Ik knikte. 'Volgens mij probeer je hetzelfde te zeggen wat John mij ook probeerde te zeggen. Maar je kunt je niet voorstellen hoe verwarrend deze tijd is!'

'Dat kan ik wel. Ik heb ook iemand verloren.'

'Wie?' vroeg ik.

'Mijn dochtertje van elf.'

'O, mijn god. O, Maddy! Het spijt me echt heel erg, maar dat wist ik niet. Echt niet. Lorraine heeft me niets verteld!'

'Nee, zoiets zou ze nooit doen. Ze laat de beslissing aan wie ik het wil vertellen aan mij over.'

'Hoe is het gebeurd?'

'Een ongeluk. Tien jaar geleden. Ze was aan het zwemmen, bij de buren, in hun zwembad. Ze is er aan de ondiepe kant in gedoken. We hadden die ochtend ruzie gehad. Het laatste wat ik tegen haar zei toen ze de deur uit ging was: "En je moet verdomme niet denken dat ik dat bed van jou nog één keer opmaak!"' Ze schudde haar hoofd bij de herinnering. 'In het begin dacht ik dat ik gek zou worden. Echt. Ik had een gevoel alsof ik ineens begrepen had dat de wereld van glas was. Even dun en breekbaar als het glas van een gloeilamp, en dat je bij elke stap die je deed iets kon overkomen. En toen, een paar weken na Molly's dood, schreef ik me in voor een cursus tapdansen. Dat had ik altijd al willen leren, maar ik had er nooit de moed voor gehad.'

'En hielp dat?'

'Nou, het was een plek om naartoe te gaan waar geen verdriet was. Niemand daar wist het. Er was daar niemand die zei: "Nou, gelukkig dat je je zoons nog hebt." Het was alleen maar een groep aardige mensen die totaal niet konden dansen, en we hadden ontzettend veel lol. Volgens mij moet de lerares zich meer dan eens intens wanhopig hebben gevoeld, maar ze had een engelengeduld. Toen de laatste les erop zat ging ik naar huis en vroeg om een teken wat ik nu zou moeten doen. Ik sloeg een boek open en wees zomaar een woord aan. En dat was *Griekenland*. Dus Dan en ik boekten er een reis naartoe.'

'Help! Dus dan heb je je... ervoor afgesloten?'

'O, hemel, nee. Nee. Natuurlijk niet. Dat gaat niet, ook al zou je dat nog zo graag willen. Nee, wat ik bedoel is... nou, ik denk dat intens verdriet je kan helpen om... los te komen. Je krijgt de kans om een hele nieuwe richting in te slaan. Door Molly's dood ben ik gaan beseffen hoe heerlijk het leven eigenlijk is. Ik weet wel dat je daar op dergelijke momenten heel anders over denkt, maar toch is het waar. En alle problemen en moeilijkheden? Nou, als je het leven beziet als een toneelstuk, dan horen die er volgens mij gewoon bij.'

'Zo kun je het ook bekijken.' Ik was me bewust van de bittere klank van mijn stem. En ik proefde het ook, de bittere smaak achter in mijn mond.

'Ik meen het, Betta. Door mijn verdriet om Molly ben ik

veel makkelijker in het leven komen te staan. En terugvallen hoort erbij, daar moet je niet bang voor zijn. Het is een proces. Maar je moet ook niet bang zijn om plezier te hebben. Je bent degene van wie je hield heus niet ontrouw wanneer je blij bent.'

Ze ging op haar rug liggen en keek op naar het plafond. 'Weet je, toen Dan en ik in Griekenland waren, zijn we op een avond een eindje gaan wandelen – een smal, kronkelend weggetje af. Het was doodstil, en er was een schitterend heldere sterrenhemel. En opeens konden we haar heel duidelijk bij ons voelen. Ik weet nog dat we opeens bleven staan en elkaar aankeken, en dat we elkaar toen omhelsden. Toen we het er achteraf over hadden, waren we het erover eens dat we ons van haar aanwezigheid bewust waren geweest. We hadden gevoeld hoe ze ons duidelijk maakte dat het goed was, dat, wát we ook deden, het goed was. Dat zij er niet onder leed. Dat voelden we echt. Het was alsof ze ons vertelde... nou ja, wat ik wil zeggen is dat ons leven er door haar dood op vooruit is gegaan, omdat we bewuster zijn gaan leven, omdat we veel meer bij de dingen stil zijn gaan staan dan voorheen. En zou ik dat willen offeren als ik haar weer terug kon krijgen? Ha, wat dacht je! Ik zou me nog geen honderdste seconde hoeven bedenken. Maar ik krijg haar nooit meer terug. En dus aanvaard ik dit als een geschenk van haar.' Ze keek me aan. 'Maar... sluit ik haar buiten? Nooit. Denk ik aan haar? Altijd. Ze is voortdurend in mijn gedachten, elk moment van elke dag. Ze leeft voort op een speciaal plekje in mijn bewustzijn.'

'Ja. Dat plekje waar licht is.'

'Precies. Het voelt alsof er een lichtje brandt.' Ze pakte mijn hand. 'En ik wil je nog een verhaal vertellen, goed? Kun je nog een verhaal aanhoren?'

'Ja.'

'Toen Molly acht was, was ze overtuigd atheïst. Op een dag

aan het ontbijt zei ze tegen haar vader en mij dat ze er goed over had nagedacht, maar ze dat echt niet in God kon geloven. Ongeveer een jaar daarna was er brand in een huis verderop bij ons in de straat – iets van kortsluiting, of zo. Er woonde een gezin met vijf kinderen en ze zijn allemaal omgekomen, de hele familie, want ze konden niet tijdig naar buiten. Molly was erg bezig met dat drama, vooral 's nachts. Een van de omgekomen kinderen was een vriendinnetje van haar geweest. Ze dacht aan al die mensen die ze nooit meer zou zien, hoe ze die avond naar bed waren gegaan en dan... Ongeveer een week later zei ze dat ze geen atheïst meer was, maar dat ze nu in God geloofde, en in de hemel. En ze zei dat er in de hemel kaartjes waren met de naam erop van iedereen die op aarde leefde. God hield die kaartjes in zijn hand. Ik weet zeker dat Molly dit van iemand gehoord moest hebben, maar ze voegde er nog iets aan toe. Ze zei dat er op elk kaartje, met hele grote letters, drie woordjes stonden: IK HOU VAN JE. Dat was een geruststelling voor haar, en voor mij. En dat is het voor mij nog steeds.'

'Maddy?'

'Ja, lieverd?'

'Ik heb John gezien. Op een avond zat hij daar op die stoel.'

'Echt?'

'Ja.'

'Ik geloof je, Betta.'

Ik begon te snotteren, en ze pakte een tissue en gaf hem aan mij. 'Snuit,' zei ze, en toen ik dat gedaan had, kreeg ik nog een tissue en wreef ik er de onderkant van mijn neus mee schoon. 'Viezerd,' zei ze lief.

'Ik begrijp er niets van.'

'O, dat doet niemand. We zijn gewoon hier en zitten als een stel jonge katjes tegen het licht te knipperen. Hoe ouder ik word, hoe meer ik tot het inzicht kom dat alles onbegrijpelijk is, maar waar ik naar streef is oprecht medeleven.'

'Ik ben zo blij dat ik jullie weer gevonden heb,' zei ik.

'Nu kom je nooit meer van ons af. Je moet mee op al onze uitstapjes, en in de wachtkamer hangen wanneer een van ons onder het mes moet.' Ze geeuwde en trok de dekens tot onder haar kin. 'Mag ik bij je blijven slapen?'

'Nee. Je schopt, als ik me goed herinner. Doe je dat nog steeds, schoppen?'

'Dan zegt van wel.'

'Precies. Dus, als de sodemieter mijn bed uit. Wil je morgenochtend een appelpannenkoek voor het ontbijt, of opgebakken aardappelen met roerei en spek? Of geroosterde boterhammetjes?

'Ja,' zei ze. Ze gaf me een zoen op mijn voorhoofd en voegde eraan toe: 'Slaap lekker.'

Op een koude middag die draaglijk werd gemaakt door een stralend zonnetje, reed ik naar Lydia Samuels' bejaardenhuis. Afgezien van de doos met brieven en de radio, had ik ook een uit een weekblad geknipte foto bij me van een in het tehuis wonend, ouder echtpaar dat aan het dansen was. De tafels en stoelen van de kantine waren aan de kant geschoven, en de ruimte was versierd met slingers en ballonnen. Op een van de tafels lag een laken, waarop een grote plastic bak met punch, en een schaal met koekjes stonden. Een paar verpleeghulpen stonden stralend aan de kant. Vaak hadden dit soort foto's iets betuttelends of neerbuigends, maar dat was hier helemaal niet het geval. Het stel op de foto maakte een sierlijke zwaai, en van hun gezichten straalde intelligentie en een benijdenswaardig plezier. Ik dacht dat Lydia het plaatje misschien wel wilde hebben, of dat ze het aan het gefotografeerde stel zou willen geven – hij in zijn fraaie maatpak, zij in haar blauwe jurk en met haar dikke grijze haren die door met parels versierde kammen op hun plaats werden gehouden.

Toen ik bij de receptie naar Lydia vroeg, zei de verpleegster dat ze op haar kamer was, en ze wees me de gang af naar de laatste deur rechts. Ik klopte eerst zachtjes aan, en toen ik niets hoorde, wat luider. 'Binnen!' riep ze. Ik stak mijn hoofd om het hoekje van de deur en stelde mezelf voor.

Ze keek me strak aan en zei niets. Ze droeg en flanellen nachtjapon en lag in bed met meerdere dekens over zich heen. De televisie stond aan maar zonder geluid – zo te zien een of andere serie waarin een zwaar opgemaakte vrouw ernstig sprak tegen een zwaar opgemaakte man. Lydia zag bleker dan de laatste keer dat ik haar had gezien, en hoewel je zo'n fel iemand moeilijk broos kon noemen, was haar stem minder luid en zat ze ook niet zo stijf rechtop. Maar haar ogen waren even helder als voorheen, en hoewel ze lag te rusten straalde ze een onmiskenbare onrust en dadendrang uit.

'Kom je voor de televisie?' vroeg ze. 'Nou, dat wordt tijd ook!'

'Nee.' Ik herhaalde mijn naam. 'Ik ben degene die je huis heeft gekocht, weet je nog?'

Ze deinsde achteruit in de kussens. 'O, nee. Ik heb niets meer met dat huis te maken. Als er problemen zijn, dan zoek je maar iemand anders. En als je niet maakt dat je wegkomt, dan roep ik de zuster.'

Ik deed een stapje naar haar toe. 'Er zijn geen problemen. Ik heb alleen iets gevonden waarvan ik dacht dat je het misschien wel wilde hebben.' Ik haalde de radio uit de doos.

Ze greep het apparaat gretig vast en bekeek het van alle kanten. Haar handen beefden en ik zag dat haar nagels geknipt en schoongemaakt moesten worden – ze waren veel te lang en hadden zwarte randjes. 'Ik had toch tegen Delores gezegd dat ik hem was vergeten, maar ze zei van niet. Ik wíst dat hij er nog stond! Stop eens in het stopcontact, wil je?'

Ik zette de doos met brieven op de stoel naast het bed en deed wat ze gevraagd had. Ze stemde meteen af op een zender met een talkshow, en verstopte de radio toen onder de dekens. 'We mogen hier geen radio hebben. De een of andere achterlijke regel om te voorkomen dat mensen zich elektrocuteren en het tehuis schadevergoeding moet betalen. Vertel het aan niemand, want anders nemen ze hem af. Wat heb je verder nog bij je?' Ze glimlachte bijna.

Het speet me dat ik niet iets anders voor haar had meegebracht – een bosje bloemen, chocolademelk, of een lekker zeepje. 'Nou, brieven. Aan jou geadresseerde brieven. Ze lagen op zolder.'

Haar mond zakte open, en toen deed ze hem weer dicht. Toen ging ze rechterop zitten en stak haar wijsvinger naar me uit. 'En je hebt ze natuurlijk gelezen, of niet?'

'Nee! Nou, als ik eerlijk ben, dan moet ik toegeven dat ik begonnen ben er eentje te lezen, maar daar is het bij gebleven. Hoe dan ook, ik heb ze allemaal meegebracht. Ik dacht dat je ze wel wilde hebben.'

Ik zette de doos op haar schoot. Ze stak haar hand erin en haalde er een stapel uit. Nadat ze er even roerloos naar had gekeken, legde ze ze naast zich op het bed. En nog even later stopte ze ze met een abrupt gebaar weer terug in de doos. 'Neem ze maar weer mee. Ik wil ze niet.'

Ik aarzelde, en nam toen de doos van haar aan en zette hem weer op de stoel. Toen ik dichter bij het bed was gaan staan, pakte ik de rails van het bed vast en zei zacht: 'Het spijt me dat ik iets heb gezien dat alleen maar voor jouw ogen bestemd was, maar ik moet eerlijk zeggen dat ik het prachtig vond wat ik heb gelezen, en ik dacht alleen maar – '

'Hij is al jaren dood en ik ben met hem gestorven. Ja, dat meen ik. Op dezelfde dag. Ik heb er nog steeds spijt van dat ik geen zelfmoord heb gepleegd op de dag waarop ik hoorde dat hij was omgekomen. Toen had ik er de moed niet voor, en dat heb ik nu nog steeds niet.' Ze wees op de gang. 'Dit tehuis is een hel op aarde, dat mag je rustig van me geloven. Een stelletje kwijlende, op stoelen vastgebonden idioten. Bezoek dat alleen maar geïnteresseerd is in de erfenis die hen staat te wachten. Meer niet. Het voedsel is niet te pruimen, en dan vragen ze zich af waarom je niet eet. En personeel dat geen Engels spreekt, en dat het normaal vindt om je een halfuur lang met de thermometer in je mond te laten zitten – en dat élke ochtend!'

Daar wist ik wel het een en ander vanaf. Toen John in het ziekenhuis had gelegen was er op de hele afdeling één enkele verpleegster die iedereen moest temperaturen, en die vaak lang op zich liet wachten. 'Je kunt hem er gewoon uithalen,' zei ik. 'Een paar minuten is voldoende. Als je hem niet afslaat blijft de temperatuur erop geregistreerd staan.'

'Goed bedoeld advies, maar je snapt het niet,' zei Lydia. 'Weet je wat ze doen als je hem eruit haalt? Dan krijg je hem op die andere plek! En als je hem dan dáár uithaalt, dan binden ze je handen vast!' Ze was steeds luider gaan praten.

'Goed,' zei ik, en ik pakte mijn tas. 'Nou, dan – '

'Ik weet werkelijk niet wat je bezield heeft om mij die brieven te brengen. Wat had je verwacht? Dat ik er blij mee zou zijn? Dat ik het fijn zou vinden om aan hem herinnerd te worden?'

'Ja, dat dacht ik inderdaad.'

'En waarom zou me dat blij moeten maken? Om herinnerd te worden aan alles wat ik misgelopen ben?'

'Ik neem ze wel weer mee,' zei ik. 'Ik zal de receptioniste mijn telefoonnummer geven. Mocht je je ooit bedenken, dan bel je me maar en dan breng ik ze weer terug.'

'Gooi ze weg!'

'Nee,' zei ik, 'ik denk niet dat ik dat doe.'

Ik verliet de kamer en liep de gang af. Lydia had gelijk: ik zag mensen die vastgebonden zaten in hun rolstoel, en die met lege ogen in het niets voor zich uit zaten te staren. Maar dat waren er maar een paar.

Er is een verhaal over een Navajo-grootvader die tegen zijn kleinzoon zei: 'In mij wonen twee wolven. De ene wolf is slecht. Hij is hebberig en lui, en hij is agressief en jaloers en bitter. De andere wolf is een goede wolf. Hij is altijd opgewekt en vol medeleven en behulpzaam en hij houdt oprecht van de wereld. En altijd zijn die wolven binnen in mij met elkaar aan het strijden.' 'Maar opa,' zei de jongen, 'welke van die twee is het sterkste?' En de grootvader antwoordde: 'De wolf die ik voedsel geef.'

John had het wel eens over het vinden van iemands zwakke plek, hoe dat de eerste stap was. Daarna kwam de tweede stap, en die was een stuk moeilijker. Het ging erom dat je hem of haar zover kreeg dat hij je begon te vertrouwen, dat hij niet langer bang was dat je hem zou verraden. Hij vertelde dat de meeste patiënten, vlak voordat ze zover waren dat ze zichzelf kwetsbaar durfden te maken, eerst woedend werden. Dat je het grove geschut moest doorstaan om de wapenstilstand te halen, en dat dit altijd de moeite waard was. Hij zei dat ieder mens ergens vanbinnen een plekje heeft waar het stralend licht is. Maar John stond bekend om zijn medeleven, en hij had veel meer geduld dan ik. Mij zouden ze hier niet meer zien.

Toch ging ik bij de receptie langs en gaf mijn nummer aan de onverschillige verpleeghulp achter de balie. Ze keek met opgetrokken wenkbrauwen en over elkaar geslagen armen tot ik het had opgeschreven. Ze geloofde net zo min als ikzelf dat Lydia Samuels me zou bellen om te vragen of ik haar nogmaals wilde bezoeken, en daarbij kon ik me van de verpleeghulp ook niet voorstellen dat ze mijn nummer op een veilig plekje zou wegbergen. Toen ik mijn handen in mijn zakken stak om mijn handschoenen te pakken, voelde ik de uitgeknipte foto die ik had meegebracht. Ik wilde hem in de prullenbak gooien, maar ik bedacht me.

Toen ik thuiskwam zag ik Benny op mijn veranda zitten. 'Mijn moeder heeft een ei nodig,' zei hij. 'Kun je ons er eentje lenen?'

'Natuurlijk. Kom erin.' Hij volgde me naar binnen. Ik trok

mijn jas uit, legde hem op een keukenstoel en liep door naar de koelkast. 'Weet je zeker dat eentje voldoende is?' vroeg ik.

'Ze heeft gezegd dat ze er eentje nodig heeft.' Benny bukte zich om iets van de vloer op te rapen, de krantenfoto. 'Dit is uit je zak gevallen.' Hij bekeek de foto. 'Wat is het?'

'Gewoon een foto die me aansprak,' zei ik. 'Voor in mijn verhalenboek. Wat is volgens jou het verhaal, Benny?'

Hij legde de foto op tafel, streek hem glad en bestudeerde hem. 'Nou, ze is jarig vandaag en hij heeft een verrassingsfeestje voor haar georganiseerd. En ze heet Edna en hij heet Samuel. Nee, hij heet Garcia.'

'Prachtig!' zei ik. 'En hoe oud is Edna vandaag geworden?'

Hij keek nog eens goed, dacht even na, en zei toen: 'Vijftig.'

Toen Matthew zaterdagochtend kwam om mijn slaapkamer te schilderen, bracht hij Jovani mee. 'Heb je er bezwaar tegen dat Jovani helpt?' vroeg hij, toen ik opendeed. 'Mijn andere vriend kon niet komen.'

'Natuurlijk niet.' Ik trok de deur verder open.

Jovani keek Matthew triomfantelijk aan. 'Dat zei ik toch,' zei hij. 'Niet?' Hij kwam binnen en bleef staan om de zitkamer rond te kijken. 'Móói!' zei hij langzaam. En ik bedankte hem voor het compliment. Toen keek hij me aan en zei: 'Dit is heel mooi huis.'

'Jezus, Jovani,' zei Matthew.

Ik begeleidde ze naar boven en hielp met de voorbereidingen als het neerleggen van kranten en het afdekken van de meubels met lakens. Daarna ging ik winkelen – ik wilde iets nieuws – terwijl zij het behang van de muren haalden. Ik had die avond afgesproken met Tom Bartlett die kennelijk had besloten om mijn gedrag op het eind van onze vorige afspraak over het hoofd te zien. En daar was ik blij om. Ik hoopte dat we op zijn minst bevriend zouden kunnen zijn en samen dingen zouden kunnen ondernemen. Maar vanavond had hij me bij zich thuis te eten gevraagd, en hij zou koken. Ik had aanvankelijk geaarzeld omdat ik dacht dat *bij hem thuis* iets suggereerde waar ik nog niet aan toe was. Maar toen zei hij: 'Alleen maar eten, Betta,' en ik lachte en accepteerde.

Tegen de tijd dat ik thuiskwam met mijn nieuwe blouse en trui, waren de jongens net begonnen met het opbrengen van de nieuwe blauwe tint. De kamer beviel me nu al stukken beter, en dat zei ik hun ook.

'Ik denk,' zei Jovani, 'als je niet erg vindt, mag ik iets vragen?'

'Ga je gang,' zei ik.

'Oké. Waarom is een vrouw alleen kopen zo een groot huis?'

'Gewoon omdat ik het mooi vond,' zei ik. 'Het heeft dingen die ik altijd heb willen hebben in een huis, maar die ik tot nu toe nog niet heb gehad.'

'Maar... zoveel kamers om in één persoon te zijn?'

'Ik geloof niet dat ik een kleiner huis met dezelfde kenmerken had kunnen vinden. En het was... een impulsieve aankoop. Je weet toch wat dat is, niet?'

'Natuurlijk. Maar het huis is te groot, niet goed voor jou. Je slaapkamer ver van de deur. Iemand kan binnenkomen, en je weet niet, omdat je niet kunt horen.'

'Jovani!' riep Matthew uit.

'Sorry voor je bang maken. Maar soms waarheid is goed.'

Gelukkig werd er juist op dat moment aangebeld en hoefde ik niets terug te zeggen. Het was Benny die diep in gedachten opzij stond te kijken. Toen ik opendeed vroeg hij meteen: 'Mag ik binnenkomen?'

Ik trok de deur verder open en hij stapte het halletje in, trok zijn laarzen uit en liep toen door naar 'zijn' stoel aan de keukentafel, het plekje waar hij elke woensdag na school, en voor we aan tafel gingen, ging zitten om zijn huiswerk te maken. Ik ging tegenover hem zitten.

'Ik heb meisjesproblemen,' zei hij.

'O?'

'Ja. Er zijn er twee verliefd op mij.'

'Dat klinkt toch niet echt als een probleem.'

'Nou, dat is het dus wel.'

In gedachten zag ik twee meisjes om zijn aandacht wedijveren, maar toen herinnerde ik me hoe ellendig ik me gevoeld had toen ik, zo oud als Benny nu was, smoorverliefd bij mevrouw Menafee in de klas had gezeten. Ik wist nog hoe ik naar Billy Harris had gekeken die voor het bord een som moest maken. Hij had een geruit overhemd, en een ribfluwelen broek met een smalle leren riem aangehad. En brylcreem in zijn keurig gekamde haar. Ik was duizelig geweest van verlangen, en had met piepkleine lettertjes *Betta Harris* in mijn schrift geschreven en dat toen gauw weer doorgekrast. Op een dag was hij na school met me mee naar huis gelopen, en daarna had ik met gesloten ogen en met mijn teddybeer in mijn armen op bed gelegen en proberen te bedenken wat ik zou kunnen doen om hem voor altijd voor mij te winnen. Maar de volgende dag pikte Tish McCollum hem van me af, en daarmee was mijn kans verkeken. 'Ik word nooit meer verliefd!' jammerde ik tegen mijn vader. 'O, ik denk dat dat wel mee zal vallen,' zei hij.

'Vertel verder,' zei ik tegen Benny.

'Nou, om te beginnen willen ze alle twee bij me komen spelen. En de laatste keer dat Heather bij me was, heeft ze me gekust. En ze zit in de zesde klas, dus...'

'Hemel!'

'Precies. En mijn moeder weet het niet, want we waren op mijn kamer.'

'Meen je dat? Heb je haar meegenomen naar je kamer?'

'Dat moest van haar. Ze zei dat ze mijn kamer wilde zien, maar in werkelijkheid wilde ze me alleen maar kussen.'

'Hmm. En vond je dat prettig?'

Hij grinnikte. 'Dat weet ik niet. Maar nu willen ze maandag na school alle twee met me mee.'

Ik hoorde Matthew en Jovani de trap af komen, en Benny keek me onderzoekend aan. 'Ik wist niet dat je bezoek had.'

'Ik weet zeker dat ze niets gehoord hebben. Het zijn alleen mijn vrienden Matthew en Jovani maar. Ze hebben voor me geschilderd.'

Ze kwamen de keuken in en ik stelde ze aan elkaar voor. 'Benny kwam even langs,' zei ik. 'Hij komt voor... de koekjes.'

'Bak je zelf?' vroeg Jovani. Ik knikte. 'Dan rust ik even hier.'

'Ik zei net dat ik een ernstig probleem met meisjes heb,' zei Benny, en ik moest verschrikkelijk mijn best doen om niet te lachen.

Jovani boog zich naar hem toe. 'Vertel mij je probleem en ik vertel je precies wat je moet doen.'

Benny zei niets.

'Ik beloof je,' zei Jovani. 'Als je naar mij luistert voor je problemen vrouwen, jij meteen gelukkige man.'

Ik deed boter in de mengkom en zette de mixer aan.

'Waar kom je vandaan?' vroeg Benny luid, om boven de herrie van de mixer uit te komen.

'Uit het land van de liefde,' antwoordde Jovani op vertrouwelijke toon. 'Waar de mensen weten hoe meer van hun levens te genieten. Jij neemt je vriendinnetjes daar mee naartoe. Brazilië. Je hebt geen centje spijt.'

Ik keek op mijn horloge. Nog twee uur voordat ik voor het eerst in dertig jaar een afspraakje had met een man die niet mijn echtgenoot was.

'Ik geef het niet graag toe,' zei ik tegen Tom, 'maar je bent een betere kok dan ik.'

'Dat is niet waar,' zei hij. Toch maakte hij een voldane indruk en zag ik dat hij het met me eens was.

Hij had afgeruimd en was bezig met opscheppen van het nagerecht – een taart die hij – tot mijn voldoening, bij de bakker had gekocht. Ik vond het niet leuk dat hij beter kon koken dan ik. Hij had een Indiase maaltijd voor ons gemaakt – tandoori chicken, saag paneer en zelfgebakken naanbrood. Hoewel de slechte wolf in mijn binnenste fluisterde: 'Dit kun jij ook, je hoeft het maar te willen,' was ik toch onder de indruk.

We hadden gegeten in een eetkamer waarvan de inrichting getuigde van zijn (en ik vermoedde van die van zijn vrouw) sobere smaak. De meubels waren simpel, er was veel licht in het vertrek en er stonden geen overbodige prullaria. Toch waren de stoelen ongemakkelijk en was het duidelijk dat ze eerder ontworpen waren om naar te kijken dan op te zitten.

Evenmin was ik onder de indruk van de kunst die hij aan de muur had hangen – een reproductie met een brede streep mosterdgeel op een groene ondergrond en een poster van geometrische patronen van dunne, met kleurpotloden getekende lijnen. De enige boeken die ik zag waren de koffietafelboeken in de woonkamer – al wat oudere kunst- en fotografieboeken en een recenter exemplaar over de 'Cows on Parade' van Chicago. Ik nam het laatste boek op, bladerde het door en genoot van de afbeeldingen. Ondertussen realiseerde ik me dat ik in feite niets anders aan het doen was dan redenen zoeken en bedenken waarom het nooit iets zou kunnen worden tussen ons. Een man, hield ik mijzelf quasi-geschokt voor, die zijn middeltje tegen eksterogen op de wastafel had staan waar iedereen het zo kon zien! Een man die een schort droeg, in plaats van een theedoek in de tailleband van zijn broek!

Na het toetje bood ik aan om de spullen af te wassen die niet in de vaatwasser konden. 'Ik was,' zei Tom, 'en jij droogt. Wat zeg je daarvan?'

'Nou, ik weet niet waar de boel opgeborgen moet worden,' zei ik. 'Zou het niet handiger zijn als ik waste en jij droogde?'

Hij glimlachte. 'Ik vind afwassen leuker dan afdrogen. Vind je het erg?'

'Nee hoor, helemaal niet,' antwoordde ik, maar ondertussen dacht ik: *help, díe is koppig!*

Na de afwas gingen we naar de zitkamer. 'Hou je van jazz?' vroeg Tom, en ik zei dat ik daar dol op was. 'Coltrane?' vroeg hij, en ik antwoordde: 'Nou, alleen uit zijn begintijd.'

Hij stond met zijn rug naar me toe, en ik kon aan het verstarren van zijn schouders zien dat hij me maar lastig vond. 'Van welke periode bedoel je precies?'

'Je zou ook iets anders op kunnen zetten.'

'Best,' zei hij snel. O, wat had ik toch? Waarom deed ik zo moeilijk, dwars en ondankbaar? Zenuwachtig en krengerig?

Tom pakte een andere cd, maar in plaats van hem op te zetten, legde hij hem neer. Hij kwam naar me toe, ging naast me op de bank zitten, boog zich naar me toe en gaf me een vluchtige zoen. 'Ziezo,' zei hij. 'Goed?'

'"Ziezo", wat?' Ik schonk hem een ongemeend glimlachje en duwde mijn haar achter mijn oor.

'Niks aan de hand. Volgens mij zijn we alle twee zenuwachtig. Weet je, Betta, we proberen alleen maar om elkaar nader te leren kennen. Dat is alles.'

Ik keek naar mijn schoot. 'Dat weet ik.'

'Ik mag je, Betta. Ik vind je een schatje.'

Een schatje. Met andere woorden, niet knap of aantrekkelijk en niet sexy. Ik stelde me voor hoe ik dit aan mijn herontdekte vriendinnen zou vertellen, en hoe ik dit soort uitspraken van hem zou overdrijven. Ik keek op mijn horloge.

'Tijd om naar huis te gaan, hè?' vroeg Tom.

'Ja, ik geloof van wel. Het spijt me.'

'Het hoeft je niet te spijten. Ik weet hoe moeilijk dit kan zijn. Echt.'

Op weg naar huis werd ik geplaagd door een gevoel van lege opwinding. Ik zou Lorraine als eerste bellen. Ik zou haar vertellen hoe hij ook had gezegd dat hij een geweldig idee voor een kinderboek had, dat naar mijn idee allesbehalve een geweldig idee was.

Ik bed dacht ik aan de vriendjes die ik vroeger mijn studietijd had gehad. Ik vroeg me af hoe het hun vergaan was. Stevie, de bassist in de rockband die heimelijk dol was op Lettermans *The Way You Look Tonight.* Joel, de knappe blonde jongen van wie ik mijn eerste bos rozen kreeg. Ze waren zo schitterend, zoals ze, met een breed rood lint eromheen in die lange, smalle witte doos hadden gelegen, dat ik ze er nooit uit haalde, maar ze op het bedje van donkergroen tissuepapier liet verwelken. Bob, de serieuze student Engels en zijn onvoorstelbaar blauwgroene ogen. Als ik mijn vriendinnen had teruggevonden, dan moest ik hen ook kunnen vinden. Maar dat zou ik eerst echt moeten willen. En ik wilde het niet. Hun respectieve echtgenotes die zouden vragen: 'En wie is dít?'

'Wanneer je jus maakt, de bloem doe je er dan wanneer bij?' vroeg Jovani.

'Vrijwel meteen,' zei ik, met mijn rug naar hem toe. Ik had de runderlapjes en de groenten in de oven gezet om ze warm te houden. Nu was ik bezig met het maken van de jus. Ik zou die nacht bij de jongens slapen en Jovani en ik hadden besloten samen te koken. Matthew zou met ons mee-eten, en daarna ging hij uit met Melanie. Hij had kennelijk besloten om nogmaals een poging te doen haar terug te winnen. 'Ze is vals,' had Jovani gezegd. 'Maar hij houdt van haar. Ik, ik hou alleen van jus.'

'Het is het beste om de bloem eerst met de melk of met het water tot een papje te mengen,' zei ik. 'Dan krijg je geen klontjes.'

'O, mijn vader maakt jus met melk. Zo lekker.'

'Hebben jullie melk in huis?'

Jovani trok de koelkast open. 'We hebben bier. Eentje.'

'Goed, dan nemen we water.'

Matthew kwam de keuken binnen terwijl hij zijn haren droogde met een handdoek die zo dun was dat je erdoorheen kon kijken.

'Zou je de tafel willen dekken?' vroeg ik hem.

Hij lachte. 'De táfel dekken? Hemel!' Maar hij liep naar de

kast, haalde er drie borden uit waarvan er een nogal beschadigd was, en zette ze op de wankele tafel. Toen legde hij er aan de rechterkant vorken naast, en links messen en lepels, en ten slotte deed hij een stapje naar achteren om zijn werk te bewonderen. 'Wat nog meer?' vroeg hij.

'Glazen,' zei ik. 'En servetten.'

'Keukenrol?'

'Uitstekend.' Behoorlijke handdoeken, dacht ik. In aardetinten. Borden. Een paar stoffen servetten. Iets om onder de manke poot van die keukentafel te schuiven. Help, nog een keukentafel. Ik had mijn kamer al zo goed mogelijk onderhanden genomen, en nu wilde ik ook iets aan de rest van het huis doen. Aanvankelijk was ik bang geweest dat de jongens zich beledigd zouden voelen, maar ze leken blij met alles wat ik meebracht. Meer dan eens gebruikte Jovani de kasjmieren plaid die ik voor over het voeteneinde van mijn bed had gekocht. Sinds Johns dood gaf ik veel geld uit – of eigenlijk al sinds een poosje daarvoor. Toen we zijn diagnose hadden gekregen en thuis waren gekomen, hadden we samen zitten huilen. Die avond, toen we in bed lagen, zei ik: 'O, John, wat moeten we beginnen?' En hij zei: 'Nou, morgen gaan we winkelen en dan geven we een heleboel geld uit.' Een echte troost was het niet, maar er viel wat voor te zeggen. In het begin van de jaren tachtig had ik een homoseksuele vriend die aids had, en in die tijd was dat nog een ziekte waar je dood aan ging. Toen zijn leven op zijn einde liep, maakte hij enorme schulden met zijn creditcard. 'Alsof de deurwaarder nog iets bij me zou kunnen halen. En van mij mag hij komen. En dan hoop ik dat het een lekkere jongen is.' Hij zat in zijn badjas op de bank en bladerde de catalogus van een postorderbedrijf door. 'Hmmm,' zei hij. 'Dat is mooi. O, wacht, nee, dat heb ik al besteld. Hé, wil jij ook wat? Ik betaal.' Ik zei graag, en dat hij maar iets voor me uit moest zoeken. Ik had de roomkleurige taartschaal die hij voor me besteld had nog steeds, en telkens wanneer ik die schaal gebruikte moest ik aan hem denken zoals hij daar met zijn ene been over zijn andere geslagen, en zijn horloge dat veel te groot was voor zijn pols, op de bank had gezeten.

Onder het eten kwam het gesprek op Melanie. 'Weet je,' zei ik tegen Matthew,' wat je met zo'n meisje als zij zou moeten doen? Je moet zorgen dat ze jaloers wordt. Je bent veel te lief voor haar.'

'Er is alleen één probleempje,' zei Matthew, 'en dat is dat Melanie op niemand jaloers is. Ze weet dat ze het van ieder meisje wint. Met uitzondering van Demi Moore. Op haar is ze wel jaloers. En niet zo'n beetje ook. Ze is panisch voor het verschijnsel van knappe oudere vrouwen.'

'Nou, dat is dan de oplossing,' zei ik, terwijl ik een worteltje door de jus haalde. 'Wat je nodig hebt, is een knappe oudere vrouw.'

'Ja, maar dan zou Melanie haar met mij moeten zien.'

'Maak een dubbel afspraakje,' zei Jovani, met volle mond. 'Jij en Melanie met een beeldschone oudere vrouw en haar man. Zeg hij is je oom, en hij moet mee. En dan de vrouw, is stapel op jou en iedereen ziet. Melanie vindt verschrikkelijk dit, weet ik zeker.'

'Dat is helemaal geen slecht idee,' zei ik.

Jovani keek op van zijn bord. 'Zeg ik toch.'

'Ja, maar waar halen we een knappe oudere vrouw vandaan?' vroeg Matthew. En toen kreeg hij een kleur, en voegde eraan toe: 'Jij bent natuurlijk een knappe vrouw, Betta, en zo, maar – '

'Nee, dat ben ik niet,' zei ik. 'Maar weet je wat? Ik ken iemand die dat wel is. Ze is even oud als ik, maar dat zou je nooit zeggen. En ze zou het heerlijk vinden om aan zoiets mee te kunnen doen.'

'Dus dan moeten we alleen nog een man zien te vinden met wie ze uit kan.'

'O, daar weet ik ook wel iemand voor.'

Morgenochtend zou ik Lorraine en Tom bellen. Ik popelde om alles te regelen. Ik wist dat Lorraine zo ja zou zeggen, en ik vermoedde dat ik Tom ook wel zou kunnen overhalen, helemaal als hij Lorraine eenmaal had gezien.

Matthew keek op zijn horloge en stond op. 'Ik moet weg. Ik wil niet te laat komen.'

'Ga zítten,' zeiden Jovani en ik in koor, en ik voegde eraan toe: 'Je moet júist te laat komen!' Matthew aarzelde even, maar toen vloog hij de keuken uit.

Jovani en ik keken elkaar aan, en toen haalde Jovani zijn schouders op. 'Hopeloos.' Hij nam een laatste hapje vlees. 'Dit heb ik gevonden heerlijk. Volgende keer kook ik eten uit Brazilië. Je gelooft nooit.'

'Dat lijkt me geweldig.'

Hij strekte zijn armen boven zijn hoofd en rekte zich uit. 'Jij wilt tv-kijken met mij?'

'Ja.' Ik moest lachen om de manier waarop hij terugpraatte tegen de televisie, en waarop hij met een heel ernstig gezicht naar de reclame keek en dan vroeg: 'Is echt waar?'

'Hoe staat het met het vinden van werk?' vroeg ik, toen we in de zitkamer waren en ik op de bank, en hij onderuitgezakt op de luie stoel was gaan zitten.

'Nog niets. Alleen tijdelijk. Ik heb genoeg van iedereen die niet weten hoe erg talent ik heb. Zelfs ik kan zingen, weet je dat?'

'Nee.'

Hij zette een soort van operastem op die niet om aan te horen was.

'Hm,' zei ik.

'Ik weet, nog niet volmaakt. Maar ik heb andere dingen die maken talent. Ik kan schilderen.'

'Ja, de slaapkamer ziet er keurig uit.'

'Nee, nee, als artiest. Jij wacht.' Hij ging naar boven en

kwam terug met een schetsboek. Er zaten aquarellen in van gebouwen hier en in Chicago, stillevens, een portret van een kind dat op een bankje zat. Ik vond ze allemaal even mooi. Verbaasd keek ik naar hem op.

'Ja, ik weet,' zei hij. 'Jij bent verbazing.'

'Dat ben ik zeker! Waarom doe je hier niet iets mee, Jovani? Ze zijn echt heel goed.'

'Eerst artiest moet hebben baan.'

'Nou, ik hoop echt dat je zult proberen om hier iets mee te doen.'

Hij nam het schetsboek weer van me over en tikte tegen zijn slaap. Ik nam aan dat hij wilde zeggen dat hij ideeën had. We draaiden ons tegelijk naar de televisie om voor een oude aflevering van *Friends*. Jovani wees op het scherm. 'Dat zijn wij, Betta.'

'Dat lijkt er inderdaad veel op,' zei ik.

Lang nadat ik in slaap was gevallen hoorde ik de deur van de slaapkamer open gaan. Toen ging het licht aan, en stond Melanie voor me. 'Mijn bed uit!' Ze droeg een piepklein wit T-shirt en een bijpassend slipje, en ondanks mijn woede stelde ik vast dat ze een perfect figuur had. Arme Matthew.

'Hé, wat doe je?' Ik keek op de klok. Half vier. 'Dit is niet jouw bed, maar het mijne. Doe het licht uit.'

'Het is mijn bed. Jouw zooi ligt erop, maar het is mijn bed. Ik heb het meegebracht toen ik hier kwam wonen!'

'Nou, maar... je kunt niet zomaar... Ik ben degene die hier tegenwoordig de huur betaalt. En als je je bed terug wilt dan kan dat, maar niet nu. Ga nu weg, alsjeblieft.'

Haar mond viel open en ze begon luid te lachen. 'O. Mijn. God. Je bent niet wijs. Krijg de kolere.' Ze kwam naar het bed, kroop erin en trok de dekens over haar hoofd.

Ik trok de dekens met een ruk van haar af. 'Moet je horen. Je gaat nu weg. Dit is mijn kamer en ik – '

'Mattie!' brulde ze.

'Sssst!' siste ik. 'Maak hem niet wakker.'

'*Maaattie!!*'

'Hou daarmee op. Het is nergens voor nodig.'

Ze ging rechtop zitten, sperde haar ogen wijdopen en snauwde: 'Geef hier die dekens. Ik heb het ijskoud.'

Ik gaf nog een ruk aan de dekens. 'Waarom ga je dan niet naar huis? Daar is het vast wel warm.'

Matthew kwam de kamer binnen. Zijn haren zaten door de war en hij knipperde met zijn ogen. Hij droeg een T-shirt, een blauw-wit gestreepte boxershort en dikke witte sokken. 'Wat is er?' vroeg hij slaperig. 'Hoi, Betta.'

'Heb ik deze kamer gehuurd of niet?'

'Ja.'

'Zou je je onuitgenodigde gast dan willen verzoeken om te gaan?'

'Onuitgenodigd?' krijste Melanie. 'Onuitgenodigd? Ik ben niet onuitgenodigd! Ik kan hier komen wanneer ik wil!'

'Melanie,' zei Matthew.

'Hou je mond! Waarom vertel je oma hier niet wat we vanavond hebben gedaan? Misschien dat ze het dan snapt. Of misschien heb je liever dat ik het haar vertel. Nou, eerst heeft hij mij geneukt, en toen heb ik hem geneukt en toen heeft hij mij geneukt. Zo ónuitgenodigd ben ik!'

Ik keek naar Matthew en hij keek naar de vloer.

'En toen ben ik naar mijn bed gegaan, met de nadruk op míjn, om te slapen.'

Matthew bleef naar de vloer kijken. Ik kwam uit bed en ging voor hem staan, en toen pas keek hij op. 'Wil je dat ik... dat ik ervoor zorg dat ze weggaat?' vroeg hij zacht.

'Ha, dat kun je mooi vergeten!' Melanie ging weer liggen en trok met een dramatisch gebaar de dekens over zich heen. 'Eruit jullie! Alle twee.'

Ik moest me echt beheersen om Melanie niet bij haar haren

uit bed te sleuren. In plaats daarvan zei ik: 'Ik ga naar huis. Voor nu. Maar morgenochtend wil ik het hier met je over hebben, Matthew.'

Ik ging de kamer uit en Matthew volgde me. Toen we langs Jovani's kamer kwamen trok hij zijn deur open en keek ons slaperig aan. Ik zag dat hij mijn kasjmieren plaid over zijn schouders had gedrapeerd. 'Waarom jij niet zegt dat ze weg moet, Matthew?'

Melanie riep: 'Bemoei je godverdomme met je eigen zaken, Jovani!'

Jovani trok een verontwaardigd gezicht en maakte zich zo lang mogelijk. Toen stapte hij de gang op en zei met luide stem: 'Moet je horen, Melanie. Ik ben man met manieren. Ik wil geen vuur.' Hij schonk me een glimlach. 'Welterusten, Betta.' Hij deed de deur van zijn kamer zachtjes achter zich dicht.

Het kon zijn dat hij geen vuur wilde. Maar ik wilde dat wel.

De volgende ochtend belde ik Lorraine. Het was vroeg genoeg om haar te pakken te krijgen, en laat genoeg voor haar om niet ontzettend kribbig te zijn. 'Je moet me een plezier doen,' zei ik.

'Ja?'

'En daarvoor zou je weer hier moeten komen, maar ik betaal je ticket.'

'Ik heb nog steeds miles te goed. En ik kan komen wanneer je wilt – ik heb op het moment geen werk. Wat wil je dat ik doe?'

Ik vertelde haar van Matthew en Melanie, en van Jovani's plan. 'Ik doe mee,' zei ze. 'Lijkt me enig. Het hele verhaal, met uitzondering van dat deel met die Tom.'

'Ja, maar die dubbele afspraak is heel slim gevonden. Op die manier ligt het er niet zo dik bovenop.'

'Dus dan moet ik gezellig uit met de een of andere zak? Weet je niemand anders?'

'Tom is geen zak!'

'Nou, Betta, zoals je over hem spreekt klinkt hij anders bepaald niet aantrekkelijk.'

'Om te beginnen heb ik hier en daar een beetje overdreven. En ten tweede, hij is alleen maar een... attribuut. En Matthew is een schatje.'

'Je meent het.'

'Ja.'

Ze geeuwde, en toen vroeg ze quasi-terloops: 'Hoe oud is hij?' Als ze een kat was geweest, dan zou ze op dit moment met haar ogen halfdicht op de vensterbank liggen en met haar staart zwaaien.

'Te jong voor jou,' zei ik.

'Hoe oud is te jong?'

'Hij is amper twintig.'

'Mmm! Een uitdaging!'

Nóg een uitdaging in de vorm van een vrouw was wel het laatste wat die arme Matthew op dit moment nodig had. Er kwam een ander gesprek doorheen. Ik zei tegen Lorraine dat ze een vlucht voor vrijdag na Kerstmis moest boeken, en dat ze moest bellen om te zeggen hoe laat ze arriveerde.

Het andere gesprek was Tom. 'Ik hoop dat je iets voor me zou willen doen.'

'Geen probleem,' zei hij meteen.

O, hij was echt een aardige man. Waarom deed ik toch zo stug tegen hem? De volgende keer ging ik met hem naar bed. Echt. Nou, misschien dan.

Die avond tegen een uur of acht voelde ik me te onrustig om nog verder te kunnen lezen. Ik mikte mijn boek op tafel, ging naar de keuken, schonk een glas wijn in en sloeg het, terwijl ik er nog mee voor het aanrecht stond, achterover. Toen ging ik naar boven en trok de pyjama uit die ik eerder had aangetrokken. Ik nam een douche, poetste opnieuw mijn tanden, en kleedde me aan – zwart ondergoed, een zwarte broek en een laag uitgesneden groene trui – en maakte me zorgvuldig op. Ik reed naar Toms huis en klopte op zijn deur. Toen hij opendeed zei ik: 'Verrassing!'

'Betta!'

Ik deed een stapje naar hem toe. 'Ik heb iets voor je meegebracht.' Onderweg had ik moeten denken aan die keer dat ik op het einde van de middag naar Johns praktijk was gegaan. Ik had, met alleen mijn trenchcoat maar aan, in de wachtkamer gezeten. Toen de laatste patiënte met rode ogen en een bosje Kleenex in haar hand naar buiten was gekomen, stond ik op en klopte aan. 'Een momentje, graag,' had John gezegd, en toen, toen hij de deur open had gedaan en me daar zag staan, zei hij: 'Betta!' en ik zei: 'Verrassing!' En ik was zijn spreekkamer binnengegaan en was op de bank gaan zitten waar ik me steeds opgewondener was gaan voelen terwijl hij nog een paar aantekeningen maakte. Uiteindelijk ging ik staan en liet mijn jas van mijn schouders glijden.

En dat wilde ik nu ook. Ik had er waanzinnige behoefte aan. Seks. Zomaar opeens. Zonder voorspel

'Wat heb je meegebracht?' vroeg Tom, terwijl hij keek of hij ergens een pakje of zo zag.

'Mijzelf.'

'Wat enig.'

'Nou, nee. De verrassing is... Kunnen we naar boven, naar je slaapkamer?'

Hij kreeg zowaar een kleur. Gedurende enkele vreselijke seconden was ik bang dat hij zou zeggen: 'Dat spijt me nou echt, Betta, maar ik heb bezoek. Ik wou dat je gebeld had.' Maar dat zei hij niet. Hij liet me binnen en gebaarde, jongensachtig, naar de trap. Ik liep naar boven.

Mijn hart ging op een verrukkelijke manier tekeer. En voor het eerst wist ik het zeker. John verweet me wel eens dat ik de baas speelde, en ook in de liefde, en dat was waarschijnlijk ook wel zo. Ik voelde me veel zelfverzekerder wanneer ik de leiding had. Maar ik leefde nog, ik verlangde nog steeds naar de dingen die ik kon hebben. En deze aantrekkelijke man die mij de trap op volgde met de afgemeten stap van iemand die precies wist wat hem te wachten stond, was daar een van.

Ik trok mijn jas uit en ging op zijn bed liggen. Hij aarzelde en kwam toen naast me liggen. Hij glimlachte en streelde mijn wang. 'Dit is echt een verrassing.' Hij dimde het licht op het nachtkastje. 'Ik... ik moet me even voorbereiden.'

Eerst begreep ik niet goed wat hij bedoelde, en ik was bang dat hij zich niet in mijn bijzijn durfde uit te kleden. Maar toen begreep ik dat hij condooms bedoelde. Ik vond het intens pijnlijk. Ik had geen ziektes! Maar aan de andere kant zou een condoom ook voor mij beschermend werken. Ze waren de moderne versie van aan de straatkant lopen. O, hier had ik niet op gerekend. Ik was vergeten hoe gevaarlijk deze tijd was, en hoe ver we tegenwoordig verwijderd waren van de dagen waarin ik John had leren kennen. 'Goed,' zei ik. 'Nou, dan wacht ik toch op je!'

'Misschien zou je je alvast uit willen kleden,' zei hij.

Ik dacht aan de zorg waarmee ik mijn ondergoed had uitgekozen, hoe ik me verbeeld had hoe hij bewonderende blikken op mijn borsten zou werpen die schuilgingen onder het kant van mijn beha.

'Goed,' zei ik.

Maar toen ik mijn kleren uittrok en ze op een keurig stapeltje op de vloer legde, realiseerde ik me ineens dat dit helemaal niet zozeer om seks ging. Ondanks de opwindende gedachten waarmee ik onderweg hierheen geprobeerd had in de juiste stemming te komen, ging het hier om iets heel anders. In de zesde klas had ik een geschiedenisboek gehad met een afbeelding erin van twee neanderthalers die naar de ingang van hun grot zaten te kijken. Buiten was het noodweer. Zwierven wilde dieren rond. Het gevaar lag overal op de loer. De man en de vrouw boden elkaar een bepaald soort naïeve geborgenheid. Ze zaten hand in hand en tuurden naar buiten, naar alles waar ze elkaar voor trachtten te beschermen, al was het maar voor dat ene ogenblik. De uitdrukking op hun gezichten was er een van verwondering en opluchting.

Om vier uur 's ochtends hoorde ik de klok op mijn schoorsteenmantel opnieuw slaan. Ik bleef nog een poosje tussen mijn dooreen gewoelde lakens liggen, en gaf het toen op. Ik ging naar beneden om het boek te zoeken dat ik op dat moment aan het lezen was.

Toen Tom de slaapkamer weer in was gekomen, had hij een zwarte badjas met een capuchon gedragen die ik zowel iets dreigends als iets mals vond hebben. Probeerde hij soms door te gaan voor een bokser? Hij trok de badjas uit en kroop bij me onder de dekens. Op zijn half stijve penis zag ik een geel condoom, en even draaide mijn maag zich om. Maar toen ging ik onder hem liggen en slaakte, bij het voelen van het vertrouwde gewicht, een tevreden zucht. We kusten, en dat was plezierig. We streelden elkaar, en dat was eveneens plezierig. En toen, toen ik vond dat er voldoende tijd voorbij was, probeerde ik hem duidelijk te maken dat ik klaar was. Het probleem was alleen dat hij dat niet was. En dat hij dat een poosje later nog steeds niet was. Wat ik ook deed, wát ik ook deed, hij kreeg het niet voor elkaar. Uiteindelijk duwde hij me op mijn rug, lachte tegen mijn schouder waar ik eerder een beetje parfum op had gespoten, en mompelde: 'Het spijt me.' Hij aarzelde, en maakte vervolgens aanstalten om mij alsnog te bevredigen. Hij kuste mijn schouder, mijn borst en toen mijn maag, maar ik trok hem – mogelijk een tikje te agressief – weer terug. 'Het geeft niet,' zei ik, en toen ging zijn telefoon en ik wist zeker, was ervan overtuigd, dat dit goddelijke interventie was, een gunst ter besparing van een enorme vernedering. 'Neem gerust op,' zei ik, terwijl hij, vrijwel op hetzelfde moment, zei: 'Ik geloof dat ik maar beter op kan nemen.'

In plaats van de telefoon naast het bed te nemen, was hij naar beneden gegaan om te praten en ik realiseerde me dat ik eigenlijk niets van hem af wist. Hoeveel condooms zaten er nog in de verpakking, bijvoorbeeld? Tegen de tijd dat hij terugkwam had ik me weer aangekleed, en ik bedankte voor het glas wijn dat hij me bij wijze van verzoening aanbood. Ik zei dat we elkaar zaterdagavond zouden zien, wanneer hij zou doen alsof hij Matthews oom was.

'Voor die tijd bel ik je nog,' had hij gezegd. 'Misschien kunnen we iets afspreken.'

'Doe dat,' had ik stralend en onoprecht geantwoord, maar ik wist toen al dat dit niet zou gebeuren. En toen dacht ik: *ik zal dit nooit aan iemand vertellen.*

Ik vond het boek dat ik zocht op de keukentafel. Maar alvorens weer naar boven te gaan, liep ik naar de Chinese kast en ging ervoor zitten. Ik steunde mijn hoofd tegen de diepe la waarin al die stukjes papier lagen, al die woorden die ik zo graag wilde begrijpen maar waar ik voor het merendeel niets mee kon beginnen. 'John,' fluisterde ik. 'Ik heb je nodig.' De klok sloeg het kwartier – zachtjes, naar mijn gevoel bijna verontschuldigend – maar meer dan dat hoorde ik niet. Ik keek de kamer rond. Het enige wat ik zag was de afwezigheid van beweging. Morgen zou ik doodmoe zijn. Dat was ik nu al.

Woensdagmiddag laat lag ik op de bank te lezen. Ik kon Benny in de keuken over zijn huiswerk horen zuchten, en uiteindelijk stond ik op om hem te vragen wat de moeilijkheid was. Ik hoopte dat hij niet met rekenen bezig was. De laatste keer dat ik hem had geholpen hadden we een drie gekregen.

'Benny?' zei ik. 'Hoe gaat het?

'Slecht. Heel slecht.'

'Hoezo?'

Hij gaf geen antwoord.

Ik ging tegenover hem zitten en legde mijn hand even op zijn arm.

'Deborah wil het uitmaken met mij,' zei hij.

'Deborah?'

'Ja. Mijn vriendin.'

'Het meisje dat – '

'Ik heb je nooit over haar verteld. Want zij is het meisje dat ik echt leuk vind, en dat wilde ik aan niemand vertellen. Maar het is al bijna een maand aan tussen ons, en nu wil ze het uitmaken.'

'Wat naar voor je. Komt dat door die andere meisjes?'

'Nee, dat vond ze grappig. Maar er is een andere jongen. John Hansen. Hij is verliefd op haar. Hoewel hij weet dat ze mijn vriendin is, praat hij voortdurend met haar. Een hele tijd geleden al heeft ze me verteld dat ze hem niet kan uitstaan. Maar nu is ze verliefd op hem en niet meer op mij. Dat heeft ze vandaag tegen me gezegd. En ondertussen stond John Hansen naar ons te kijken.'

Hij tikte met zijn potlood tegen de tafel. Volgens mij scheelde het maar weinig of hij moest huilen. Ik vermoedde dat ik iets zou moeten zeggen over de tijd die alle wonden heelt, dat er wel weer een ander meisje zou komen, en dat er zelfs nog een heleboel andere meisjes zouden komen. In plaats daarvan zei ik: 'Dus... nu voel je je echt ontzettend rot.'

'Ja,' zei hij. 'En ik heb echt geprobeerd om te doen alsof het me niets kon schelen, maar dat lukt me niet.' Hij keek me onderzoekend aan. 'Denk je, dat als je voor de tweede keer verliefd wordt, de eerste keer niet echt was?'

'Nee. Het betekent helemaal niet dat de eerste keer niet echt was. De meeste mensen worden in hun leven wel vaker dan één keer verliefd. En dat geldt volgens mij ook voor jou. Elke keer dat je verliefd bent is het echt. En weet je wat nou zo fijn is van het leven? Je weet nooit wat je om de volgende hoek te wachten staat.'

Hij slaakte een diepe zucht. 'Betta?'

'Ja?'

'Zou je vanavond riblappen kunnen maken?'

Ik schoot in de lach. 'Meen je dat?'

Nu moest hij eindelijk ook lachen. 'Ja. Dat vind ik ontzettend lekker.'

Ik stond op. 'Goed, Benny. Laten we dan maar boodschappen gaan doen.'

Toen we onze jassen aantrokken vroeg ik: 'En wat wil je bij je vlees?'

'Dubbelgebakken aardappels en caesarsalade. Als dat mag.'

'Dat mag.' Ik pakte mijn tas en we renden naar buiten, naar mijn auto. 'Dus als ze je vragen wat je later wilt worden als je groot bent, wat zeg je dan? "Gourmand"?'

'Wat is dat?' Hij rilde. Ik zette de verwarming aan, maar de auto was nog niet warm en er kwam alleen maar koude lucht uit. *Draai hoog die kachel!* zou mijn grootvader hebben gezegd. Hij had nooit begrepen dat de motor eerst een poosje gelopen moest hebben. Ik had zijn ongeduldige genen meegekregen, de manier waarop hij bepaalde dingen eiste zonder daarbij rekening te houden met wat logisch was.

'Een gourmand is iemand die van lekker eten houdt,' zei ik tegen Benny. 'Wil je dat worden?'

'Na. Ik wil werper zijn bij de Yankees. A-Rod heeft vorig jaar vijfentwintig miljoen verdiend.'

We reden de straat uit en hij leunde naar achteren in zijn stoel. 'Dit is helemaal te gek,' zei hij. 'Deborah zou dit nooit kunnen.'

Wat niet? wilde ik vragen. *Autorijden? Koken? Naar je problemen luisteren?* Maar ik zei: 'Dat weet ik. Eigenlijk is ze helemaal niet aardig.'

'Dat bedoel ik nou,' zei hij. 'Jij weet dat, en je hebt haar niet eens ontmoet.'

'Soms,' zei ik tegen Delores, 'heb ik wel eens het gevoel dat ik hem nu al vergeten ben. Ik weet natuurlijk nog wel hoe hij eruitzag, dat bedoel ik niet, maar sommige andere dingen, kleine dingetjes. Die kan ik me gewoon niet meer herinneren.'

'Ach lieverd, ik weet wat je bedoelt.' Ze drukte mijn hand. 'O jee, neem me niet kwalijk, ik heb eiersalade op je gemorst.'

Het was vrijdagmiddag, en we zaten aan wat Delores onze jaarlijkse kerstlunch noemde. Ik had me behoorlijk paniekerig gevoeld bij de gedachte hoe mijn Kerstmis zonder John zou zijn. Thanksgiving was nauwelijks tot me doorgedrongen – Carol had me uitgenodigd om met haar en Benny mee te gaan naar haar zus. Ik had bedankt en was alleen thuisgebleven. Maar Kerstmis was iets anders. Het was een feest waar iedereen zich enorm druk over maakte.

'Doe je iets bijzonders op eerste kerstdag?' vroeg Delores.

Ik schudde mijn hoofd en keek naar de grond.

'Moet je horen,' zei ze. 'Misschien ben je liever alleen, en dat kan ik ook begrijpen. Maar als je niet alleen wilt zijn, bel me dan, oké?'

'Goed.'

'Of liever, je hoeft niet per se míj te bellen, zolang je maar íemand belt. Het is normaal om het idee te hebben dat mensen niet voor de feestdagen met je opgezadeld willen zitten, maar dat is onzin. Gezinnen vinden het juist prettig om er iemand anders bij te hebben. Al was het maar omdat ze op die manier minder ruziemaken.'

Ik nam een laatste hap van mijn aardappelsoep en schoof de kom van me af.

Onze serveerster, een te mager maar beeldschoon jong ding met bruine ogen, wier handen gebeefd hadden toen ze onze bestelling opnam – het was haar eerste dag, had ze gezegd – kwam vragen of we verder nog iets wensten. Beiden zeiden we van nee, en toen, toen we ons geld op het schaaltje met de rekening legden, zag ik dat we alle twee hetzelfde hadden gedaan – dat we haar een overdreven fooi hadden gegeven. 'Dat krijg je, in deze tijd van het jaar,' zei Delores. 'Elke keer beweer ik er ongevoelig voor te zijn, maar iedere keer blijkt weer dat dit niet zo is.'

'Ja, dat heb ik ook.' In mijn auto stonden twee enorme blikken met koekjes. Na de lunch wilde ik bij Matthew en Jovani langsgaan. En thuis stonden nog eens zeven blikken te wachten.

Jovani deed open, en ik zag meteen dat hij van streek was.

'Wat is er?' vroeg ik.

Met ongeduldige bewegingen gebaarde hij dat ik binnen moest komen. 'Ik vertel je alles. Maar kort! Want altijd hetzelfde verhaal.'

Ik volgde hem naar de woonkamer waar Matthew zat te studeren. 'Hoi Betta,' zei hij. 'Wat zit er in dat blik?'

Ik gooide de koekjes naar hem op en hij begon ze meteen op te eten. 'Lekker,' zei hij, terwijl er kruimels uit zijn mond vielen.

Jovani liep naar hem toe, zette zijn handen in zijn zij en bedankte toen hij hem het blik voorhield.

'Later, wanneer mijn maag is geen vulkaan,' zei hij.

Ik ging op de bank zitten en trok mijn jas uit. 'Vertel nu maar wat er aan de hand is, Jovani.'

'Goed,' zei hij. 'Jij kijkt naar mijn gezicht, en jij ziet wat?'

'Nou, ik... zie een knappe, aantrekkelijke jongeman.'

'En zie je hier "beetje te veel enthousiasme"?'

Ik lachte. 'Nee.'

'Nou, dat is waarom ik niet in dienst neem. Ze denken ik ben te veel enthousiasme.'

'Het komt door je schoenen,' mompelde Matthew, zonder op te kijken. 'Hoe vaak heb ik je dat nu al niet gezegd? Je kunt niet solliciteren op gympen, en al helemaal niet in een herenmodezaak.'

Jovani kwam naast me zitten. 'Ze kijken niet eens op mijn schoenen. Alleen op mijn gezicht, waar ik te veel enthousiasme ben. Ik ben alleen maar vrolijke en hartstochtelijke man, en dat zij vinden niet goed. Zij willen alleen maar etalagepop om kleren op te hangen. En tegen klanten praten alsof begrafenis.'

Boven hoorde ik iemand de douche uitdraaien. Melanie, nam ik aan. Ik keek naar Matthew die zachtjes zei: 'Alles is geregeld voor zaterdag, maar het scheelde maar een haar. Ik heb haar moeten beloven dat we naar een heel goed restaurant in Chicago gaan. Denk je dat je vrienden daar bezwaar tegen zullen hebben?'

'Natuurlijk niet,' zei ik.

'Vanavond ik kook,' zei Jovani. 'Jij komt en jij niet geloven. Als drank wij drinken poemamelk. En dan *empada,* en hoofdgerecht *frango ensopado*, daarbij kokosrijst en Mariabonbons voor toetje.'

'Jovani!' riep ik uit.

'Binnen in mij, veel verrassingen,' zei hij. 'Niemand ziet.'

'Nou, ik wel.'

'Dus misschien jij mij in dienst nemen. Ik maak jouw zaak explosie.'

'Weet je wat?' zei ik. 'Misschien doe ik dat wel. Ik overweeg een winkel te openen. En als ik dat doe, dan heet de zaak *What a Woman Wants*. Denk je dat je daar zou willen werken?'

Hij toonde me de binnenkant van zijn handen. 'Ben ik niet?' vroeg hij. 'Wat vrouw wil?'

De trap kraakte en Melanie kwam binnen. Ze negeerde me zo volledig dat ik haar er bijna om bewonderde. 'Ik ben klaar. We kunnen gaan,' zei ze tegen Matthew.

Matthew bladerde door zijn boek. 'Nog drie bladzijden tot het hoofdstuk uit is,' zei hij. 'Is dat goed?'

'Máttie...'

Hij sloeg zijn boek dicht en pakte zijn jack.

'Melanie,' zei Jovani. 'Vanavond ik ben kok. Wil jij ook eten met ons?'

'Nee,' antwoordde ze, 'ik heb een afspraak vanavond.'

'Maar lief dat je het vraagt,' zei ik, waarop ze zich naar me omdraaide en me woedend aankeek.

'Dat had ik net willen zeggen.'

Op eerste kerstdag vond ik Lydia in de recreatieruimte waar ze helemaal achteraan zat terwijl de overige bewoners zich rond de piano hadden geschaard. Een lange, oudere man in een bordeauxrood pak speelde met de grenzeloze uitbundigheid van Liberace en zong uit volle borst. Hij was nog steeds aantrekkelijk, had nog steeds een dikke dos prachtig grijs haar. Op de piano stond een bordje met BERNSTEIN ENTERTAINMENT erop. De mensen zongen met voornamelijk iele stemmetjes met hem mee bij 'I Saw Mommy Kissing Santa Claus'.

Ik tikte Lydia op de schouder, en toen ze zich omdraaide en mij zag, fronste ze haar voorhoofd. Ze wees op de gang, en ik duwde haar rolstoel erheen. Over haar schouder vroeg ze: 'Heb je ooit zulk kattengejank gehoord? Ben ik even blij dat je me daar weg hebt gehaald. Breng me naar mijn kamer.'

Toen we daar waren aangekomen, wilde ze dat ik haar met haar stoel in de hoek zette. Ze droeg een bruine broek die veel te kort was, en ik zag dat ze dezelfde soort grijze kniekousen droeg als ze de vorige keer aan had gehad. Kennelijk had ze een nieuw paar gympen gekregen – ze waren griezelig wit en leken enorm aan haar smalle voeten. Ze droeg een groen geruit mannenoverhemd dat tot boven aan toe was dichtgeknoopt, maar dat desondanks om haar hals slobberde, en haar bruine vest waarop een kerstbroche – een boom van gekleurde steentjes – was gespeld. Ik wist dat ze niet zelf voor die broche had gekozen, want ik had gezien dat veel van de bewoners er eentje droegen, dus ze moesten van hoger hand zijn uitgereikt. Ik vermoedde dat ze hem haar hadden opgespeld toen ze even niet had gekeken. Nu deed ze het blik open en keek erin. 'Wat is dit?'

'Kerstkoekjes. Ik dacht dat je dat misschien wel lekker zou vinden.'

Ze nam me achterdochtig, en een beetje reptielachtig op, en ik moest me beheersen om niet haar bril van haar neus te rukken om hem eens een flinke schoonmaakbeurt te geven – het voelde bijna alsof het ding me erom smeekte. Lydia groef in de koekjes en bekeek er een aantal nader. Ik zag dat haar knokkels enorm opgezwollen waren, ik nam aan van reuma, en dat haar handen nog steeds beefden. 'Jij wilt er zeker wel een,' zei ze ten slotte, en ik zei nee, dat ik er al meer dan genoeg van had gegeten.

Op de gang klonk een luide, jubelende mannenstem die riep: 'Jus d'orange, jus d'orange, jus d'orange!' En dat riep hij niet drie keer, maar hij hield er niet mee op. Lydia wuifde zijn kant op. 'Elke dag. Hij woont aan de andere kant, waar de gekken wonen. Hij is alleen maar hier omdat hun douches het weer eens niet doen. Als ze nou gewoon eens een goede loodgieter lieten komen, dan zou de boel eindelijk eens goed gemaakt kunnen worden.' Ze stopte een koekje in haar mond, en even meende ik haar ogen te zien oplichten. 'Heb jij die zelf gebakken?'

'Ja.'

'Ik heb zoiets altijd veel te veel onnodige moeite gevonden.' Ze haalde haar zakdoek uit haar mouw en snoot haar neus.

'Een van de leuke dingen eraan, vind ik, is dat je ze cadeau kunt geven. En verder zijn ze nog lekker ook.'

Ze knikte, en propte de zakdoek weer in haar mouw. 'Dat is waar, ja.' Ze deed het deksel weer op het blik. 'En wat wil je verder nog?'

Ik schoot in de lach. 'Niets.'

Even was ze stil, en toen vroeg ze lichtelijk geïrriteerd: 'Waarom kom je toch maar steeds? Van mij krijg je niks. En je kunt me ook niet aardig vinden.'

'Nou, Lydia, je hoort me niet zeggen dat het eenvoudig is, maar in zekere zin doe ik dat wel.' Toen ik klein was hadden we een buurman die vrijwel niemand uit kon staan. Balman, noemden we hem, omdat hij de gewoonte had om alles te confisqueren wat in zijn tuin terechtkwam. Hij was een broodmager oud mannetje met een bochel. Hij schoor zich bijna nooit en hij was, op enkele haren na, kaal, en hij droeg altijd dezelfde kleren – een T-shirt in een te grote nette broek die met behulp van een riem hoog in zijn middel op zijn plaats werd gehouden, en afgetrapte sloffen. Ik zag hem alleen maar wanneer hij buiten kwam om de krant te halen, en een paar keer wanneer hij het huis uit ging waarbij hij dan een driekwartjas over zijn T-shirt droeg, en een gedeukte hoed met een veer op had. Voor mij had hij iets fascinerends. Vergeefs probeerde ik hem voor mij te winnen door brownies in zijn brievenbus te leggen, of door aan te bellen om te vragen of ik soms een boodschap voor hem kon doen, en of ik de dode blaadjes in zijn tuin bijeen mocht harken, of door het stellen van de meest onwaarschijnlijke vragen in de trant van of hij een bijdrage wilde leveren aan het fonds waarmee we op schoolreis naar Washington wilden gaan. 'Nee!' riep hij dan onveranderlijk. 'Duvel op! En laat me met rust! Hou op met voortdurend aan te bellen!' Het kwam nooit tot nader contact tussen ons, maar ik ben het altijd blijven proberen. 'Ze zou psychiater moeten worden,' zei mijn vader van mij. In plaats daarvan ben ik met een psychiater getrouwd. Hij mocht al het werk doen – ik kon alle verhalen horen.

Lydia reed zichzelf naar het bed. 'Ik ben moe.'

'Zal ik iemand roepen om je te helpen?'

Ze gooide het blik met koekjes op bed. 'Dacht je soms dat ik zelf niet in staat ben om een verpleegster te roepen? Ik bel wel iemand zodra ik daaraan toe ben. Maar... ik heb nog even de tijd.' Ze keek weg, en toen keek ze me weer aan. 'Ik ken jou niet en jij kent mij niet. Waar zullen we het over hebben?'

'Geen idee.'

'Laten we dan maar een potje gin rummy spelen.'

'Dat kan ik niet.'

Ze leunde naar achteren in haar stoel. 'Waarom niet?'

'Omdat ik nooit heb geleerd hoe je dat speelt.'

'Nou, wat kun je dan wel?'

'Alleen maar zwartepieten.' En dat was waar. Ik had nooit leren kaarten. John had ooit eens een poging gedaan om me bridge bij te brengen, maar dat vond ik veel te ingewikkeld, en ik zat voortdurend naar buiten te kijken.

'Zoiets stoms heb ik nog nooit gehoord. En je kunt rustig van me aannemen dat ik hier van 's ochtends vroeg tot 's avonds laat overwegend stomme dingen hoor.'

'Je zou het me kunnen leren,' opperde ik.

Ze fronste, en toen wreef ze haar linkeroog. 'Pak de kaarten. Ze liggen in de bovenste la. En daar liggen ook een paar chocoladerepen in, als je daar zin in hebt.'

'Op het moment niet, dank je.' Ik trok de la open en haalde er een spel kaarten uit. Onder de stapel Marsen zag ik een van de brieven die ik haar had gebracht – ze had er eentje van gehouden. Zonder iets te zeggen deed ik de la weer dicht.

'Ik deel,' zei Lydia, waarbij ze me fel aankeek.

Ik gaf haar de kaarten. 'Goed.'

'Dank je,' zei ze, en ze schraapte haar keel.

Ik leunde naar achteren en keek hoe ze deelde terwijl ik me ondertussen bewust werd van een duidelijk gevoel van voldoening. Ik wist dat, afgezien van John, niemand dit zou kunnen begrijpen. Anderen zouden het mogelijk zinloos vinden, zonde van de tijd, of desnoods masochistisch. Voor John zou het een bevestiging zijn van het feit dat wij als mensen allemaal met elkaar verbonden zijn – altijd, en niet alleen tijdens rampen. Voor hem zou het bezoeken van een verbitterde oude vrouw het risico waard zijn. Het voelde alsof we het samen deden.

'Neem mij ook maar in dienst,' ze Lorraine. We waren van het vliegveld op weg naar huis en ik vertelde haar dat ik, als ik ooit een geschikte winkelruimte zou vinden, Jovani in dienst wilde nemen. Hij was met het idee gekomen om er een wijn-en-toetjesbar in onder te brengen, als een soort van vrouwelijke variant van de sigarenbar. Hij zou er de manager van zijn. En bovendien zou hij er al zijn schilderijen en tekeningen verkopen.

'Ik meen het,' zei Lorraine. 'Ik ben toe aan een radicale verandering.'

'Zou je echt hier willen komen om me te helpen?'

'Ja.'

Even gunde ik mijzelf de luxe om me voor te stellen dat Lorraine naar mijn stadje zou willen verhuizen, dat ze desnoods bij me in zou willen trekken, en dat we samen op inkoopreizen naar Italië, Griekenland en Frankrijk zouden gaan. Maar ik wilde me de teleurstelling besparen, en hield me snel voor dat ze het toch niet zou doen. Het was één ding om een vriendin te helpen, maar het was iets heel anders om hier permanent te willen wonen.

'Dat moet je morgenavond ook aantrekken,' zei ik. Ze zag er prachtig uit in een witte trui, een goed zittende broek van tweed en Italiaanse schoenen van mooi zacht leer.

'O, nee,' zei ze. 'Ik heb er speciaal een jurk voor gekocht. En naaldhakken – ik hoop maar dat er goede stoepen zijn. Vind je dat ik mijn haar moet opsteken, of zal ik het los laten?'

'Opsteken,' zei ik, op hetzelfde moment als waarop zij 'los,' zei.

'Doe alle twee,' zei ik. 'Je begint met opsteken.'

'Goed.' Ze keek op haar horloge. 'Ik popel om hem te ontmoeten.'

'Matthew?'

'Ja.'

'Hij is een schatje.'

'Ja, dat zei je al.'

Zaterdagavond zat Lorraine ongeduldig in de woonkamer te wachten tot Tom haar op zou komen halen. Haar zwarte jurk was zowel van voren als van achteren laag uitgesneden, maar voor het overige heel eenvoudig. Ze droeg diamanten knopjes in haar oren en een prachtige goud-met-diamanten bedelarmband. (Toen ik haar vroeg of hij echt was, zei ze: 'Dát was tenminste een behoorlijke kerel.')

Toen er eindelijk werd aangebeld deed ik open. Tom was nog zenuwachtiger dan Lorraine, en hij werd nóg zenuwachtiger toen hij haar zag. Op weg naar buiten schonk ze me een zuinig glimlachje. Ik wist wat dat betekende: *Wanneer ik weer thuis ben zul je moeten boeten voor het feit dat je me een hele avond met zo'n idioot hebt opgescheept.* Nog voor ik de deur goed en wel achter hen had gesloten, was ik al bezig te bedenken wat ik tot zijn verdediging zou kunnen aanvoeren.

Ik maakte een simpel avondmaal van soep en salade en ging op de bank zitten om te lezen. Het lukte me echter niet om me te concentreren, en in gedachten zag ik voortdurend voor me wat ik hoopte dat er zou gebeuren. Om half negen hield ik het ten slotte niet meer uit, en belde ik Delores om te vragen of ze zin had om mee te gaan naar de film. Ze nam niet op.

Ik nam een bad, trok mijn pyjama aan, kroop in bed, bladerde een paar tijdschriften door en draaide cd's, viel in slaap, werd wakker, viel in slaap en werd wakker. Om kwart over een hoorde ik de voordeur opengaan, en even later het wegrijden van een auto. Ik deed het licht aan.

Lorraine kwam boven, en even later kwam ze, met haar schoenen in de hand, mijn slaapkamer binnen. Haar haren hingen los en ze had een kleur. 'Je bent wakker,' zei ze. 'Mooi.'

'En?' vroeg ik.

'Ik geloof dat ik verliefd ben.'

Ik ging rechterop zitten. 'Ik zei je toch al dat hij een schatje is!'

'Hij is een engel! En geloof me, juffie Melanie is serieus aan het denken gezet. Ik was echt ontzettend trots op Matthew – we brachten ze thuis en ze vroeg of hij mee naar binnen ging, en hij zei nee, dat hij naar huis wilde om te studeren. Maar toen keek hij naar mij, en ik legde mijn hand op zijn knie. Het was echt geweldig.'

'Vertel me alles!'

'Dat zal ik doen. Maar eerst... Ik bedoelde niet dat ik verliefd zou zijn op Matthew.'

Ik zette me schrap voor de onvermijdelijke sarcastische aanval op Tom. 'Nou, goed, Lorraine, ik weet ook wel dat hij niet jouw type is.'

'Nee, ik meen het. Ik vind hem écht ontzettend leuk!' Ze lachte. 'Heus. Morgenavond hebben we opnieuw afgesproken.'

'Je... Hoe bedoel je? Dat kun je niet doen.'

Ze was bezig geweest met het uitdoen van haar oorbellen, en ze liet haar handen zakken. 'Waarom niet? Je voelt toch niets voor hem? Dat heb je zelf gezegd.'

'Ik zéi... Ik heb alleen maar gezegd dat het allemaal een beetje pijnlijk was!'

Ze ging naast me op het bed zitten. 'Dat heb je niet gezegd. Voel je iets voor hem? Als dat zo is, dan moet je het me vertellen.'

'Dat wéét ik nog niet, Lorraine!'

'Nou, je hoeft niet meteen zo nijdig te doen.'

'Ik bén niet nijdig!'

Ze boog zich naar me toe. Haar adem rook naar whisky. Haar ogen waren bloeddoorlopen. 'Dat ben je wel. Je bent wél nijdig.'

Ik sloeg mijn ogen neer en plukte aan de sprei. 'Waar gaan jullie naartoe?'

'We willen ergens heen waar we jazz kunnen luisteren.'

Ik knikte. Daar had hij mij nog nooit voor gevraagd.

'Van het soort dat jij niet mooi vindt, Betta. Moderne jazz. Ergens in een club in het centrum. Weet je dat hij vroeger saxofoon heeft gespeeld?'

'Ja, zoiets kan ik me herinneren.' Dat was niet waar. 'Hoe weet je dat ik dat soort jazz niet mooi vind?'

'Nou, omdat je daar nooit van hebt gehouden. En ook, omdat Tom vertelde dat jij, toen hij Coltrane op wilde zetten...' Ze wendde haar blik af, en ik zag dat Tom haar alles had verteld. 'Heb je zin om met ons mee te gaan?' vroeg ze. Maar ze wilde me nog steeds niet aankijken.

Met ons. Twee woordjes met een enorme lading.

'O, ja, dat lijkt me enig.' In gedachten zag ik ons drieën samen in een nachtclub, Lorraine en Tom die er schitterend uitzagen, hij in zijn leren jack, zij in een nauwsluitend truitje, en ik in mijn badjas met krullers in mijn haar.

Ze glimlachte aarzelend omdat ze niet precies wist wat ik voelde. Ik hoorde mijn stem luider worden. 'Je weet niet alles van me af. Je weet niet wat voor soort jazz ik mooi vind! Dingen veranderen! Je kent me niet meer!'

'Dat is niet waar! Ik – '

'Nee, echt.'

Ze zuchtte en wilde haar hand op de mijne leggen, maar ik trok hem snel weg. 'Betta. Rustig. Ik ken je, net zoals jij mij ook nog steeds kent. Net zoals wij elkaar allemaal nog steeds kennen – Maddy, Susanna, jij en ik. Als je wilt dat ik een punt zet achter mijn relatie met Tom, dan hoef je... Ik bedoel, Jezus, wil je dat écht?'

Ik stond op, liep naar Lorraines kamer, haalde haar koffer uit de kast, legde hem op bed en deed hem open. Vervolgens begon ik haar spullen erin te gooien – haar kamerjas, een broek, een paar blouses, haar witte trui. Ze stond op de drempel tegen de deur geleund en keek naar wat ik deed. Vanuit mijn ooghoeken zag ik dat ze een vlek had op de linkerborst van haar mooie zwarte jurk. *Net goed.* 'Wat doe je, Betta?'

Ik trok de la van de commode open en gooide haar flanellen pyjamabroek in de koffer, haar T-shirt. Haar kanten ondergoed. Misschien dat Tom het hare wél de moeite waard vond om naar te kijken. 'Ik ben jou spuugzat,' zei ik.

'Dat is onmogelijk. Daarvoor heb je me niet lang genoeg gezien.'

'En toch ben ik je spuugzat! Van eerder al! Altijd moet je beter zijn dan de anderen – '

'Zou je dat even uit willen leggen?'

Ik hield op met pakken en keek haar aan.

'Leg uit!'

Ik mikte haar borstel in de koffer. 'Je weet heel goed wat ik bedoel, Lorraine. Je denkt dat je het recht hebt om... nee, je dénkt niet eens! Je néémt gewoon! Je doet wat je wilt zonder rekening te houden met de gevoelens van een ander. Ik had een relatie met Tom, maar daar heb jij nu een eind aan gemaakt!'

'Betta, dit is niet eerlijk.'

'Mag ik je even ergens aan herinneren, ja? Mijn man is gestorven. Hij was het middelpunt van mijn leven. Hij was degene aan wie ik alles vertelde en die alles begreep, en vaak nog voordat ik er iets over gezegd had! Jarenlang heb ik...' Ik begon te huilen en Lorraine kwam naar me toe. Ik stak mijn hand op als een agent die het verkeer tegenhoudt. 'Nee! Je kunt het je niet voorstellen, Lorraine. Je hebt geen idee hoe het is om zo iemand te verliezen. Het is alsof je ingewanden eruit zijn gehaald! Heb je er enig idee van hoe moeilijk het is om na zo'n relatie iets nieuws te beginnen? Of hoe moeilijk het is om gewoon maar dóór te gaan met het leven nadat je zo iemand verloren hebt?'

'Nee, ik weet niet hoe dat is,' zei ze zacht. 'En weet je ook waarom? Omdat ik zoiets nooit heb gehad. Zelfs niet iets dat er vagelijk op lijkt. Kom op, laten we het spelletje spelen van wat erger is, wil je dat?' Ze mikte een oorbel in de koffer, en toen de tweede. 'Ik kan me vagelijk iets voorstellen van wat je hebt gehad, Betta, en volgens mij heb je enorm geboft. Je hebt iemand gehad die je altijd een hand boven het hoofd heeft gehouden en die je elke dag liet weten dat hij van je hield. Er is intens van je gehouden! Een dergelijke relatie heb ik van mijn leven niet gehad. En ik ben doodsbang dat ik ook nooit zo'n man zal vinden. Ik word er niet jonger op, weet je. En ik ben moe. Ik ben het zat om altijd maar te moeten werken en ik ben het zat om alleen te moeten zijn. Nu heb ik eindelijk iemand ontmoet die... hij is anders, en ik denk dat ik misschien eindelijk iemand heb gevonden die voor mij kan doen waar ik altijd het meeste behoefte aan heb gehad. Je hebt gezegd dat je, toen je John leerde kennen, meteen wist dat hij de ware voor je was. Dat gevoel had ik vanavond. Het was volkomen natuurlijk om samen met hem te zijn. Voor de verandering voelde het als een gelijkwaardige ontmoeting. Hij is niet báng voor me – ik heb mijn buik vol van mannen die báng voor me zijn. Met hem heb ik een kans. En wil je me die ontnemen? Best. In dat geval zal ik Tom bellen en hem zeggen dat ik terug moest naar Providence. Of misschien wil jij dat wel doen.' Ze trok haar jurk uit, legde hem in de koffer, en trok de broek aan die ze tijdens haar vlucht had gedragen, en toen de witte trui en de zwarte laarzen.

'Lorraine,' zei ik.

Ze zette haar handen in haar zij en keek me aan. 'Ja.'

'Waar ga je naartoe?'

'Naar Chicago. Daar zijn hotels zat.'

'Doe dat niet.' Ik ging op de rand van het bed zitten, en ze kwam naast me zitten.

'Wat wil je dat ik doe?' vroeg ze. 'Zeg het maar.'

'Het gaat me niet om Tom. Tom interesseert me niet,' zei ik. 'Dat weet ik zeker. En ik interesseer hem ook niet. Zo is het niet tussen ons.'

'Misschien heb je gewoon wat meer tijd nodig,' zei Lorraine. 'Misschien, als ik niet hier ben...'

'En als we morgenochtend naar het vliegveld gingen?' vroeg ik. Ze verstijfde, en toen knikte ze.

'Nee,' zei ik. 'Want ik wil terug naar Boston. Je kunt hier blijven.'

Ze omhelsde me, en ik tuurde naar de muur en liet mijn armen slap omlaag hangen.

Als kind droomde ik ervan om zomaar, wanneer ik daar behoefte aan had, naar een andere stad te kunnen vliegen. En dat had ik nu gedaan. Natuurlijk voelde het niet half zo interessant als ik me vroeger verbeeld had, en al helemaal niet aangezien ik er Lorraines airmiles voor had gebruikt. In mijn vroegere fantasieën zag ik mijzelf in een schitterende witte bontmantel ontspannen op een witleren stoel zitten en champagne drinken. Nu zat ik op de een-na-laatste rij op de middelste stoel, terwijl het kind dat rechts van me zat met zijn krijtje op het raam zat te tekenen, en de vrouw links van mij voortdurend over het lawaai van de motor klaagde. Gelukkig duurde de vlucht maar twee uur. Ik sloot mijn ogen.

Na de landing belde ik mijn oude buurvrouw Sheila vanaf het vliegveld en vroeg of ze zin had om die avond met me te gaan eten. 'Je komt weer hier wonen, heb ik het goed?' vroeg ze, en ik antwoordde dat ik dat nog niet wist. We spraken om zeven uur af bij Legal Seafood. Nadat ik had opgehangen, ging ik naar buiten, nam een taxi en vroeg de chauffeur om me naar het Copley Plaza te rijden om mijn koffer af te geven, waarna ik naar het Stewart Gardner Museum gebracht wilde worden.

Ik keek naar het langsglijdende stadslandschap waar ik zo

dol op was. De zee, North End, Faneuil Hall, de fraaie winkels en terrasjes op Newbury Street en de enorme rode strik die elk jaar op het kantoorgebouw naast de Pike prijkte. Ik keek naar een stel dat hand in hand langs de Charles slenterde, en hun hond die de riem straktrok, en ik dacht terug aan die verschrikkelijke dag waarop ik, met Johns koffer naast me, van het ziekenhuis naar huis was gereden.

In het museum ging ik naar de binnenplaats, waar ik een plekje op een muurtje vond en daar voor mijn gevoel heel lang roerloos bleef zitten. Ik keek naar de mensen die bleven staan om de bloemen te bewonderen. Veel van hen waren duidelijk toeristen en ik voelde me trots op wat nog steeds mijn stad was. Ik dacht terug aan de kamermuziekconcerten die ik in de zaal boven had bijgewoond, hoe ik met mijn ogen dicht naast John had gezeten en intens geluisterd had. Na afloop gingen we vaak naar het vlakbij gelegen Museum of Fine Arts om daar in het mooie restaurant een hapje te eten. Ik hield van de manier waarop John na een dag kunst kijken altijd heel filosofisch werd, en hoe graag hij altijd wilde praten over de dingen die hem op een bepaalde manier ontroerd hadden. Het bezoeken van een museum deed hem altijd goed, zelfs nog toen hij al flink ziek was. Kunst bleef, daar ging het om. De gedachte dat het bleef gaf hem troost.

Bij de herinnering daaraan kreeg ik tranen in mijn ogen, en ik gebruikte mijn handschoenen bij wijze van geïmproviseerd zakdoekje. Hoewel ik zachtjes huilde, moeten mijn snikken te horen zijn geweest. Geen mens die op me lette. Zo waren we geworden. In een wereld vol ellende en verdriet was ik alleen maar de zoveelste.

Later die middag stond ik voor het huis waar ik voorheen had gewoond. Het was ijskoud geworden. Vogels zaten met opgezette veren in de bomen, op de plassen lag een laagje ijs en zelfs de hemel leek bevroren. De mensen die het huis van me hadden gekocht waren thuis – ik kon ze binnen rond zien lopen. Nadat ik diep adem had gehaald, liep ik naar de deur en belde aan.

Er werd opengedaan door een man van een jaar of dertig met een hoog voorhoofd. Hij keek me vragend aan. 'Dag,' zei ik. 'Ik heet Betta Nolan, en ik heb ik hier eerder gewoond.'

'O, ja,' zei hij. 'Ik kan me uw naam herinneren. U was niet bij de overdracht.'

'Dat klopt. Ik vroeg me af...'

Hij stond me lichtelijk ongeduldig op te nemen. Achter hem hoorde ik de geluiden van iemand die in de keuken bezig was, pannen die tegen elkaar stootten, en ik rook de volle geur van kerrie.

'Ik hoop dat u me mijn onverwachte bezoek niet kwalijk neemt. Maar ik...' Ik keek langs hem heen de gang af. Links was de keuken met het grote venster dat uitkeek op de achtertuin. Rechts was Johns werkkamer, waar ik ooit eens naar binnen was gegaan, de jaloezieën had gesloten en op de vloer de liefde met hem had bedreven. Ik wilde de woonkamer weer zien, waar John en ik zoveel van zijn laatste uren hadden doorgebracht. En hoewel ik wist dat het ontzettend moeilijk zou zijn, wilde ik ook onze slaapkamer weer zien.

'Ik vroeg me af,' zei ik, 'of u het heel erg zou vinden als ik nog even een keertje binnen rondkeek.'

De man aarzelde, en toen zei hij: 'Omdat...?'

'Nou...' Opeens voelde ik me boos worden om het feit dat ik om toestemming moest vragen om ergens binnen te gaan waar ik al die jaren had gewoond. 'Ik wil het terugkopen. De verkoop was een vergissing. Ik wil het terugkopen, en ik zal u er veel voor betalen.'

'Lieverd?' hoorde ik een vrouwenstem, en ineens stond er een magere vrouw met donker haar naast hem. 'Hallo,' zei ze.

'Ze is de vorige eigenaar,' zei de man.

'Hemel, zeg, kom erin,' zei de vrouw, terwijl ze haar man een berispende blik toewierp waar ik haar dankbaar voor was. 'U wilt natuurlijk zien wat we met uw huis hebben gedaan.'

'Ze wil het terugkopen,' zei de man, grinnikend, en de vrouw zei: 'Charles? Waarom ga je niet even bij Billy boven kijken? Ik blijf hier.'

Hij zette zijn hand in zijn zij, en keek van zijn vrouw naar mij en terug.

'Schiet op,' zei de vrouw. Toen de man wegliep, zei ze: 'Ik ben Naomi Appel. Kom erin. Kijkt u maar rustig rond. Dat is in orde.'

Ik stapte naar binnen, knoopte mijn jas los en deed een paar onzekere stapjes de gang in. 'Als ik met de werkkamer mag beginnen.' Ook zonder dat hij er was, zou hij me een steuntje in de rug geven. Zijn papieren, op keurig stapeltjes, op zijn bureau. Naast de telefoon zijn favoriete foto van ons beiden. De leren stoel die, toen ik hem voor hem had gekocht, in feite veel te duur was geweest. Goed, ik wist dat die dingen er nu niet meer zouden staan. Maar hun geest was er nog wel.

'O, nou, die bestaat niet meer. We hebben de muur doorgebroken om een grotere woonkamer te maken. Komt u maar mee, dan kunt u het zelf zien. Het is echt prachtig geworden! We hebben de muur donkergroen geschilderd, en – '

'Ach, weet u,' begon ik. Ik had een brok in mijn keel gekregen en het spreken viel me moeilijk. 'Laat u maar. Ik geloof dat ik...' Ik lachte een beetje beschaamd.

De blik in haar ogen verzachtte. 'O, ik dacht... Ik dacht alleen dat u misschien zou willen zien hoe het geworden is. Maar ik stond er niet bij stil dat dat wel eens moeilijk voor u zou kunnen zijn.'

'Neemt u mij niet kwalijk dat ik u gestoord heb. Achteraf was het helemaal niet zo'n goed idee.'

Ze liep met me mee naar de deur en rilde nadat ze hem had opengedaan. 'Mocht u zich ooit bedenken, dat komt u maar gewoon. En let u maar niet op Charles.'

'Goed,' zei ik. 'Dank u.' Ik bleef staan en keek naar de muur waar we het schilderij hadden opgehangen dat we tijdens de jaarlijkse uitverkoop van Brickbottom in Somerville hadden gekocht. Je kon de vage omtrekken er nog van zien.

'Ik doe de deur nu dicht, goed?' zei de vrouw. 'Het is koud!'

Ik stapte naar buiten, draaide me om en zei: 'Dank u wel dat u me heeft laten kijken.'

'Graag gedaan.' En ze sloot de deur.

Ik ging midden op straat staan om het hele huis te kunnen zien. Dat was precies wat John en ik hadden gedaan toen we het gekocht hadden – we waren midden op straat gaan staan en John was op een haar na aangereden door een passerende auto. We waren zo gelukkig geweest met wat we hadden gevonden, dat we ons er niet druk over hadden gemaakt. Nu, als een holle echo, fietste er een jongen pal langs me heen. Weldra zou hij een man zijn, en dan een oude man en dan zou hij er niet meer zijn. Ik keek naar de avondhemel – donker en onverschillig. Toen liep ik naar de hoek om een taxi aan te houden. Ik zou een boek gaan kopen om in het vliegtuig op weg naar huis te lezen. Deze plek was mijn thuis niet meer.

'En, wat brengt je hier?' vroeg Sheila, toen we aan de martini zaten.

'Ik had ineens zin om te komen. Ik ben naar het Gardner geweest, en daarna heb ik een bezoekje aan mijn oude huis gebracht. Maar veel heb ik er niet van gezien.'

Ze zette haar glas neer en boog zich naar me toe. 'Was het heel erg moeilijk?'

'Ja.'

'Denk je erover om terug te komen?'

'Nou, ik heb wel even met de gedachte gespeeld, maar...

nee. Het bevalt me echt in het stadje waar ik ben gaan wonen.'

'Welk stadje is dat?'

'O! Stewart, Illinois. Niet al te ver van Chicago. Het spijt me. Ik heb je nooit gebeld om je dat te vertellen.'

'Nou, als ik eerlijk ben, dan mag je wel weten dat ik verbaasd was toen je vandaag belde. Maar ik ben blij dat je dat hebt gedaan. Je bent veranderd, Betta. Weet je dat? Je lijkt meer... nou, je bent warmer. Zo te zien heb je het daar naar je zin.'

'Ja, dat is zo. Ik heb er nieuwe vriendinnen gevonden, en ik heb ook een paar vriendinnen van heel lang geleden teruggevonden.'

'En, is er een nieuwe man in je leven?' vroeg Sheila. Ze tuurde in haar glas en speelde met de olijf.

'Nou, ik heb het geprobeerd, maar het is niets geworden.'

'Waarom niet?'

'Ik denk omdat het te snel was.'

Sheila liet haar hand op haar kin steunen. 'Weet je, Randy heeft een vriend wiens vrouw bij hem is weggegaan, het was echt een hele lelijke geschiedenis. Nog geen maand later leerde de man, hij heet Vince, een andere vrouw kennen, en hij werd verliefd. Hij vertelde Randy dat hij er enorme moeite mee had, omdat het volgens hem veel te snel was, allemaal. En weet je wat Randy zei? Hij zei: "Vince, denk je niet dat het leven te kort is voor dat soort zorgen? Goed, je bent nog geen tachtig, maar je bent ook geen dertig meer." Zes maanden later trouwde Vince met die vrouw, en ze zijn waanzinnig gelukkig.'

'Ja, nou, maar... John heeft me niet op die manier laten stikken.'

'Dat weet ik,' zei Sheila. 'Maar dat neemt niet weg dat ik denk dat je op zo'n moment best mag nemen wat er aan goeds op je weg komt.'

'Daar heb je gelijk in,' zei ik, en ik glimlachte. 'Ik vind je ketting mooi. Waar heb je die vandaan?' Het was een dun gouden kettinkje met donkerrode en lichtgroene steentjes eraan.

Ze bracht haar hand naar haar borst. 'O ja? Ik wist het niet zeker – hij is zo anders.'

'Daarom juist.'

'Na het eten wijs ik je de winkel wel. Als ze ze nog hebben zou je er ook eentje moeten kopen.'

'Als ze ze nog hebben, dan koop ik een heel stel.'

Terug in het hotel stond ik lange tijd voor het raam en keek naar buiten. Ik herinnerde me hoe ik, kort na Johns dood, bij Brookline Booksmith had gezeten en boeken over het weduwschap had doorgebladerd. Ik had me geschaamd, net alsof Johns dood een ernstige persoonlijke vergissing van me was geweest. En ik herinnerde me ook dat ik, toen ik de boeken weer terug had gezet en de winkel uit was gegaan, een heel vreemd gevoel had gehad, net alsof er dingen uit mijn lijf waren gevallen. Lichaamsdelen. Oeps, daar ging mijn baarmoeder. En toen een nier. En daar lag mijn hart. Het was heel bizar geweest en ik was er ook een beetje van geschrokken. Het ergste was nog wel geweest dat ik helemaal niemand had gehad met wie ik daarover had kunnen praten. Dat was intussen veranderd. Met John had ik een vorm van liefde leren kennen. In het stadje waar ik was gaan wonen, had ik een andere vorm gevonden.

Ik ging op bed zitten en pakte mijn mobieltje. Toen Lorraine opnam zei ik dat ik morgenavond thuis zou zijn. En dat ik het heel fijn zou vinden als ze bij me wilde komen wonen en de winkel met me wilde opzetten. We zouden wel een ander pand vinden – die eerste zaak was me toch niet zo heel goed bevallen. Je kon er slecht parkeren en de woning die erbij hoorde had me niet geïnteresseerd. We zouden iets anders zoeken, wat veel geschikter zou zijn.

Ze zei niets.

'Of je zou de kamer kunnen nemen die ik bij Matthew en Jovani heb gehuurd, als je niet bij mij wilt wonen. Misschien zijn we intussen ook wel te oud om huisgenoten te zijn.'

Stilte.

'Lorraine?' zei ik.

'Ja?'

'Wil je dat? Bij me wonen?'

'Er is iets...'

'Lorraine? Huil je?'

'Nee, ik huil níet.'

'Wat is er dan?'

'Nou, die winkel die je uiteindelijk toch niet hebben wilde?'

'Ja?'

'Ik heb hem zojuist gehuurd. Dat met die andere huurder ging niet door. Tom en ik zijn eerder op de dag een eindje gaan wandelen, en toen we erlangs kwamen zag ik dat hij weer te huur stond, en... Nou, ik heb hem gehuurd. Ben je nu heel boos?'

Op 28 februari, de dag voor onze grootse opening, kwam ik terug uit Chicago met nog meer kettingen van een kunstenares die ik in Pilsen, de Mexicaanse buurt, had gevonden. Ik stopte voor de winkel om de verrassing te zien die Jovani me had beloofd. En die kreeg ik. Want daar, met gouden verf op de winkelruit aangebracht, zag ik een ovaal van elkaar overlappende bloemen en, in het hart, eveneens met gouden letters, de woorden: what wants a woman. Ik kon mijn ogen amper geloven. Hij had de woorden omgedraaid! De naam van de winkel was niet 'What Wants a Women', maar 'What a Woman Wants'! Ik legde mijn hoofd op het stuur, maar keek op toen er het volgende moment op het raampje werd geklopt. Ik draaide het open. 'Jij gezien?' Jovani straalde van oor tot oor.

'Ja, ik heb het gezien. Luister, Jovani – '

'Niets zeggen! Ik blij doen voor jou. En al mensen geweest kopen!'

'Echt?'

'Ja. Langslopen, dan blijven staan en naam zien. En toen hoofd om deur. "Zijn jullie al open?" en Delores roepen: "Nee, maar komt u gerust binnen!" Eén vrouw denkt wij huwelijksbureau.'

'Ja nou,' zei ik, 'dat komt door de naam die je op het raam heb gezet.'

Hij draaide zich om en keek naar de sierlijke gouden letters. 'Is toch precies wat jij wilde, niet?'

'Nee.'

'Nee?'

'Nee, Jovani! Wat ik wilde is: WHAT A WOMAN WANTS!'

'O, nee!' Hij keek nog eens, en sloeg toen zijn hand voor zijn mond. 'Oooo!'

Delores kwam naar de deur en riep: 'Ik stel voor om dat voorlopig maar zo te laten. Al is het maar omdat het opvalt. Alle mensen die tot nu toe binnen zijn geweest, vinden het geweldig.'

'Misschien is het wel interessant, ja,' zei ik.

'Zie?' zei Jovani. 'Ik heb in mij laat bloeiende genie.'

'Ik ga snel even naar huis,' zei ik, 'en dan kom ik terug met een lunch voor ons allemaal.'

Delores zwaaide en ging weer naar binnen, en Jovani volgde haar op de voet. Lorraine kon ook elk moment terug zijn uit Indiana, waar ze naartoe was gegaan om antiek in te kopen. Het liefste zou ik alles wat we in de winkel hadden voor mezelf willen houden – de gestippelde borden, de kakikleurige pyjama, de kobaltblauwe vazen, de rollen satijnband, de miniatuurschilderijtjes, de gedichtenbundels van Ruth Stone en Chitra Divakaruni en alle anderen, de romans en korte verhalen, allemaal door vrouwen geschreven en neergezet in de boekenkasten die we aan weerszijden van de open haard hadden gezet die we gebouwd hadden. We hadden dagboeken met een omslag van witte suède – een idee van Benny.

We hadden spullen gekocht van vrouwelijke pottenbakkers en quiltmaaksters – Carol, die nu fulltime voor mij werkte, had in Indiana een adresje gevonden. We hadden door vrouwen ontworpen kaarten en postpapier, met inbegrip van de met de hand getekende exemplaren met eigen versjes erop, die gemaakt waren door drie meisjes die verderop bij me in de straat woonden. We hadden aparte lampen en fotolijstjes, en plaids die zo zacht en dik waren dat je, wanneer je ze tegen je gezicht hield, bijna als vanzelf in slaap viel. We hadden een dik boek waarin iedereen zijn recepten kon schrijven, en die van anderen kon overschrijven. In een ander boek konden mensen aanbevelingen opschrijven voor van alles en nog wat, variërend van kinderoppassen tot sushi. En voor vijf dollar hielp ik mannen bij het schrijven van een liefdesbrief voor hun vrouw. In een hoek had ik een bureautje staan met allemaal soorten beeldig schrijfpapier en een la vol prachtige vulpennen zoals John altijd had gebruikt.

Thuisgekomen haalde ik de tomatensoep uit de koelkast die ik de vorige dag had gemaakt en die vandaag nog beter zou smaken. Ik zou ook kaasbroodjes uit de oven meenemen, een volle fruitschaal en brownies. Benny zou na schooltijd langskomen om te helpen, en hij hield van brownies – hij stond erop dat ze een ereplaatsje op de dessertbar zouden krijgen.

Ik liep naar de woonkamer, ging op de bank zitten en liet de rust en kalmte op me inwerken. Op kerstavond nam mijn moeder altijd een langdurig bad, en dan lag ik altijd op de gang voor de deur van de badkamer terwijl ik me gekweld afvroeg hoe iemand zo lang kon treuzelen terwijl er pakjes lagen die uitgepakt moesten worden. Nu begreep ik dat ze had genoten van de momenten ervóór, en nu deed ik precies hetzelfde. Mijn moeder moest zich hebben voorgesteld hoe mijn vader zijn manchetknopen uitpakte, en ik mijn poppenkleertjes. Ik dacht aan de mensen die zouden genieten van wat er in mijn winkel te vinden was, en dan niet alleen wat je er kon kopen, maar ook de ideeën en hoe iemand zich daardoor zou kunnen laten inspireren. Ik had altijd naar winkels willen gaan die iets extra's te bieden hadden, en nu had ik er zelf eentje gecreëerd. Wat had ik het de afgelopen weken druk gehad, en wat was er veel gebeurd!

Wat zou John van dit alles hebben gevonden? Had ik wel voldoende om hem getreurd, en op de juiste manier? Dit was iets wat aan me knaagde, het was op dit moment voor mij de allerbelangrijkste vraag. En alsof dat me een antwoord zou kunnen geven, ging ik naar de kast en stak mijn hand in de la. *Huis weg. Goed.* Die had ik al eens eerder gehad en ik wist nog steeds niet wat hij ermee wilde zeggen. Zoals zo vaak wanneer ik deze woorden las, vroeg ik me ook nu weer af wat er door Johns hoofd was gegaan toen hij ze schreef. Was er een huis geweest dat hij niet mooi had gevonden, en was hij blij dat het verkocht was? Ik kon me er werkelijk niets van herinneren. *Vooruit, John, we willen alleen maar mooie huizen. Zoals dit.*

Nadat ik het briefje weer in de la had teruggestopt, ging ik naar de kelder om een doos te zoeken waarin ik het eten zou kunnen vervoeren. Ik had een paar serviesdozen bewaard van de verhuizing en ze op een van de planken in het washok gezet. Ik reikte omhoog om er eentje te pakken, en stelde vast dat hij zwaarder woog dan zou moeten. Geschrokken liet ik hem uit mijn handen vallen en deed een stapje naar achteren. Zat er soms een muis in? Of een vléérmuis?

Ik gaf een schopje tegen een van de hoeken, en de doos verschoof een paar centimeter. Maar voor zover ik kon beoordelen zat er niets in wat uit eigen beweging bewoog – ik hoorde in ieder geval geen verdachte, krabbende geluidjes. Voorzichtig tilde ik het deksel op en tuurde erin. In de hoek zat iets – iets wat in kranten was gewikkeld. Dat moest iets zijn wat ik vergeten was uit te pakken, hoewel het vreemd was dat het in kranten zat. Ik kon me niet herinneren dat de verhuizers kranten hadden gebruikt. In het zwakke licht pakte ik de kom uit, maar deze kwam me totaal niet bekend voor. Ik liep ermee naar het hoge venster en bekeek hem wat beter.

Het was de groene kom die ik zo lang geleden in dat antiekzaakje had bewonderd. Op de bodem lag een door John met de hand geschreven briefje: *Als je dit vindt, laten we dan eieren eten. (En niets tegen de mus zeggen.)*

Ik ging op de keldertrap zitten en hield de kom op mijn schoot. En dan te bedenken dat ik hem bijna had gebroken. Maar ook dan zou ik hem gehad hebben. Alleen al de wetenschap zou voldoende zijn geweest om hem in mijn herinnering te koesteren, waar ik hem mogelijk nog mooier zou hebben gevonden dan hij al was.

Ik dacht aan de priester die me verteld had dat in veel religies geldt dat het eenvoudiger is om een hechte band te hebben met dierbaren die gestorven zijn, dan wanneer ze nog in leven zijn. Ik dacht aan andere opvallende tegenstellingen in ons dagelijks leven. Ik dacht aan rijke lieden die arm waren, en aan armen die rijk waren, aan asceten die met niets leefden om alles te kunnen hebben. Ik dacht eraan dat de term 'verloren liefde' helemaal verkeerd was, want liefde is nooit verloren, maar neemt alleen maar een andere vorm aan. John zei wel eens dat wiskunde een bevallige kant had, en dat natuurkunde ook iets romantisch had. En daarin had hij, zoals in zovele andere dingen, helemaal gelijk.

De mus waar John aan refereerde was het diertje dat hij gered had nadat het in onze achtertuin uit het nest was gevallen. Hij zette hem in een schoenendoos en had het net zo lang gevoed tot het oud en sterk genoeg was om op eigen kracht weg te vliegen. Maar hoe kun je hem nu zomaar laten gaan, had ik gevraagd, toen hij met de doos naar buiten was gegaan en de vogel een zetje op weg naar de vrijheid had gegeven. Hij had zijn schouders opgehaald en lachend naar me opgekeken. Hij had zijn ogen dichtgeknepen tegen de felle zon, en ik herinnerde me hoe knap ik hem op dat moment had gevonden. 'Iets houden is een vorm van liefde,' had hij gezegd. 'Maar iets laten gaan is een andere vorm van liefde.'

Ik ging weer naar boven, naar de kast en haalde het briefje eruit dat ik eerder gepakt had. Ja hoor. Er stond helemaal geen *huis*. Er stond *mus*.

Op weg naar de winkel zag ik voortdurend beelden van John voor me. Ze waren ongelooflijk helder – een foto had niet duidelijker kunnen zijn. Ik zag hem met open armen voor een groep mensen staan die hij had uitgenodigd voor het feestje dat hij bij wijze van verrassing voor mijn vijftigste verjaardag bij Aujourd'hui had georganiseerd. Ik zag hem met op zijn arm het baby'tje van Steve en Sara Miner, en hoe hij zijn wijsvinger door het kleintje liet vasthouden. Ondanks onze eindeloze pogingen om zelf kinderen te krijgen, viel er aan hem geen spoortje jaloezie of afgunst te bespeuren, en straalde hij met zijn hele wezen liefde en hartelijkheid uit. Ik zag hem op de rand van een zwembad van een hotel, met waterdruppeltjes in zijn wimpers. Ik zag hem grinnikend opkijken vanachter het stuur van zijn eerste sportwagen. Ik zag hem achter de barbecue terwijl hij een verbrande biefstuk omhooghield.

En toen zag ik hem iets doen wat hij me vaak beschreven had. Ik zag hem als jongeman die zich in de gootsteen stond te wassen nadat hij de olie van zijn auto had ververst. Terwijl hij de mouwen van zijn overhemd oprolde, besloot hij een handdoek om zijn hals te knopen en zich even snel te scheren, voor het geval hij op het feestje waar hij heen ging iemand zou leren kennen. En dat zou hij inderdaad. Het was het feestje waarop hij mij had leren kennen. Ik was daar, en was bang dat ik nooit het geluk zou beleven dat me daarna toch te beurt zou vallen.

Terug in de winkel passeerde ik twee vrouwen die opgewonden in de sieradenvitrine stonden te kijken. Ik zag dat iemand zijn naam had gezet op het lijstje voor het huren van de ontspanningsruimte. Kennelijk was onze grootse opening al begonnen. En waarom ook niet? Ik bracht onze lunch naar de ruimte achterin, en dekte de tafel met de soep, de broodjes, de appels en de peren. Het tafelkleed was antiek, en degene de het geborduurd had leefde allang niet meer. De roze en groene tinten waren verschoten, maar nog steeds herkenbaar. Ik vouwde mijn handen rond mijn achterhoofd, rekte me eens lekker uit en riep toen naar de anderen dat het eten klaarstond.

Dankbetuiging

Mijn dank aan mijn agent, Lisa Bankoff, en aan mijn redactrice, Kate Medina, voor hun wijsheid, hun vriendelijkheid en hun goede zorgen. Ook dank aan hun assistentes Tina Dubois en Danielle Posen, voor de vele gunsten die ze mij bewijzen. Mijn waardering voor mijn redacteur Beth Pearson, en voor Margaret Wimberger, de tekstredacteur van dit boek, die een gouden medaille verdient. En datzelfde geldt voor de mensen van de afdeling vormgeving, voor de fantastische omslag die ze ontwierpen. Mijn schrijversgroep kwam met oprechte en waardevolle kritiek, en mijn dank gaat uit naar Veronica Chapa, Nancy Drew, Pam Todd en Michele Weldon. Mijn publiciteitsagent, Kate Blum, is mijn reddingslijn wanneer ik op tournee ben, en ik heb de grootste waardering voor de talloze details die ze namens mij voor haar rekening neemt.

En ten slotte, maar zeker niet op de laatste plaats, dank aan Bill Young, mijn levenspartner, die alles deelt met mij en Homer en Cosette – en met Toblance, in herinnering, voor eeuwig en altijd.